D1495662

De Galdós a Miguel Ángel Asturias

Manuel Alvar López

De Galdós
a Miguel Angel Asturias

EDICIONES CÁTEDRA, S. A. Madrid

© Ediciones Cátedra, S. A., 1976
Cid, 4. Madrid-1
Depósito legal: M. 36.325-1976
ISBN: 84-376-0081-2
Printed in Spain
Impreso en: Neografis, S. L.
Santiago Estévez, 8 - Madrid-19
Papel: Torras Hostench, S. A.

A mi hijo Jaime

Justificación

En 1971, la Editorial Gredos agavilló en volumen un puñado de trabajos dispersos, mis *Estudios y ensayos de literatura contemporánea*. Hoy vuelvo a ponerme ante una hoja de papel para justificar —si justificación precisa— el amarrar en un nuevo haz otros quehaceres similares. Son un conjunto de estudios y ensayos que, como los anteriores, pueden responder a un mismo talante: comentar o aclarar cuestiones que me interesaron o sobre las que me hicieron interesar. Porque tal vez sin requerimientos amistosos o editoriales —que convergían sobre el plano de la amistad y sobre el de mis apetencias de lector— nunca hubiera dado forma a lo que no pasaba de ser la curiosidad reiterada sobre unos textos. Entonces llamé a estos trabajos «quehaceres marginales». Pero Rafael Ferreres —amigo fiel, a pesar de los años, a pesar de las lejanías— me lo reprochó al reseñar el libro. Tal vez tenga razón. Acaso no sea exacto considerar marginal a lo que es pasión de una vida, por más que la orientación profesional nos haya llevado muy aparte de lo que aquí se intenta aclarar. La condición de profesor de Historia del Español y de Dialectología, tal vez me equivocara a mí mismo, y me hiciera olvidar que empecé —allá entre los oros de Salamanca— como profesor de Literatura y que, con mayor o menor dedicación, he seguido siéndolo —Alemania, Estados Unidos— hasta estos días en que explico a Berceo en la Universidad de París. «Quehacer marginal» porque otros absorben de seguido mi atención, y estos se quedan como sosiego en un laborar continuo, o respiro para la atención obligada a un camino uniforme.

A pesar de su heterogeneidad, estas páginas son mutuamente solidarias. La necesidad de una presentación, el problema erudito que se piensa resolver, la evocación de unos días, dan talante afín a muchas cuestiones dispersas. Tal vez el método seguido sea, con escasísimas excepciones, lo que une a todos mis comentarios. Por eso no traigo aquí ninguno de los análisis que he hecho sobre Unamuno, Machado, Aleixandre, Dámaso Alonso, Buero, etc., porque todos ellos quieren ser otra cosa, crítica del texto, gramática poética, semiología, símbolos y mitos, o como se lleguen a bautizar. Ni caben aquí mis estudios sobre Jorge Guillén porque desmembrarían algo que pienso unitario y que recojo en libro aparte. Quede, pues, un conjunto que pudiera ser segunda parte de lo que reuní en 1971, y que —con generosidad y lasitud— pudiera pertenecer a la historia literaria.

* * *

Abren el volumen unos cuantos prólogos. Es el primero una *Presentación del 98* (introducción al tomo 25 de la «Literatura Española en Imágenes», editorial La Muralla, Madrid, 1973). Respeto el carácter de la colección, que no permite aparato erudito. Restituirlo hubiera sido tanto como volver a replantear el trabajo, y no es la ocasión. Se trata de una presentación para estudiantes, y pienso que, para ellos, puede ser cómodo encontrar reunida una información precisa. No hacen falta exhornaciones eruditas. Lo reimprimo con alguna adición.

Acercamiento a las Poesías de Antonio Machado son las páginas que abren las llamadas *Poesías Completas* del gran escritor (Madrid, 1975). Con ellas se inauguró la nueva colección «Selecciones Austral», y en el bello volumen de Espasa Calpe no tuve otra colaboración que la de escribir el prólogo, que ahora reproduzco con algún retoque y adición.

La *Introducción a las «Poesías» de Unamuno* es el prólogo con que edité el primer libro poético de don Miguel (tomo 32 de los Textos Hispánicos Modernos, editorial Labor, Barcelona, 1975). Va sin ningún cambio.

Los dos artículos siguientes —Carta de Unamuno, Poemas de Delmira— son inéditos. Tratan de completar o se relacionan con cuestiones a las que ya había dedicado mi interés.

En el homenaje a doña Margot Arce (Puerto Rico, 1973) vio la luz el estudio *Noventayocho y novela de posguerra;* con él se relacionan los *Dos temas sin acompañamiento en la novela de posguerra.* Estas fueron las páginas con que se abrió el volumen *Novela y novelistas. (Reunión de Málaga, 1972)*, que se publicó en la misma ciudad (1973). Tal vez, el sentido del trabajo esté cabalmente en el libro de donde proceden. Sin embargo, creo en su propia autonomía, al menos para historiar dos aspectos de nuestro relato contemporáneo que, si parciales en el conjunto, muestran cómo se han ido elaborando cosas que cuentan ya más que la historia. Son dos temas aislados de un conjunto y de una cronología. Quedan aquí sin acompañamiento y enmarcados en su tiempo preciso: los años de nuestra posguerra.

Las visitas reiteradas a la ciudad de Las Palmas, me han llevado una y otra vez a husmear los papeles galdosianos que, tan amorosamente, guarda Alfonso Armas. He podido reunir datos y más datos que, pienso, son curiosos y de difícil acceso a otros investigadores. Para colaborar en un congreso, que su ciudad organizó, en honor de don Benito estudié los desvelos que él dedicó a la mía. Tal es el trabajo sobre *Zaragoza*, en prensa hace largo, muy largo tiempo, y nunca salido a la luz del día.

Por último, la *Evocación de Miguel Ángel Asturias* son unas breves páginas, las pocas que sirvieron para presentar el homenaje que la revista *Jábega* (núm. 6, Málaga, 1973) rindió al gran novelista.

Esto es todo. Adiós, por si no volvemos a encontrarnos por estos mismos rumbos. Y gracias.

Madrid, 30 de abril de 1976.

Del noventayocho

Presentación del 98

1

El 15 de febrero de 1898, el acorazado norteamericano *Maine*
voló en el puerto de La Habana. Con él murieron 280 hombres
de la tripulación. La catástrofe sirvió en los Estados Unidos para
provocar una feroz campaña antiespañola que terminaría en la
guerra y la pérdida de los restos del impero español. A lo largo
de todo el siglo xix, la política nacional en Cuba había sido de singular miopía, como torpemente aislacionista en Europa. España
llegó a 1898 desalentada, sin orden interno, totalmente empobre-
cida: era fácil presa para la ambición de cualquier poderoso. Y
los Estados Unidos tuvieron el acierto de verlo así y de comprenderlo. Solapada o abiertamente, su postura fue siempre hostil y
en el momento debido jugó las bazas que dejarían la partida —y
sus aledaños— en sus propias manos. El hundimiento del *Maine*
fue un pretexto; sin él, hubiera aparecido otro. Consta sin ambi-
güedades: Estados Unidos se negó a aceptar una investigación
conjunta de los dos gobiernos para averiguar las causas de la catástrofe; se negó a un arbitraje neutral, sin responder siquiera a
la propuesta de España, y McKinley decidió la guerra. De cuando
en cuando, aún duran los ecos de tan singular proceder: en octubre de 1973, un superviviente norteamericano contaba cómo la
explosión se produjo desde dentro del acorazado. ¿Está en lo
cierto? La historia ha seguido y su caminar es irreversible.

Apena leer lo que los españoles pensaban por aquellas calendas: repetían tópico sobre tópico sin darse cuenta que los
yankées, según escribían entonces, podrían ser «infames», «odiosos»
y otras mil lindezas; que el «hispano león» podría ser «noble»,
«esforzado» y, por supuesto, otros mil adjetivos altamente positivos. Pero las guerras no se ganan con dicterios, ni con recuerdos
nostálgicos: ni Carlos Luis de Cuenca, ni Ricardo de la Vega,
ni F. López Van-Baumberghen, ni Manuel del Palacio, ni Eusebio
Blasco, conseguirían gran cosa a golpe de romance, de oda o de

soneto. La decisión de McKinley se tomó con muy otros funda-
mentos y, por desgracia nuestra, a la hora de la verdad fueron las
únicas razones que pesaron. En la revista *Don Quijote* se publicó
un soneto (6 de mayo de 1898) que nos hace pensar en Quevedo.
No por la categoría literaria del poema, sino por la descarnada
verdad con que se acierta a ver las cosas: España —una vez más—
en el sangirento redondel de su Historia tenía que torear a cuerpo
limpio y con un cerco de hostilidades. Que los políticos no lo
entendieran, que los periodistas vieran al revés las cosas, que el
pueblo —amargamente— tuviera que pagar la ignorancia de
quienes debieron haberle guiado o haberlo tenido bien informado,
no deja de ser un motivo de meditación. Porque no fue esa la
única vez en que el pueblo tuvo que pagar incapacidad, retóricas
o ambiciones. Llegó la catástrofe y volvieron a oírse versos de-
testables, ahora para apostrofar la «incuria» y la «inepcia» de
un gobierno «traidor» y «miserable». Todo había pasado, y a
España «la acaban de enterrar», sin que se hubiera producido
ninguna conmoción. Es significativo el poema *Después de la derrota*,
no tan malo como otros; se publicó el 20 de enero de 1899, en
Don Quijote, y quiero que valga como tristísima evocación de un
pasado que no debiera repetirse:

> Apuramos derrota tras derrota,
>   y afrenta tras afrenta,
> sin que surgiese la vibrante nota,
> que es el do sostenido en la tormenta.

>   *

> Sumidos en letárgico desmayo
>   nuestra vergüenza vimos.
> Si sobre nuestra frente cayó el rayo,
> es porque el rayo, estultos, merecimos.

>   *

> Y hoy, después del horror sin precedentes,
> después de aquel desastre sin consuelo,
> seguimos, con el ánimo indolente,
>   viendo estúpidamente
> cómo pasan las nubes por el cielo.

II

Estos hechos tan ligeramente apuntados son suficientes para encuadrar lo que interesa a nuestro objeto: la reacción que produjeron en la conciencia española y su proyección nacional. Lo que no quiere decir que todos anduvieran concordes en todo: bastaría recordar algún exabrupto de Baroja contra Maeztu por los días lejanos de 1899. Los políticos se dedicaron a las consabidas frases hechas, los pensadores creyeron en el *finis Hispaniae*, los poetas callaron. Un clima de anonadamiento se había tendido sobre el país, y Guerra Junqueiro, ante aquel silencio, diría a Unamuno:

> Ustedes no tienen un poeta porque han recibido un golpe y no se ha oído la queja melodiosa; el reponerse, la cura, es cuestión de tiempo; pero el quejido, el grito del dolor, esto es del momento.

El diagnóstico de don Miguel («Acaso tengamos poetas, pero no son patriotas») no fue aceptado por el poeta portugués:

> No, no es posible; si un hombre no siente lo que tiene en derredor, lo concreto, lo tangible, la patria, podrá ser un gran filósofo, un gran pensador, un gran sociólogo; pero un poeta, no.

Serían hombres de muy varia condición quienes procuraron conocer aquel mal de España para intentar su remedio. Pero no se crea que esa literatura nació condicionada por aquel momento: *Azorín* se ha molestado en aducir nombres anteriores (Saavedra Fajardo, Gracián, Cadalso, Cabarrús, Jovellanos, Larra), otros coetáneos (Sellés, Almirall, Gener). Yo me permitiría ampliar y cambiar —también— la nómina, pero es esto algo que no cuenta demasiado: el desastre no hizo otra cosa que acuciar a los espíritus, pero la coherencia del pensamiento español estaba fuertemente trabada. Interesan, por cuanto supusieron, por cuanto influyeron, unos pocos nombres mediatos e inmediatos: Lucas Mallada, Macías Picavea, Damián Isern, Joaquín Costa y —ya—, como eco sin brío, Julio Senador.

Lucas Mallada (Huesca, 1841-Madrid, 1926) tenía la reciedumbre de Gracián. Su libro *Los males de la patria* (1890) fue un clarinazo estridente, que casi nadie oyó. Pero su diagnóstico es fatal: inactividad, imprevisión, holganza forzosa o voluntaria, inoperancia, planes ilusorios, proyectos irrealizables... Algo que el jesuita del siglo XVII aún no pudo formular: falta de patriotismo. Y, a las claras, nuestra redención está en las escuelas, pero sobran disposiciones oficiales, colecciones de leyes, órdenes y decretos «que sin cesar se suceden y se van anulando unos tras otros»; sobran —también— los partidarios puramente teóricos de una enseñanza popular, basada sólo en la fantasía, centros superiores abundantes y mal dotados, y él —muy poco ortodoxo— veía que faltaba algo: la fe. Sin talleres, sin escuelas, sin virtudes cívicas, la carencia de espíritu religioso hace que la masa general se envilezca, gane en malicia, pervierta su conciencia. Este hombre había tomado el pulso desde su realismo, sin gorgoritos líricos y con los pies —era ingeniero de minas— sobre la tierra. *Azorín* piensa que este «libro fantasma» tiene unas deducciones que «son, en conjunto, erróneas». Con mucha más perspectiva hoy, creo que el científico oscense tenía razón: *Azorín* discute causas y efectos (problema teórico), echa de menos que no se hable de la personalidad (problema subjetivo), cree que las estepas son «países maravillosos» (problema estético). *Madrid* es un libro de 1941, pero treinta años después las cosas son de otro modo: la crítica debe ser serena porque por delante de España hay muchos —muchísimos— años de historia y los males hay que remediarlos con serenidad y con ecuanimidad. En 1890, Mallada tenía razón. Desde el fondo de mi alma deseo que ya no la tenga.

Macías Picavea publicó en 1899 *El problema de España*. La sangre aún contaba y sus páginas fueron de dolor y de amor. Dolor por nuestra propia injusticia; amor hacia lo que no se había sabido descubrir. He aquí algo que captaron muy pronto los hombres de la asendereada generación, que vieron —en medio del general desconcierto— alguna luz de esperanza. Otro libro de este momento es el *De la defensa nacional* (1901): libro triste y amargo —como todos los nacidos en la tragedia—, triste y amargo porque toma conciencia de las injusticias, fraudes, oligarquías, favoritismos: «No puede sorprender a nadie que máquina así dispuesta produzca sólo efectos de demolición y ruina, y haya labrado para sí títulos de desconsideración social raras veces alcanzados en España por poderes públicos.» La causa del regeneracionismo se extendería hasta ayer mismo: Julio Senador (muerto en 1962), con libros como *Castilla en escombros* (1915), *La tierra libre* (1918), *La canción del Duero* (1919), tratará de remediar males, pero su voz es agria, injusta, caprichosa, y, a pesar de los pesares, ignorante muchas veces.

Aparte queda, por la resonancia de su personalidad y de su obra, la figura más importante del regeneracionismo: Joaquín Costa (Monzón, 1846-Madrid, 1912). El ideario del patricio aragonés en muchos casos es el del 98. Para poner en marcha al país en el que aún creía («España puede resucitar, condensando y apretando el tiempo»), Costa quería desmitificar nuestra historia (Sagunto, Numancia, Otumba, Lepanto; Gran Capitán, Duque de Alba, Hernán Cortés, Farnesio) y elevar otros nombres —crear otros mitos—: los Reyes Católicos, Cisneros, Vives, Antonio Agustín, Servet, San José de Calasanz, Olavide, Aranda, Pignatelli. Pero los unos no quitan a los otros. Costa vuelve a la ideología de Mallada, su paisano: hay que enseñar lo que al hombre español le dé esas virtudes cívicas de que carece (amor a la justicia, laboriosidad, dedicación a los demás, espíritu científico, aprovechamiento equitativo de los bienes). En suma, cerrar las puertas a la fantasía para hacer apacible la vida sobre la tierra, algo de que andamos necesitados para podernos realizar como pueblo que pese en el concierto de los demás, algo que casi se logró en el siglo XVIII, y que se perdió «desde la funesta caída del partido aragonés». Sentido de ética transcendida a unas aplicaciones prácticas cuando el *finis Hispaniae* estuvo a punto de sonar y cuando había que hacer apreciar unos valores —no por ásperos menos veraces— que entre sus paisanos vivían reñidos con la lujuria verbal de otras partes.

Incluyo en este lugar el nombre de Ángel Ganivet, porque muerto en 1898 es, sin embargo, el más próximo de estos «precursores» a los hombres del 98. El más próximo y el más ligado a ellos. Amigo de Unamuno, que lo recordó con cariño, y con el que mantuvo su diálogo sobre el *Porvenir de España;* muerto antes de que cuajara la tan traída generación, pero carne de ella misma; símbolo un día de la tragedia de España, tanto y más que hombre frustrado en su andadura. Ganivet había nacido en Granada, en 1865; su vida fue una novela hasta el final —sombras de Mascha Djakoffsky y Amelia Roldán— en que se la tragaron en Riga las aguas del Dwina, diez días antes de firmarse el tratado de París. Su *Idearium español* (1897) es un análisis lúcido de la situación de España y una serie de intentos para remediar sus males, al tiempo que las *Cartas finlandesas* y los *Hombres del norte* abren ventanas a nuestra cultura «cuando el contacto íntimo de unos pueblos con otros tenía aún la frescura de un descubrimiento» (Ortega). De cara a lo que nos interesa aquí, está el problema de la prioridad espiritual que se manifiesta en el *Porvenir de España*, y que Unamuno siempre se atribuyó a sí mismo, con lo que Ganivet no sería el precursor, sino el anticipado por el más complejo de los hombres del 98. Séame permitido recoger las últimas líneas del prólogo de Unamuno, porque marca muy bien cuál era su postura con respecto a los hombres que se citan como antecedentes:

> De lo que yo me felicito es de poder contribuir a que sea mejor conocido aquel hombre de pasión, de pasión más que de idea, aquel gran sentidor, sentidor más que pensador —lo mismo que Joaquín Costa, otro apasionado y sentidor— en esta tierra en que es pasión y sentimiento y entusiasmo más que ideas y doctrinas lo que falta.

III

Intelectualmente, los hombres del 98 procedían del krausismo importado por Sanz del Río. Difícil resultaría en nuestros escritores no encontrar un elogio de adhesión o una corriente de simpatía hacia los hombres que deseaban mudar el talante del carpetovetónico. Porque, si lograron arraigo entre nosotros las doctrinas de un filósofo alemán de poca monta en su país, no fue por lo que en él vieron sus propios compatriotas, ni lo que mereció la adhesión de Sanz del Río, la metafísica, que era lo más endeble de su doctrina; fue porque tanto Sanz como Castro, Salmerón o Giner, gracias a Krause, encontraron, o inventaron, «una cierta manera de preocuparse por la vida y de ocuparse en ella, de pensarla y de vivirla, sirviéndose de la razón como brújula para explorar segura y sistemáticamente el ámbito entero de lo creado» (J. López Morillas). No creo que ninguno de los hombres del 98 repudiara la semblanza firmada por *Azorín*:

> Si quisiéramos caracterizarlos a todos por un rasgo común, diríamos que todos los hombres que figuran en este grupo y en este período se distinguen por un anhelo, por un afán sincero de saber, de conocer; a su afán y ansia de saber y explorar las regiones del pensamiento unen una rectitud, una probidad, una sinceridad, que pueden ser considerados como fundamentales, como típicos, en la época histórica en que tal movimiento intelectual se desenvuelve (O.C., IV, 811).

Más o menos era lo que Unamuno pensaba de Giner de los Ríos: especie de Sócrates que obligaba a meditar a sus interlocutores, que ganaba a los demás por su «serena y honrada neutralidad», que siendo un hombre de lucha, «se pasó la vida clamando: ¡Paz!» (O.C., V, 431). No se crea, sin embargo, en el krausismo de don Miguel, pero aunque nunca lo fuera, su formación filosófica estuvo condicionada por el krausismo, y si bien Sanz del Río y sus discípulos, conociendo a Kant y Hegel, los sacrificaban al filósofo mediocre, Unamuno, no. Tampoco en él la Institución Libre de Enseñanza, fundada en 1876 con los profesores destituidos, y obra de Giner y los krausistas, tuvo un sentido comparable al que se puede rastrear en Antonio Machado.

En qué modo las ideas de los krausistas llegaron a los hombres del 98 se puede poner en relación con los problemas derivados del desastre: necesidad de europeización (a pesar de los trenos de Unamuno), pues la tradición externa, el austracismo, había conducido a un verdadero marasmo; necesidad de abrir el espíritu español a cuantas influencias pudieran fecundarlo; «ojeriza» contra la influencia francesa (irían unidos Baroja y Unamuno, pero discordante *Azorín*). Como consecuencia de todo ello, la religión sentida con hondura, sin necesidad de hacerlo en la ortodoxia: evidentemente, pensamos en Fernando de Castro y en Unamuno. El krausista, que había sido franciscano, y acabó apartado del catolicismo dentro de algo que pudiera ser un «protestantismo liberal», fue un espíritu atormentado por los problemas religiosos; bien cerca de él Unamuno, que hizo de la duda religiosa fundamento de su agónico vivir y que —al menos en un determinado período— estuvo cerca de los protestantes alemanes, según puede verse en la conclusión de la crisis de 1897 y en las lecturas en que se abreva *Del sentimiento trágico de la vida*. Unamos a estos hechos el amor a la tradición popular de España, a sus tierras y a la esperanza, cuya síntesis hizo Antonio Machado en unos versos inolvidables

A don Francisco Giner de los Ríos:

...Llevad, amigos,
su cuerpo a la montaña,
a los azules montes
del ancho Guadarrama.
Allí hay barrancos hondos
de pinos verdes donde el viento canta.
Su corazón repose
bajo una encina casta
en tierras de tomillos, donde juegan
mariposas doradas...
Allí el maestro un día
soñaba un nuevo florecer de España.

IV

Los hombres del 98 con la herencia que reciben, con la tragedia que les toca vivir, intentan devolver el pulso a España; aquel pulso que los políticos no le sentían ni le encontraban. Pero la postura cordial y apasionada que estos escritores representan no se da sólo en España: es, como ha señalado R. M. Albérès,

> esa reacción anti-intelectualista que sucedió en todas partes a la época positivista y que produjo en todos los países —excepto Alemania— escritores paradójicos y violentos que reclamaban los derechos y la originalidad del sentimiento concreto de la existencia frente a las explicaciones racionalistas. Hombres de gran temperamento, intelectuales sublevados contra un exceso de intelectualismo, sensibles pero también polemistas, colocados en el pórtico del siglo para arrojar desde allí [...] las primeras llamadas de ese «sentimiento trágico de la vida» que debió esperar hasta una época más reciente para tomar los nombres de *existencialismo* o de *filosofía de la ambigüedad* (*Miguel de Unamuno*, 1959, pág. 11).

La nómina europea comprendería al Papini de *Il crepuscolo dei filosofi*, al primer Péguy, al Chesterton de *The Defendant*. En un libro reciente (*Literatura y pequeña burguesía en España*, 1972), José Carlos Mainer ha hablado de «una auténtica internacional del espíritu noventayochista»; para él, la *Action Française*, el *saudosismo*, el *prerrafaelismo*, etc., no serían otra cosa —como Unamuno, como Valle-Inclán— que la protesta contra el capitalismo. Entre nosotros los planteamientos tuvieron un valor más ancho: no se trató de una determinada postura personal —aunque naturalmente existió—, sino de justificar la razón de un vivir colectivo y de explicar la vida de un pueblo maltratado por la historia. De ahí nació una ruptura con la realidad oficial para buscar el alma de las cosas e identificarse con ella, sin las excrecencias de un vivir falseado. La primera consecuencia que se aprende en los hombres del 98, a pesar de su pesimismo, a pesar de su amargura, a pesar de sus congojas, es que supieron extraer una veta de fe y esperanza en el porvenir de España. La crítica de cuanto les rodeaba, les permitió separar el grano de la cizaña, y fueron al fuego los hierbajos de la palabrería y de los gestos vacuos. Frente a las gentes que hicieron la revolución de septiembre (1868), éstas tuvieron el sentido de la realidad, y la realidad —triste y amarga hoy—

podía ser mejorada. Creo que nadie lo dijo más bellamente que Maragall, el gran poeta catalán hermanado en mucho aspectos con los escritores de Castilla:

> Espanya, Espanya, —retorna en tu,
> arrenca el plô de mare!
> Salva't, oh!, salva't - de tant de mal;
> que el plô et torni feconda, alegre i viva;
> pensa en la vida que tens entorn:
> aixeca el front,
> somriu als set colors que hi ha en els núvols.

[España, España, vuelve en ti / ¡arranca el llanto materno! / Sálvate, ¡oh!, sálvate de tanto mal; / que el llanto te vuelva fecunda, alegre y vivaz; / piensa en la vida que te rodea: / alza la frente, / sonríe al arco iris que sale entre las nubes.]

La voz de Maragall es otra voz de esperanza. Pasó —también— por las horas de la amargura, como los repatriados que tenían que contar la magnitud del desastre, y por eso la crítica de la Restauración fue en él muy dura, pero en el *Cant del retorn* (1899) está el verso abierto hacia el futuro:

> Si encara és ben viu el record d'altres gestes,
> si encara les serres que ens han d'enfortir
> s'aixequen serenes damunt les tempestes
> i bramen llurs boscos al vent ponentí,
> germans que en la platja plorant espereu,
> no ploreu: rieu, canteu!

[Si todavía está vivo el recuerdo de otras gestas, / si las sierras que nos han de fortalecer todavía se alzan serenas en medio de las tormentas / y braman sus bosques al viento de poniente, / hermanos que esperáis llorando en la playa, / no lloréis: ¡reíd, cantad!]

Esta fue, también en castellano, la gran lección del 98: esperanza en España, porque tuvieron fe en ella.

V

Generación del 98 es hoy un término acuñado como en troquel. Pero ¿lo fue siempre? ¿Qué significa *generación* en historia literaria? ¿Y qué *98*? Desde que Pedro Salinas, en un breve y claro estudio, emitió un dictamen científico, las cosas quedaron en su sitio, pero ni aun entonces los críticos acabaron de enterarse. En *Forma y espíritu de una lírica española* (pág. 19), José Francisco Cirre escribe:

> El 98 ofrece tres grandes poetas, de decisivo peso como antecedente de los acontecimientos literarios posterios: Antonio Machado, adentrado en el corazón de Castilla; Manuel Machado, que viste el modernismo a la andaluza, y Juan Ramón Jiménez, el más cercano a la generación siguiente, que, en cierta medida y extensión, toma de él sus directivas.

Es necesario aclarar las cosas y verlas en su esencia. Creo que todo en esos tres poetas es muy diverso. Pensar que el ser antecedente de acontecimientos posteriores basta para unirlos, me parece totalmente falaz. Para mí andan más en razón quienes piensan en tres generaciones, o una «generación en triple salto», aunque no acepte los integrantes. Cierto que podemos hablar de una generación «preparatoria» (y la palabreja no resulta muy feliz que digamos) en la que podrían estar Ganivet, Costa, Galdós, *Clarín*, Menéndez Pelayo y Blasco Ibáñez, por ejemplo; habría un grupo, el V.A.B.U.M. (Valle-Inclán, *Azorín*, Baroja, ¿Benavente?, Unamuno, Machado, ¿Maeztu?), que específicamente sería 98, y habría una generación «ejecutoria» (con un crasísimo desacierto terminológico) a la que pueden pertenecer Ortega, Pérez de Ayala, Marañón, Miró y D'Ors. O con otras palabras, acaso más claras: Restauración, 98 y Novecentismo. Ahora bien, las siglas V.A.B.U.M. no son demasiado explícitas y, además, indignas de ser empleadas por humanistas. No son explícitas porque la *B* vale para Baroja y para Benavente; cierto que éste anduvo con los hombres del 98, pero sus intereses fueron muy otros y se apartó de ellos. *M* es la inicial de Machado y de Maeztu, pero los Machado son dos y creo que uno —Manuel— no es noventayochista: no lo es —a pesar de los esfuerzos que hace Dámaso Alonso en su trabajo excepcional— porque sus ideas eran muy distintas de las de otras gentes de su edad. Cierto que asoman a sus versos elementos que son noventayochistas, pero su talante es muy otro que el de su hermano Antonio. ¿Qué español no tuvo dolor por las desgarraduras de la patria? Pero era la llaga abierta, que se cierra y queda como el recuerdo de un episodio; no es la justificación de una forma de vivir ni, por supuesto, de escribir. Es lo que me decide a considerar muy poco noventayochista a Valle-Inclán, dígase cuanto se quiera. Creo que el problema sólo alcanzará solución el día que poseamos unos índices de palabras como los que Guiraud ha hecho para el simbolismo francés. Entre tanto, recurriremos a impresiones muy subjetivas, que, por naturaleza, son inciertas. En 1902 se publican *Amor y Pedagogía, La Voluntad, Camino de perfección, Soledades* (aunque con fecha de 1903) y la *Sonata de otoño;* quiero tomar un solo botón de muestra, las últimas palabras de la novela de Valle-Inclán:

> ¡La pobre Concha había muerto! ¡Había muerto aquella flor de ensueño a quien todas mis palabras le parecían bellas! ¡Aquella flor de ensueño a quien todos mis gestos le parecían soberanos!... ¿Volvería a encontrar otra pálida princesa, de tristes ojos encantados, que me admirase siempre magnífico? Ante esta duda lloré. ¡Lloré como un Dios antiguo al extinguirse su culto!

Eludo toda exégesis. Antonio Machado (1914) lo señaló muy bien:

> Los líricos puros: *Bécquer; Juan R. Jiménez.*
> Neobarroquismo: *Rubén Darío.*
> El modernismo: *Manuel Machado.*
> El impresionismo lírico: *Manuel Machado.*
> El intimismo: *Antonio Machado.*

Manuel Machado no es noventayochista, ni Valle-Inclán tampoco. Cuando Hans Jeschke *(La generación del 98)* toma las notas de color que aparecen en las obras de *Azorín,* Baroja, Machado y Valle-Inclán publicadas en 1902, ve que blanco, negro y amarillo se presentan como dominantes, pero en los escritores que considero homogéneos tienen una presencia homogénea también: 56 por 100 en Baroja, 55,8 por 100 en *Azorín,* 58,5 por 100 en Machado; frente a ellos, Valle-Inclán alcanza nada menos que un 80 por 100. Y las diferencias se extienden a otros muchos aspectos, pero basta. Nos quedamos con Unamuno, Baroja, Machado, Maeztu y *Azorín,* como integrantes de la generación. Las siglas habían surgido un poco al buen tuntún, aunque algún historiador de la literatura haya dicho que son las iniciales de los escritores que —calle Alcalá abajo y violetas en mano— fueron a visitar la tumba de Larra el 13 de febrero de 1901. No. Allí estuvieron los Baroja, *Azorín,* Bargiela, Ignacio Alberti, José Fluixá, Antonio Gil, según ha recordado José Luis Varela en un estudio exhaustivo *(Larra y nuestro tiempo).*

Ahora bien, ¿qué relación hubo entre estos hombres que formarán un grupo? ¿De dónde salió lo de *generación del 98? Azorín,* en un trabajo que se difundió mucho *(O.C.,* IV), ha hablado del

29

grupo, aunque en 1926 entendía estas divisiones literarias como cosa de manual («yo sospecho que desde esta lejanía pretérita [...] los planos del cuerpo se verán fundidos, hechos una misma cosa»); sin embargo, la perspectiva nos va dejando ver bien las cosas, y lejos de fundir, separa. Baroja culpa a *Azorín* de haber inventado el término —lo que no es absolutamente justo— y se aparta de cualquier intento de agrupación. En *El escritor según él y según los críticos*, escribirá:

> ¿Había algo de común en la generación del 98?
> Yo creo que nada. El único ideal era que todos aspirábamos a hacer algo que estuviera bien, dentro de nuestras posibilidades. Este ideal no sólo no es político, sino casi antipolítico, y es de todos los países y de todos los tiempos, principalmente de la gente joven.
> Muy difícil sería para el más lince señalar y decir éstas eran las ideas del 98.
> El 98 no tenía ideas, porque éstas eran tan contradictorias, que no podrían formar un sistema ni un cuerpo de doctrina.

Pero a renglón seguido habla del romanticismo e individualismo de la generación, de la influencia de los autores extranjeros, del impresionismo del escritor, de la sinceridad..., algo de que todos harán profesión de fe. Unamuno protestará también, pero también participa de todos esos integrantes. Tal vez a esos hombres —ferozmente individualistas— les molestaba constituir un grupo, donde siempre se diluye la propia personalidad; no veían cuánto de común tenían, porque cada uno afirmaba contra los demás y ante sí mismo la singularidad de ser (recuérdense las *Siluetas* de U. González Serrano, 1899); enmarañados en la urdimbre del vivir cotidiano, no acertaban con su propia realidad. *Azorín* viendo las cosas serenamente escribiría: «un espíritu de protesta, de rebeldía, animaba a la juventud de 1898», y poco más adelante enumera cuáles son los sentimientos que pueden servir para caracterizarla: amor a los viejos pueblos y al paisaje, devoción por los poetas primitivos, fervor por *el Greco*, rehabilitación de Góngora, romanticismo, entusiasmo hacia Larra, acercamiento a la realidad, aguzar el instrumento lingüístico «con objeto de aprisionar menuda y fuertemente esa realidad». Y terminará:

> La generación de 1898, en suma, no ha hecho sino continuar el movimiento ideológico de la generación anterior: ha tenido el grito pasional de Echegaray, el espíritu corrosivo de Campoamor y

el amor a la realidad de Galdós. Ha tenido todo eso; y la curiosidad mental por lo extranjero y el espectáculo del desastre —fracaso de toda política española— han avivado su sensibilidad y han puesto en ella una variante que antes no había en España (O.C., II, 914).

VI

Terminado el siglo xix, un poeta flamenco —Emile Verhaeren— y un pintor español —Darío de Regoyos— recorrieron España. En 1899 publicaron un libro, *La España negra*. Poeta y pintor habían descubierto un país «moralmente» negro. Y, ya se sabe, el alma, etc. La cara de este país era también negra. Pero no estaba vista en su esencia, sino a través de mucha sabiduría artística, apeñusgada con dudosa eficacia:

> Atravesamos paisajes con grandes reflejos de colinas verdes en el río, que traían a la memoria cuadros de Courbet; otras veces se descubría el mar con sus *falaises* o con rocas formando dragones monstruosos, marinas de Monet; después era un efecto de Rousseau o bien de Corot lo que aparecía. Pero por encima de todo se piensa en algo que no se ha pintado nunca, en el cuadro que cada uno lleva grabado en sí.

Verhaeren tenía formada un tanto su visión de España. O deformada acaso. Uno piensa sin querer en aquella conversación en la Opera de París. Gautier se encuentra a Heine y le espeta alborozado: «¡Señor Heine, voy a ir a España!» «Entonces, señor Gautier, ¿cómo podrá usted escribir sobre España?» Sí, Gautier también tenía su visión deformada de España, e Irún le parecía algo así como la quintaesencia de nuestro tipismo. Pero Gautier vio, se metió en el paisaje español, y —anécdotas aparte— su visión fue decisiva para crear la sensibilidad paisajista de los hombres del 98. Verhaeren tenía sus ideas y Regoyos las iba realizando con sus interpretaciones negras y bien negras: mujeres desgranando rosarios sobre una tumba, el pésame a la mujer gorda y enlutada, la procesión tétrica, los caballos muertos después de la corrida, las ciudades misteriosas «adornadas de bajorrelieves con quimeras y bichos fantásticos»... Apostillando, las líneas del belga o la reelaboración del español: curas y alcaldes en una tristísima corrida de toros, mujeres —inevitablemente de luto— que caminan de rodillas para cumplir una promesa, niños que tiraban

31

de la cola a los caballos muertos para ver si se levantaban o que les «apretaban las heridas para hacer salir la sangre». ¿Para qué más? Todo era negro. Rebuscadamente negro:

> Quizá por simpatía a la *España negra* o por casualidad, casi siempre la llegada a los pueblos era al oscurecer o en noche estrellada, de modo que, sin querer, las horas de los trenes y de las diligencias nos habían creado una serie de ensueños artísticos de lo desconocido, visto a la débil luz crepuscular o al resplandor de amarillento farol de pescante.

Otro pintor del 98, José Solana, también se echó a andar por los pueblos españoles. Camilo José Cela —buen conocedor de geografías andariegas— ha descubierto los muchos valores de estas prosas pintorescas. Solana ve a su manera, que es la mejor manera de ver. Y ve chafarrinones, curas zafios, mozas de carnes apretadas, hombres bastante bestias y galgos llenos de dignidad. Pero ve también la ternura a su modo: la caridad del cura rural, los caballos muertos en las corridas «hermanos de los esqueletos del cementerio, de los difuntos vecinos del Colmenar», del pobre de Buitrago. Es, sí, también otra visión de las cosas. (Alguién me contó que Solana ofreció un cuadro suyo al doctor Marañón: unas máscaras de carnaval: «Como era para usted, he pintado una máscara preñada». Evidentemente, era una finura muy atenta.) Solana ha visto otra España, no, negra, no, pero bullanguera, zafia, que quisiéramos no tener, pero que ahí —ese ahí son los pueblos que rodean a Madrid— está. A veces anticlerical, otras religiosa; generosa y tacaña a la vez; mísera tantas veces como opulenta. Es la visión casi fotográfica de España, grotesca, pero no negra. ¿Hay nada más real, directo y populachero que aquella corrida pueblerina?

> Van llegando las mujeres [...]; al sentarse se ciñen los mantones de Manila a las nalgas y a los muslos con gracia; ríen enseñando una dentadura magnífica, y unas barbillas gruesas y coloradas que deben saber a gloria. ¡Qué importa que sean tan inconscientes, si son tan cachondas! [...] Al saltar por los obstáculos de los asientos y enseñar las piernas nos quedamos turulatos, y al sentarse y agacharse se les marca el culo, enormemente redondo.

Et sic et coeteris. No es un trecho deliberadamente copiado. Es lo que el bueno de don José veía y gustaba. Al fondo de todo esto, de sus arbitrariedades (¿qué tendrá que ver la bravura de los toros de Colmenar para que los sombreros anchos les sienten a los mozos castellanos mejor que a los de Sevilla?), de sus escatologías, están, sí, las gentes, las tierras, los pueblos de España. Los vio un gran pintor y los convirtió en criaturas perdurables, aunque hubiéramos querido que no existieran, pero ¿cómo es la sensibilidad del *homo hispanicus*?

Esto es lo que hicieron los hombres del 98. Buscar la esencia de las cosas, la «España profunda» que subyace bajo apariencias de brutalidad e inconsciencia, la de los hombres sutiles y generosos, aunque se oiga más a los palurdos; la de paisajes de grandeza casi celeste. *España clara* en la obra de *Azorín*, como la intuyó Turoldus en un verso que estremece: «Clere Espaigne la bele.» En la pluma de los hombres del 98, la patria va haciéndose temblor de emociones, como en los *Elogios* de San Isidoro o de Alfonso el Sabio: «Geográficamente, España es la primera nación de Europa. No vayáis, al llegar a Europa, a Suiza, a Italia, a Francia; o mejor, id a esos bellos países; pero, después de pasar, estar y contemplar España. En España se reúne todo lo mejor de Europa. España es una síntesis de todos los países europeos. Todos los más bellos paisajes de las naciones europeas están en España. Y están perfeccionados, superados.» Era necesario escribir esto y así: la derrota había sumido al hombre español en un marasmo. Años y años de introversión habían acabado por atrofiarle los ojos; fracaso tras fracaso le habían conducido a desconfiar de sí mismo; pobreza amontonada sobre pobreza habían convertido su espíritu en un odre de mezquindades. Labor patriótica era la de buscar la verdad para ver que nuestras cosas no eran tan males como se creían: descubrieron grandes parcelas de nuestra literatura y de nuestro arte; había que abrir los ojos para encontrar la belleza entrañable de nuestros pueblos y de nuestros paisajes; había que hacer saber que América no era una empresa fracasada, sino el empeño más generoso que el hombre había hecho en busca del hombre. Y si de paso las cosas resultaban desagradables, la verdad ante todo; si había que arrancar un dolor, el comunicarlo sería el mejor bálsamo; si aparecía el mal, debía denunciarse. Sólo con el conocimiento de las cosas podríamos volver a ser un pueblo entre los pueblos. Lo bueno para perfeccionarlo; lo malo para su remedio. Así hubo que empezar por el principio: el descubrimiento de la realidad inmediata.

VII

El descubrimiento de la realidad inmediata está en saber ver el mundo que nos rodea. Saberlo ver no es copiarlo ni deformarlo, es interpretarlo. Se interpreta seleccionando los motivos y trasmitiéndolos por medio de la palabra. Unamuno dejó constancia de lo primero, y quisiera partir de él. Necesito transcribir unas palabras mías para seguir adelante. Perdóneseme la cita:

> [los hombres del 98] nos acostumbraron a ver a España para enraizarla en nuestra conciencia de hombres y —por el conocimiento— nos la convirtieron en esencia de amor. El paisaje en estos nombres —*Azorín*, Baroja, Unamuno— no fue un deleite ocasional o frivolidad pasajera. Fue un venero de zozobras e insatisfacciones. Que tal es el amor. Porque amar a España y sentirla físicamente viva es un riesgo de problemática certeza.

No en vano Unamuno había escrito: «La primera honda lección de patriotismo se recibe cuando se logra conciencia clara y arraigada de la patria.» Para conseguir esa «conciencia clara» los hombres del 98 recorrieron todos los pueblos y los campos de España. Ellos, hombres de la periferia (vascos, Unamuno, Maeztu y Baroja; levantino, *Azorín*; andaluz, Machado), descubrieron la Castilla real en su intrahistoria, aquella patria en la que cobró vida la esperanza del hombre español según unas páginas de las *Andanzas y visiones españolas*, de Unamuno:

> Viendo desde una cumbre de las sierras de Castilla desplegarse a mis pies como alfombra en el cielo, desprendida de todo grosero peso de materialidad, un vasto retazo del cuerpo de España, me surgía del corazón la confianza de que el sol que lo curte ha de alumbrar todavía grandes glorias y perdurables proezas. No es posible que por escenario así no pasen los más excelsos personajes de la Historia.

Baroja ha meditado sobre el paisaje que rodea a Madrid. Baroja, entrado en años, tiene elementos de juicio. A finales del siglo xix, a comienzos del siglo xx, el paisaje de España no interesaba a los españoles: «para las gentes de Madrid, el campo [...] era un erial sin el menor interés»; pero en 1935 veía las cosas de otro modo, y en su *Vitrina pintoresca* escribía:

34

Desde entonces acá el entusiasmo y la curiosidad por el paisaje se han extendido y se han intensificado. En estos últimos tiempos, la literatura de *Azorín* ha influido mucho en el entusiasmo por Castilla. También ha tenido influencia la poesía de Antonio Machado.

Estos hombres —con su pluma— habían logrado crear un interés entre gentes heterogéneas y de calaña variopinta: obreros gallegos y asturianos, alemanes, institucionistas y socialistas. Habían motivado, y esto fue importante, un acercamiento que había creado visiones transcendidas, por cuanto acertaron a ver ese paisaje como condicionador de la historia y morada del hombre que lo habitaba. No estábamos ante el retazo de naturaleza, bello o no por la sensibilidad de quien lo contempla, sino que el hombre de ayer y el hombre de hoy habían condicionado la manera de ver y habían sido condicionados por aquellas, y no por otras, tierras. Era, pues, un suelo al que se amaba por amor —también— al hombre y que, como éste, palpitaría más allá de lo que los ojos pudieran ver y los oídos oír. En Unamuno, el paisaje transciende de la creación puramente estética y se convierte en compromiso religioso («el sentimiento del paisaje es un sentimiento cristiano»); en *Azorín*, una forma de profundidad («este concierto profundo de las cosas, esta compenetración íntima de los matices»); en Baroja, como un eco de suaves melancolías; en Machado, identificación espiritual («Me habéis llegado al alma, / ¿o acaso estabais en el fondo de ella?»). Lo que estos hombres han hecho con el paisaje ha sido transcenderlo, no considerar —sólo— la realidad inmediata, sino interpretarlo hacia la historia y hacia el intimismo. Por eso, Unamuno, *Azorín*, Baroja, reaccionaron siempre contra el llamado *realismo*, «cosa puramente externa, aparencial, cortical y anecdótica» (Unamuno), y buscarán la veta honda y emocional que tienen todas las cosas.

Pero el paisaje recogido necesita ser transmitido. Y la transmisión exige del contemplador eliminar lo accidental para captar únicamente aquello que individualiza y define. Unamuno —lo he dicho ya— en una evasión celestial se identifica con Castilla al desasirse de la tierra: esto en 1899, cuando escribe su hermoso poema *El Cristo de Cabrera*, culminación de una serie de visiones empezadas a descubrir en varias visitas que —años de crisis religiosa— hizo a Alcalá. Esta visión metafísica del paisaje de la patria hará que se identifiquen las ideas que tiene de un Dios español y de una España proyectada hacia una inmortalidad en la mente del Creador.

35

Si hubiera que aducir testimonios, bastaría con algún soneto de *De Fuerteventura a París* para ahorrar referencias mucho más largas de sus libros en prosa. Unamuno ha eliminado lo accidental, esto es, cuanto no ayuda a encontrar esa razón que basta para haber sido creado, pero —más aún— se apoya en la vida que fueron capaces de crear las gentes que nos precedieron, y entonces el paisaje se le convierte en símbolo y mito, como al cantar en una oda bellísima a *Salamanca*: símbolo de cuanto es inalienable; mito de lo que han labrado cuantos vivieron con amor. Si en Unamuno el paisaje —rural o urbano— se convierte en religión, los medios expresivos con que lo cante deberán ser concordes con las criaturas que quieren captarse. Tal es la noble conciencia de sus versos libres, tan en relación con los *musings* ingleses de Wordsworth o Coleridge o con la poesía cívica de Carducci.

En Machado la captación del paisaje se hace desnudándolo de extrañas adherencias. Esta es una postura distinta de la que Baroja sustenta; no tanto por los medios, cuanto por los fines. Enemigos uno y otro de la ociosa palabrería —como Unamuno, como *Azorín*—, aspiran a lograr fines diferentes: Machado, el étimo transcendente de las criaturas; Baroja, el temblor emocionado de su presencia. Tal vez no se trate sino de algo que rebasa las posibilidades del quehacer del escritor: ¿cuál es el fin de la poesía?, ¿cuál es el fin de la novela? O en última instancia, ¿qué es poesía?, ¿qué es literatura? En este sentido, la poesía de Machado se aproxima a Unamuno por tener un carácter metafísico, mientras que la técnica de captar la realidad uniría a Baroja con *Azorín*, Así se explican algunas líneas machadianas de las *Reflexiones sobre la lírica*:

> En el principio era la acción — ¿no fue éste el dogma del siglo? — y la inteligencia, nuevo y tardío — ¿por qué no superfluo? — accidente vital, sólo podía aspirar a un rango inferior, de instrumento pragmático. Los poetas habían de desdeñarla. La pintura misma —el impresionismo— es pintura de ciegos que pretenden palpar la luz. La poesía declara la guerra a lo inteligible y aspira a la expresión pura de lo subconsciente, apelando a las potencias oscuras, a las raíces más soterrañas del ser. «De la musique avant toute chose», había dicho Verlaine. Pero esta música de Verlaine no era la música de Mozart, que tenía aún la claridad, la gracia y la alegría del mundo leibnitziano, todo él iluminado y vidente, sino la música de su tiempo, la música de Wagner, el poema sonoro de la total opacidad del ser, cuya letra era la metafísica de Schopenhauer.

La postura de Baroja tiene mucho de pictórica. Retratándose diría: «Yo soy un impresionista y para un impresionista lo transcendental es el ambiente y el paisaje.» Y en otro sitio: «Yo, si hubiera sido pintor, hubiera sido un discípulo de los impresionistas, desde Turner hasta Sisley, y de los antiguos pintores holandeses, sobre todo de Vermeer de Delft.» Estas líneas de sus *Memorias* tenían un antecedente explícito en *Juventud, egolatría*, donde se apuntan otras muchas cuestiones. Válganos algo que sirve para proyectarlo a su captación artística del paisaje: «un poco gris, para que se destaquen los matices tenues». Pero sobre ello tendremos que reincidir. En *Azorín* volveremos a encontrar idénticas realizaciones. Ortega decía que «su arte se insinúa hasta aquel estrato profundo de nuestro ánimo donde habitan estas menudas emociones tornasoladas». Insinuación es captación sutil de los matices, impresionismo, la vibración de las cosas en un momento determinado, aprehensión de las pequeñeces que saltan al primer plano de sus cuadros. Lo más opuesto a la grandilocuencia.

VIII

Posturas tan distintas las de los escritores anteriores, necesariamente llevan a una literatura distinta. Si la forma de captar, y comunicar, el paisaje nos ha hecho ver la diferencia de estos hombres con respecto a sus predecesores inmediatos, la visión que cada uno de ellos tenga del poema y del relato no hará sino definir su propio arte.

Cuando Gerardo Diego organiza su famosa *Antología*, cada poeta es requerido para explicar sus propias intuiciones. Unamuno, viejo, cargado de experiencias, diría: «el poema es cosa de postcepto, y el dogma, de precepto». Desde una toma de contacto con esa conciencia de lo eterno, el poeta ha ido llegando a unas conclusiones desazonantes, que se apartan de cualquier dogmatismo:

> El mundo espiritual de la poesía es el mundo de la pura heterodoxia, o, mejor, de la pura herejía. Todo verdadero poeta es un hereje, y el hereje es el que se atiene a postceptos y no a preceptos.

Ahora bien, el plano de la experiencia interior se tiene que proyectar hacia una realidad superficial con unos determinados medios que —a su vez— lo condicionan. Unamuno —por más que sea uno de los grandes sonetistas de nuestra lengua— siente un profundo desdén por la rima, hasta el extremo de escribir en endecasílabos blancos su grande y hermosísima creación *(El Cristo de Velázquez)*. Al prescindir de la rima, tiene que cargar toda su intencionalidad comunicativa en el ritmo y en la capacidad de expresión; entonces, en su poesía la palabra fija de manera inequívoca los contenidos conceptuales, pero —a su vez— se adensa con una plétora semántica. Por eso no es una poesía hermética, porque los signos comunicativos no pierden su función, sino que la condensan. Así, en los poemas del inicio de *Poesías* que, con el título de uno de ellos, podríamos construir su credo poético:

> Dinos en pocas palabras,
> y sin dejar el sendero,
> lo más que decir se pueda,
>   denso, denso.
> Con la hebra recia del ritmo
> hebrosos queden tus versos,
> sin grasa, con carne prieta,
>   densos, densos.

Si nos atuviéramos a los recursos rítmicos a los que he aludido, veríamos cómo en la poesía de Unamuno abundan dos artificios: el encabalgamiento y el *leixaprén*. Con el primero, da intensidad a lo que se quiere peraltar, pues la suspensión intensifica directamente aquello que se describe:

> y entre los surcos al dormir la tarde
> duerme el sosiego.

Otras, la suspensión se llena de carga expresiva cuando metáforas y comparaciones impiden alcanzar la meta, con lo que el retraso adquiere la eficacia del silencio, así al describir el campo salmantino («como el crecer de las encinas / lento y seguro») o el patio de Escuelas Menores («que de plateros / ostenta filigranas en la piedra»).

Si estas rupturas han servido para intensificar lo que quería hacerse más expresivo, el *leixaprén* actúa de contrapeso de un recurso que resultaría monótono y pobre. En efecto, más allá de un paralelismo conceptual o de musicalidad, Unamuno utiliza reiteradamente el enlace de versos y estrofas, con lo que sus poemas adquieren un lento y remansado fluir:

> Y entre los surcos al morir la tarde
> duerme el sosiego,
> Duerme el sosiego, etc.

También los presupuestos poéticos de Antonio Machado se parecen mucho a los de Unamuno, aunque en Machado haya unas concretas y muy precisas influencias de algunos intuicionistas franceses de comienzos de siglo. Carlos Clavería, que ha estudiado esta poética, nota la presencia de ideas de Bergson —a cuyas clases asistió Machado en París— que se sienten en el equilibrio entre los elementos lógicos y temporales en el poema; también parecen percibirse influencias de Larsson. La obra de Machado quedó sustentada en los apoyos teóricos que son los tratados doctrinales de Abel Martín y Juan de Mairena, de filiación bergsoniana, y en los cuadernos de los *Complementarios*, publicados hace poco (1972) por Domingo Ynduráin. Por otra parte, la preocupación temporal —a la que volveremos— que Machado recoge y comenta en 1937 viene a coincidir con la filosofía existencial de Heidegger: en el pensador de Friburgo, encontró don Antonio los grandes temas que preocupaban a Mairena (la angustia del tiempo, la muerte como única verdad) y en ella pudo fundamentar, también, las palabras del propio Mairena cuando afirmaba que los grandes poetas son metafísicos fracasados, y los grandes filósofos, poetas que creen en la realidad de sus poemas (¿no sería ésta la justificación, si no el motivo, de la poesía aforística de Machado, que ocupa todo su quehacer último?). De este modo, Machado incorporó a sus propios moldes la filosofía de Heidegger, pero conformándola a otros más antiguos y abriendo nuevos caminos a la creación literaria, elevando su quehacer «a la categoría de antropología poética», y nadie como él resultó más esclavo de una poesía que expresara «lo inmediato psíquico a través de elementos objetivos y genéricos».

Abel Martín (1840-1898), poeta y filósofo, y Juan de Mairena (1895-1909), poeta, filósofo, retórico e inventor de una máquina de trovar, son los dos teóricos sevillanos por cuya boca expone Machado sus ideas acerca de la poesía y del mundo. Como punto de partida, puede servirnos una muy breve anotación: Mairena está en su clase de Retórica y Poética y plantea a sus alumnos una cuestión que se desarrolla así:

—Señor Pérez, salga usted a la pizarra y escriba «Los eventos consuetudiarios que acontecen en la rúa».

El alumno escribe lo que se le dicta.

—Vaya usted poniendo eso en lenguaje poético.

El alumno, después de meditar, escribe: «Lo que pasa en la calle.»

Mairena.—No está mal.

Esta fue también la conducta del Machado poeta. Encontrar el lenguaje poético en las palabras más sencillas y corrientes. Todo se puede decir con las voces de cada día, y ese todo es la transmisión lírica de las almas. Tal vez sea éste el gran hallazgo de Machado: liberarse de halagos retóricos, rehuir las palabras altisonantes, no rebuscar la imagen sonora, sino escudriñar los entresijos significativos de las voces para devolverles el poder mágico de la creación. Un día de 1973, Jorge Guillén me decía: «Sólo empleo palabras corrientes: con *cielo, mar, tierra, amor* se puede hacer toda la poesía.» El milagro es poder transcenderse desde una poesía temporal y local a una poesía pura; el milagro es encontrar la «poesía» sin adjetivos. *Azorín* tenía razón. En un libro de vejez *(El escritor)* escribió estas simplicísimas frases:

—¿Prefiere usted los poetas antiguos o los modernos?

—Los modernos y los antiguos. En poesía no hay antiguos ni modernos: no hay más que poetas.

—¿Cuál cree usted que es el mayor peligro para el poeta?

—El pensar que le van a leer. El sacrificar, siquiera en mínima parte, la eternidad a lo actual. El poeta debe estar por encima del tiempo y del espacio.

Machado, en sus versos, ha contado sus propias experiencias, vividas, entrañadas, doloridas. Sólo lo que se sabe y ha ido formando la membrana dolorida del propio vivir. Nada más lejos de los modernistas, y no lo digo con desdén: en ellos también (en los grandes poetas, naturalmente) la vida se hizo poesía, a pesar de los ropajes. Nada más lejos —insisto— de lo que era el valor fónico, orquestal, hasta pictórico de las palabras. Corre por ahí la anécdota de un paseo de Villaespesa con Unamuno, suponiendo que Unamuno y Villaespesa tuvieran algo que pasear: —«¿Qué flores son éstas?» «Mi querido Villaespesa, ¡los nenúfares que salen en todos sus sonetos!» Lejos de esto, la poesía de Machado apuntaba a otros valores, lo que no quiere decir que no tuviera admiración

—y grandísima— por Rubén Darío. Simplemente, su intención era muy otra. Machado dedicó hermosos poemas a Rubén, y Rubén hizo de Machado el más bello retrato poético que podamos imaginar. Esto fue todo. Al frente de una edición tardía de las *Soledades*, don Antonio escribió:

> Pensaba yo que el elemento poético no era la palabra por su valor fónico, ni el color, ni la línea, ni un complejo de sensaciones, sino una honda palpitación del espíritu; lo que pone el alma, si es que algo pone, o lo que dice, si es que algo dice, con voz propia, en respuesta animada al contacto del mundo. Y aún pensaba que el hombre puede sorprender algunas palabras de un íntimo monólogo, distinguiendo la voz viva de los ecos inertes; que puede también, mirando hacia dentro, vislumbrar las ideas cordiales, los universales del sentimiento.

Por eso, en la poesía de Machado, tendrán —de muy otra manera que la de Unamuno— un hondo sentido los silencios. El *Todos callamos* con que termina el primer poema de *Soledades*, los puntos suspensivos con que acaba la evocación de las *ciudades muertas*, la cerradura que suena *en el silencio de la tarde muerta*, el poeta que vuelve solo hacia la ciudad, la interrogación que quiebra el sesgo de la poesía... Machado ha intentado salvar cuanto de perecedero hay en el mundo que le rodea y lo ha hecho con pocas palabras, buscando en ellas su máxima eficacia y, cuando no, dotando a los silencios de contenidos significativos. Forma marcada la del silencio que se opone, como el signo cero en la lingüística, a cualquier otra significación, pero logrando, en esta poesía, total intencionalidad por cuanto es ahorro de recursos y simplificación de medios materiales.

IX

El estilo de Baroja se muestra también exento de artificios. Si al utilizar la palabra —hemos visto— trataba de ser impresionista, evidentemente su estilo tendrá que ser muy poco retórico. De otro modo la autonomía de la pincelada se perdería. Cada palabra es independiente de las demás, no tiene dependencias manidas ni se pierde en límites borrosos. En poesía hemos visto que esto era una repristinación semántica; en prosa, una vuelta al realismo de las almas, una vez que se había superado —por inexpresivo— el realismo de las cosas. Por eso Baroja dirá: «No sé si se me puede catalogar como escritor romántico o como realista. La verdad, no encuentro mucha diferencia entre una cosa y otra. Realmente, no sabría definir lo que es ser romántico. Lo que sí comprendo es que no soy clásico, al menos en el sentido francés.» Don Pío ha dicho mucho en esas pocas palabras, y —a pesar de sus dudas— muy claras. El romanticismo es un talante interior, en tanto el realismo una manera literaria; no hay inconveniente en que un realista sea romántico o un romántico realista; en cuanto a lo que él llama clasicismo, no es otra cosa que ampulosidad, engolamiento, retórica. Baroja es, sí, romántico y es —también— realista, aunque éste sea un término de muy varias connotaciones. Realista no, por supuesto, a lo Pereda, sino con capacidad para seleccionar los elementos expresivos de la realidad. Él nos ha hablado de su impresionismo; es justamente eso: no la cámara fotográfica que no distingue de matices, ni de planos, ni de vibraciones, sino el pintor que en cada corpúsculo encuentra la autonomía de la creación, y para quien sólo cuentan los tonos que producen acordes en su espíritu.

En *Juventud, egolatría* (1917), Baroja nos dejó una serie de ideas sobre su propio estilo. Estas ideas fueron reelaborándose durante muchos años hasta llegar a *El escritor según él y según los críticos* (1944). No hubo nunca contradicción, sino un hilo conductor tenso y firme. Bástennos unas pocas palabras suyas:

> Yo no busco la rotundidad ni la elocuencia de la frase; es más, huyo de ellas [...]. La retórica del tono menor, que a primera vista parece pobre, luego resulta más atractiva, tiene un ritmo más vital, menos ampuloso [...]. Yo supongo que se puede ser sencillo y sincero, sin afectación y sin chabacanería [...]; que se puede emplear un ritmo que vaya en consonancia con la vida actual, ligera y varia y sin aspiración de solemnidad [...]. Una lengua así como la de Verlaine, disociada, macerada, suelta, sería indispensable para realizar la retórica de tono menor que yo siempre he acariciado como un ideal literario.

Y este ideal lo ha aplicado Baroja a unas parcelas de la realidad: su País Vasco, Castilla. Allí encuentra los tipos para sus novelas y los paisajes para sus paletas. (A veces logra aciertos definitivos en otras latitudes. ¿Se puede olvidar *La feria de los discretos?*). Pero es allí donde hubiera querido tener sus lectores, porque con ellos se identifica, no con los de otras partes. Identificación significa comprensión y fusión, lo que no es lo mismo que, simplemente, visión. Para Baroja, *Ramuntcho* de Pierre Loti es una novela admirable, porque ha sabido captar los elementos externos del País Vasco, pero es una novela ajena a los vascos, pues las criaturas que en ella se mueven son femeninas, turbias, sensuales; es decir, «modelo de lo que yo no podía pretender ni tampoco debía hacer». Toda la obra de Baroja parte de esta posición cordial hacia las criaturas que describe: con ternura, como la bellísima Mari Beltza de las *Vidas sombrías;* con apasionamiento, como su Aviraneta; con simpatía, como el Larrañaga de *Los amores tardíos* (1926). Y en el acercamiento cordial, un modo de escribir que funde la plasticidad de la palabra con el relieve —material y espiritual— de sus criaturas; acercándose de este modo, gracias a la diversidad de sus tipos y a la adecuación de su estilo, a aquel ideal de crearse un «estilo que fuera siempre inesperado; un estilo que no se pudiera imitar a fuerza de ser personal. No cabe duda que esto sería admirable. Admirable y también imposible».

* * *

Ortega dedicó un bellísimo estudio a Azorín, se titulaba *Primores de lo vulgar* (1917). El acierto es indudable. *Azorín* desecha todo lo que sea ampuloso. Hemos de verlo: los más grandes problemas de la historia están vistos en su realidad cotidiana. No es minimizar sino captar la cosa en su intimidad, en lo que tiene de inalienable, desprovista de cualquier aparato hacia el exterior. Hablaba Ortega de que lo vulgar, la costumbre, la repetición, el pasado insistente, son formas inertes de vida. Tal vez sea cierto, pero tal vez no. Son formas de vida aprehendidas en lo que tienen de esencial: el agua que pasa junto a la misma orilla nos da la impresión del hecho vulgar: repetido, insistente, pero no es inerte. Inertes nosotros si no acertamos a entender el movimiento, si no nos damos cuenta que el tiempo conforma y condiciona cada uno de esos hechos repetidos. Distintos por el tiempo, aunque sea idéntica la manera de su fluir. Tenemos dos retratos literarios de *Azorín*, los dos hechos con amor, los dos ejemplares. Uno es de Ortega, otro de Antonio Machado. El filósofo dice:

> *Maximus in minimis:* he aquí el arte de *Azorín*.
> Se me dirá que esta conversión de la perspectiva, en que lo menudo ocupa el primer plano de la atención, es característica de los

43

artistas primitivos. Así es, en efecto: por ello y por otras muchas razones la obra de *Azorín* debe ser estudiada como un caso de regresión al gusto *primitivo* del mismo género que la obra de ciertos pintores contemporáneos. Pero dejemos para mejor razón ese estudio. Y hoy, al despedirnos por algún tiempo de nuestro *Azorín*, nos contentaremos con imaginarlo retratado por alguno de los *cuatrocentistas*, pulida e inmóvil la faz, con la mano de venas translúcidas sobre el negro jubón, en el dedo anular una sortija de sándalo, y entre el pulgar y el índice de la otra mano— minúscula, insinuante y mística— una violeta.

El del poeta se incluyó en *Campos de Castilla* (1917) y, abreviándolo, es como sigue:

> [...]
> Sentado ante una mesa de pino, un caballero
> escribe. Cuando moja la pluma en el tintero,
> dos ojos tristes lucen en un semblante enjuto.
> El caballero es joven, vestido va de luto.
> [...]
> La tarde se va haciendo sombría. El enlutado
> la mano en la mejilla, medita ensimismado.
> Cuando el correo llegue, que el caballero aguarda,
> la tarde habrá caído sobre la tierra parda
> de Soria. Todavía los grises serrijones,
> con ruinas de encinares y mellas de aluviones,
> las lomas azuladas, las agrias barranqueras,
> picotas y colinas, ribazos y laderas
> del páramo sombrío por donde cruza el Duero,
> darán al sol de ocaso su resplandor de acero.
> [...]
> El enlutado tiene clavados en el fuego
> los ojos largo rato; se los enjuga luego
> con un pañuelo blanco. ¿Por qué le hará llorar
> el son de la marmita, el ascua del hogar?

Resulta curioso ver cómo con elementos a veces coincidentes se alcanzan deducciones tan distintas. ¿Cuál es la verdadera? Ortega se «imagina» a *Azorín* pintado por un primitivo; Machado lo ve. Ortega lo ha destemporalizado llevándolo a la historia; Machado lo ha puesto en su tiempo. Ortega hace entrar en *Azorín* su visión del primitivismo; Machado lo sitúa frente a un retazo de geografía española. Son las diferencias. *Azorín* capta los primores de lo vulgar, pero no es ajeno a ellos como pudiera serlo la pincelada

—exquisita, hermosísima, sin duda— de un pintor primitivo. Sírvannos sus propias palabras, aunque tengamos que atemperar un poco la cronología: hablando precisamente de su amigo Machado *(El paisaje en la poesía)*, *Azorín* ha escrito la definición de su propio arte:

> Considerad la fundamental diferencia entre un paisajista del siglo XVI, por ejemplo, y otro de ahora: hace tres siglos, un poeta contemplaba el paisaje y lo describía *impersonalmente;* es decir, quedando su espíritu —ledo o angustiado— fuera del paisaje contemplado; los sentimientos que rebosaban en su espíritu los expresaba aparte el poeta. Ahora, no; paisaje y sentimiento —modalidad psicológica— son una misma cosa; el poeta se traslada al objeto descrito, y en la manera de describirlo nos da su propio espíritu.

Y volvemos a encontrar algo de lo que dijimos a propósito del arte de Baroja: la identificación ontológica de la palabra con las cosas. *Azorín* nos lo explicó muy claramente en 1943 *(El artista y el estilo)*: la abundancia de vocabulario no es destreza o maestría en el escribir, hay estilistas enfadosos y escritores desmañados que apasionan, se confunde *estilo* con *vitalidad*. Sírvanos la diferencia un tanto académica. Nosotros sólo consideramos estilo a aquella manera que sirve para transmitirse un hombre. Si no tiene vitalidad, no tiene estilo, sino fórmulas adocenadas. Y si tiene vitalidad, ése es, justamente, su estilo. La afirmación de Buffon aún vale, aunque esté manida: «El estilo es el hombre», a pesar de la gramática: «Para escribir, lo que ante todo se requiere es infundir vida en la prosa» y entonces no hay vocablos vitandos, ni solecismos, barbarismos o galicismos aterradores; hay que volver a unas cuantas fórmulas elementales: escribir como se habla y acomodar las palabras a las cosas. Así se llega a la alquimia depurada, inaccesible como cualquier fórmula magistral:

> El estilo es eso; el estilo *no es nada*. El estilo es escribir de tal modo que quien lea piense: *Esto no es nada*. Que piense: *Esto lo hago yo*. Y que, sin embargo, no pueda hacer eso tan sencillo; y que eso que no es nada sea lo más difícil, lo más complicado *(Un pueblecito)*.

X

El problema del tiempo es un lugar común para todos estos escritores. En su obra capital, escribiría Unamuno: «La vanidad del mundo y el cómo pasa, y el amor son las dos notas radicales de la verdadera poesía. Y son dos notas que no pueden sonar la una sin que la otra a la vez resuene.» Cuando Gerardo Diego pregunta a Antonio Machado cuáles son sus ideas sobre el quehacer poético, su respuesta es:

> En este año de su *Antología* (1931) pienso, como en los años del modernismo literario (los de mi juventud), que la poesía es la palabra esencial en el tiempo. La poesía moderna que, a mi entender, arranca, en parte al menos, de Edgardo Poe, viene siendo hasta nuestros días la historia del gran problema que al poeta plantean estos dos imperativos, en cierto modo contradictorios: esencialidad y temporalidad [...]. Me siento, pues, algo en desacuerdo con los poetas del día. Ellos propenden a la destemporalización de la lírica.

Si enfrentamos presupuestos teóricos de este tipo a los de poetas de la misma *Antología* veríamos cuán diferentes son sus sentires. Rubén dirá: «La palabra no es en sí más que un signo, o una combinación de signos; mas lo contiene todo por la virtud demiúrgica.» Valle-Inclán: «El verbo de los poetas, como el de los santos, no requiere descifrarse por gramática para mover las almas. Su esencia es el milagro musical.» Villaespesa: «El ritmo, el gran rebelde, me rinde vasallaje.» Marquina: «El ritmo se sustituye al tiempo.» Manuel Machado: «Para mí [la poesía] cae dentro de lo indefinible, mejor: de lo inefable.»

Las ideas de Baroja van de acuerdo con las de sus compañeros de generación. Él ha sentido los motivos eternos de la vida y el arte; escribió al comenzar un libro de sus propios recuerdos: «Yo cultivo con cariño este amor intelectual e inactual y esta sordera de lo presente.» Pero en Baroja hay que pensar cómo Nietzsche ha podido conformar su idea del tiempo, con lo que llegamos a *Azorín*. En un ensayo muy agudo *(Sobre el tema del tiempo en «Azorín»)*, Carlos Clavería ha mostrado cómo el prosista parte del eterno retorno de Nietzsche; pero desde él, desde *esas nubes que pasan*, se inclina más hacia Goyau que hacia Kant, y ha hecho ver la coincidencia de Goyau y Nietzsche en la narración azoriniana, que no es una recreación libresca, sino «una preocupación honda, apasionada» a lo largo de toda la otra del gran estilista.

Estas ideas —simplificadas hasta lo inverosímil en líneas anteriores— abocan a la interpretación de la Historia y del devenir histórico en cada uno de estos hombres. En Unamuno, haciendo coincidir el acontecer con la transcendencia religiosa («La Historia es el pensamiento de Dios en la Tierra de los Hombres») y, en ella, el tiempo pierde su propia contigencia para ser «acrónico»: Unamuno vive un tiempo infinito identificándose con quienes le precedieron y le seguirán, convierte en símbolo de inmortalidad lo que no es sino testimonio del paso del hombre sobre la tierra (sus creaciones artísticas). Entonces, él puede vivir el siglo XVI o hace que fray Luis de León viva entre nosotros. Lo mismo que ha hecho *Azorín*: «nada comienza, nada viejo caduca por completo. España no se transforma, España se repite, repite lo de ayer hoy, lo de hoy mañana. Vivir aquí es volver a hacer lo mismo. Por esto dice *Azorín* que para él, contemplativo, *vivir es ver volver*» (Ortega). De ahí todas esas recreaciones, tantas y tan bellas, de los clásicos; de tantos y tantos hombres como han vivido antes que nosotros y que, sin embargo, los sentimos latir a nuestro lado: Historia actualizada no por trasposición arqueológica, sino porque se ha desarqueologizado, porque somos hombres capaces de sentir la vibración del Tiempo en días remotos o porque podemos traer a nuestro lado a gentes cuya vida material se cumplió, pero cuya sensibilidad sigue siendo nuestra. De centenares de bellísimas páginas que pudiéramos espigar, llevemos nuestra atención a *Una hora de España. Entre 1560 y 1590.* Allí hay un viejo inquisidor. El cuadro es angustioso; en el corazón del padre han trabado lucha enconada el deber y el amor. El hijo ha traído de Flandes unos libros prohibidos y el padre los ha descubierto. Están allí, pero allí está también el recuerdo de la esposa amada, toda la vida de dedicación. El viejo inquisidor está abrumado y el hijo debe volver pronto. *(Azorín* no nos cuenta nada. Pero lo sabemos. ¿Condenar a la propia sangre? ¿Ser injusto por ser carne de su carne? El padre se estremece de pensar que el hijo llegue. Y el cuadro termina así:

> Los pasos se oyen más cerca. El viejo caballero, instintivamente, sintiendo una dolorosa opresión en el pecho, se levanta. Una mano acaba de posarse en el picaporte de la puerta. La puerta se está abriendo...)

Páginas y páginas: novelas (¿novelas?), teatro (¿teatro?) no son otra cosa que este sentir la historia; este destruirla para que el tiempo sea —tan sólo— un pedazo de inmortalidad en el que inmortalmente vivimos.

En Machado el tiempo se tintó muy pronto de melancolía: a la tristeza del pasado y de la historia vino a unirse la muerte de Leonor, a quien dedicará unos estremecedores poemas. Tanto más, cuanto apenas si tímidamente anota aquello que quiere decirse. Cada una de sus palabras es una connotación cargada de tensión. Podríamos pasar sobre sus versos sin alcanzar el sentido próximo del desgarro. Y es la poesía lo que sobrecoge. A veces, no, la elegía es el estremecimiento que nos sacude en su desnuda sencillez. Por sabido que sea no cabe el silencio:

> Señor, ya me arrancaste lo yo más quería.
> Oye otra vez, Dios mío, mi corazón clamar.
> Tu voluntad se hizo, Señor, contra la mía.
> Señor, ya estamos solos mi corazón y el mar.

XI

Claro que no es lícito forzar las cosas. Ante un determinado quehacer, distinto y aun opuesto al de cada uno de sus compañeros de grupo, estos hombres actuarán de manera diferente. Ortega hablaba de *Azorín* como un sensitivo, no como un filósofo de la historia. Baroja querrá ser un intérprete de la realidad para poder entender esa historia desde la psicología de los hombres que la crean. Por eso su discrepancia con los autores de novelas históricas y su acercamiento a los románticos. Al escribir sobre temas próximos *(Memorias de un hombre de acción*, trilogía de *La selva oscura*, etcétera) lo hace porque «en una época cercana se puede suponer, imaginar e inventar la manera de ser psicológica de los hombres que vivieron en ella». Por eso le parecen errores fundamentales *Salambó, Los Mártires, Quo vadis?* y no *La Cartuja de Parma* y *La guerra y la paz*. En sus recreaciones históricas no ha querido hacer reconstrucciones arqueológicas, sino hacer vivir a héroes humanos, tal el caso de *Zalacaín el aventurero* donde «los detalles históricos no están tomados de libros, sino de viva voz. Algunos los oí de labios de mi padre, que estuvo en la guerra carlista de voluntario liberal [...]; los tipos, paisajes y costumbres están vistos en la realidad». Esto es lo que hará llenar sus novelas de lo que hoy llamaríamos salpicaduras históricas, así el recuerdo de las guerras carlistas en una novela que pasa por mares exóticos *(El capitán Chimista)*, el incrustar ideas sobre su país o autores contemporáneos

(O César, o nada), los revolucionarios en el exilio *(La ciudad de la niebla, La dama errante*, etc.). De ahí a pasar a la historia actual no hay más que un paso que el propio novelista da. Bastaría pensar en la trilogía *La selva oscura* (1932), cuyo propósito está muy definido: captar el color y el sabor de una época impregnándose —y véase la coherencia de la afirmación con mucho de lo que venimos diciendo— «lo más posible de la esencia del tiempo». Consecuente con sus principios, el narrador no trata de hacer historia, sino biografía de gentes oscuras (la «intrahistoria» de Unamuno), modeladas, y hasta inmoladas, por las circunstancias y el ambiente. El sabor y el color de la época están más verazmente logradas por el trasfondo histórico que, a veces, se impone como un primer plano. El propio Baroja ha justificado esta mezcla de elementos por su afición a la crónica que «quizá dependa de una gran curiosidad por los hechos y cierta indiferencia por las palabras». Como si en los relatos novelescos —y en los otros también— el gran novelista estuviera poniendo en práctica los reproches que formula *Azorín* en *El escritor:*

> Los antiguos historiadores gustan de poner en boca de personajes notorios largos parlamentos. ¿Se definen esos personajes o se define el propio historiador? Aun en los análisis más sutiles, la discriminación entre la realidad y la fantasía es imposible. Acaso cuanto más se llega a lo hondo en la explicación de un carácter, tanto más aventurada es la exploración.

La vigencia de la concepción barojiana nos llevaría a los días que estamos viviendo; porque Baroja trata de ser testigo de la historia por cuanto puede entenderla de acuerdo con su propia psicología. De este modo

> el que lea mis libros y esté enterado de la vida española actual, notará que casi todos los acontecimientos importantes de hace quince o veinte años a esta parte aparecen en mis novelas.

Gironella escribirá en *Los cipreses creen en Dios:* «La empresa en que ando metido consiste en escribir una novela sobre España que abrace los últimos veinticinco años de su historia.» El talante acerca a los dos novelistas —y a otros que pudiéramos aducir—; los resultados varían, pero esto es harina de otro costal.

Nada más distinto —y sirva para el caudal de las diferencias— que la novela histórica de Valle-Inclán (trilogía de *La guerra carlista)*, por más que el punto de partida sea bastante afín en ambos narradores. Baroja ve la realidad en su ser, entreverada, confusa, imposible de reducir a una fórmula simple. Valle-Inclán, que ha leído libros y ha oído a los veteranos de las guerras carlistas, intenta construir un poema épico simplificado en una fórmula maniqueísta: hay un mundo primitivo, puro, sencillo y abnegado; otro, decadente, adulterado, de bajas politiquillas y medros personales. Por eso el carácter totalmente distinto de las dos fuerzas combatientes: el monte y la fidelidad estructuran las partidas carlistas; la ciudad y la soldada mercenaria dan vida al ejército liberal. Tal es, también, la imagen de los hombres que se enfrentan, y por eso el carlismo da la nota vibrante de las gentes sin doblez. Valle-Inclán quiere convertir todo en criatura de arte, sin pensar en la realidad existencial, sino en la propia; no quiero decir que nada sea mejor o peor que otra cosa, en última instancia este problema lo resuelve la genialidad del escritor (y en el caso de Valle-Inclán o en el de Baroja sería necio emitir preferencias), lo que pretendo hacer es caracterizar un arte. Y bastará recordar cómo en las *Sonatas* la realidad viva que es Estella, la corte de don Carlos, está hecha —testimonio de Zamora Vicente— con nostalgias de Santiago de Compostela, y el palacio italiano de Gaetani, con recuerdos del Museo del Prado y de revistas ilustradas.

Así se explica el ningún entusiasmo que Baroja sintió por el arte de Valle-Inclán: separados en lo que fue época modernista del autor de *Tirano Banderas* (a ella pertenecen *La guerra carlista* y las *Sonatas)*, nunca volverían a encontrarse; humanamente, tampoco. Baroja está muy lejos de la espectacularidad valleinclanesca en el atuendo y en la técnica; cuando se decide a escribir sobre el viejo fantasmón literario, lo condena con estas palabras:

> Pero existía una diferencia [entre Valle-Inclán y yo, Baroja] y era que él, con razón o sin ella, temía que el mejor día, o en la mejor ocasión, yo hiciera algo que estuviera bien, y yo, con motivo o sin él, no tenía ese temor. ¿Por qué? Principalmente, porque yo creía que su idea de la novela y del estilo era radicalmente falsa, y que no podía llevar más que a obras amaneradas y sin valor.

XII

La temporalidad nos ha traído a la historia. La temporalidad nos saca, también, de la historia. Al frente de las *Andanzas y vi-*

siones españolas (1922), Unamuno puso un famoso prólogo del que quiero aducir unas líneas:

> El que siguiendo mi producción literaria se haya fijado en mis novelas, excepción hecha de la primera en el tiempo, de *Paz en la guerra*, habrá podido observar que rehúyo en ellas las descripciones de paisajes y hasta el situarlas en época y lugar determinados, en darles color temporal y local [...]. Y ello obedece al propósito de dar a mis novelas la mayor intensidad y el mayor carácter dramáticos posibles, reduciéndolas, en cuanto quepa, a diálogos y relatos de acción y sentimientos.

De este modo, el paisaje se independiza de los relatos y surgen los libros en los que el paisaje es el único protagonista (*Andanzas, Por tierras de Portugal y España* y, con problemática distinta, el viejo libro *Paisajes*), pero surge también una serie de historias descarnadas, escuetas, relatos de solo alma que en la narrativa dará lugar a las *nivolas* (como los *sonites* de que Manuel Machado hablaba al preceptista Benot) y, en las representaciones, al *teatro de conciencia*. Evidentemente, no hay fórmulas para hacer buena o mala literatura. (Lo más probable es que, con fórmula o sin ella, salga mala.) Si Unamuno se salvó, no fue tanto por el hallazgo cuanto por su genialidad personal: sus personajes son enfermos espirituales, más ideas puras que hombres de carne y hueso, esquemas de arquetipos (*El otro, Nada menos que todo un hombre, San Manuel Bueno*); lo que los hace vivir es el espíritu agónico que Unamuno les insufla, ser trasunto de la propia problemática de su creador.

Esta literatura tenía que chocar con la de Baroja. En páginas anteriores hemos visto cómo su preferencia iba hacia la acción, incluso hacia la literatura folletinesca que tan bien conocía. Sí, sus novelas pasan como vendavales, «como libros de viajes: caminos, hospederías, posadas, gentes. Muchas gentes con las que no se llega a intimar con ellas, pues, con frecuencia, de los tales no da sino la idea que de ellos tiene; no su vida». No puedo aceptar simplemente esta idea de Ortega. Hay, sí, historias de trotamundos (he citado *El capitán Chimista*), pero hay —también— amor hacia los personajes y hacia los ambientes, descritos con minuciosidad y exactitud. Si la trilogía de *La lucha por la vida* tiene valor perdurable, si lo tienen *Las vidas sombrías*, no es porque haya, pongo por caso, historias de anarquistas, sino porque ahí están unas gentes cuidadosamente descritas, vivas en sí mismas, y no porque el

51

novelista tuviera una idea preconcebida de cómo debieran ser. Necesariamente, he de aducir el testimonio de Ricardo Baroja, el hermano grabador (extraordinario grabador), pintor (¿por qué no llegó a ser el mejor impresionista español?), escritor. Grabar es lo más opuesto al vendaval: es apurar el valor del último trazo, mantener la independencia de cada raya, sacar luz de la sombra. No se puede correr. Y Ricardo Baroja grabó estas novelas de Pío, con el mismo amor que ponía al llevar a las planchas al viejo carro del trapero, a las beatas que van a la novena o a los mozalbetes que saltan con una garrocha. (Sí, lo sé, todo esto es muy goyesco, pero también muy barojiano: «la gran genialidad española acabó en Goya».) Y es que las novelas, estas novelas, de Baroja son poderosos aguafuertes, agrios, directos, sin contemplaciones, de unas vidas que existían cuando el teatro frecuentaba la alta comedia o el drama histórico. Y como en los aguafuertes, una técnica que el novelista había expresado en otra ocasión: «Yo necesito escribir entreteniéndome en el detalle, como el que va por el camino, distraído, mirando este árbol, aquel arroyo y sin pensar demasiado adonde va. Para mí, en general, la tesis sthendaliana de que la originalidad y el interés está en el detalle me parece exacta.» (¿No pensaría igual *Azorín?*) En estas novelas, unas gentes que difícilmente llegan al amor y a las que el novelista ve con cariño y les hace el regalo de unos paisajes pintados a grandes rasgos, pero que rezuman ternura. Sólo el paisaje —la luz en arrebol, la tierra humedecida, la charca hundida— logra desasirse de un mundo sin caridad y sólo el paisaje da reposo a la crueldad de un vivir hostil. La eficacia de estos relatos está en el acierto de haber encontrado verdad, sinceridad y sencillez. En el perfecto equilibrio de estos tres elementos nacen tipos inolvidables o lugares por los que pensamos haber transitado muchas veces. Esto es lo que hace siglos logró el ignorado autor del *Lazarillo*, y su receta continúa valiendo. Si aduzco aquí la gran novela del xvi es porque Baroja ha cortado su pluma y ha sacado sus tipos de la mejor tradición hispánica *(Azorín* de nuevo): una y otra vez la picaresca nos ha venido a las mientes. El Manuel de *La Busca* es mozo de muchos amos, bestia maltratada por los rebenques, camino incierto en cada paso. Y fondo de toda esta amargura: unas modestas pretensiones de felicidad, un deseo de ser mejor, ojos y manos en busca de la senda, y, como en nuestra tradición, siempre puertas cerradas al bordón que implora caridad.

Este arte pugnaba —lo hemos visto— con el de Valle-Inclán,

pugna con el de Unamuno (las *nivolas* le parecen en literatura lo mismo que las mixtificaciones metapsíquicas del doctor Richet), pugna con el de Galdós, pugna... Es lógico: cada autor crea su mundo y es consecuente con su propia responsabilidad. La alienación es flor de los mediocres, pero el crítico, más allá de lo que es contingente, piensa que todos tienen razón en un plano de ideas absolutas, que las cosas se modifican mucho según la calaña de quien las lleva a la práctica, y que allí están Galdós y Unamuno, Valle-Inclán y Baroja. Que ahí están la herencia unamunesca y la herencia barojiana en la literatura de la posguerra española.

XIII

Las líneas anteriores son una presentación de los escritores del 98. Me ha parecido mejor hacer esto —ya no diré que sea bueno— que dar unas listas farragosas o unas líneas de valoración mostrenca. Por más cómodo lo he desechado. Sin embargo, estas páginas pueden caer —a ellas van destinadas— en manos que necesitan, también, información concreta para su propia orientación o la de principiantes de la literatura española. Me permito seleccionar, y recomendar, la lectura de las obras capitales de los escritores a quienes he querido acercarme:

Miguel de Unamuno (Bilbao, 1864-Salamanca, 1936)

Ensayo: *Paisajes* (1902), *De mi país* (1903), *La vida de don Quijote y Sancho* (1905), *Por tierras de Portugal y España* (1911), *Del sentimiento trágico de la vida* (1913), *Andanzas y visiones españolas* (1922), *La agonía del cristianismo* (1931).

Poesía: *Poesías* (1907), *Rosario de sonetos líricos* (1911), *El Cristo de Velázquez* (1920), *Teresa* (1924), *De Fuerteventura a París* (1925), *Romancero del destierro* (1927), *Cancionero* (se editó póstumo).

Novela: *Paz en la guerra* (1897), *Amor y Pedagogía* (1902), *Niebla* (1914), *Abel Sánchez* (1917), *Tres novelas ejemplares* (1920), *La tía Tula* (1921), *San Manuel Bueno, mártir* (1933).

Teatro: *Fedra* (1910), *Sombras de sueño* (1926), *El otro* (1926), *El Hermano Juan o el mundo es teatro* (1929).

Ramiro de Maeztu (Vitoria, 1874 - Madrid, 1936)

Obras principales: *Hacia otra España* (1899), *La revolución y los intelectuales* (1911), *Don Quijote, don Juan y la Celestina* (1925), *Defensa de la Hispanidad* (1934).

PÍO BAROJA (SAN SEBASTIÁN, 1872 - MADRID, 1957)

Trilogías: *Tierra Vasca (La casa de Aizgorri*, 1900; *El mayorazgo de Labraz*, 1903: *Zalacaín el aventurero*, 1909), *La lucha por la vida (La busca*, 1904; *Mala hierba*, 1904; *Aurora roja*, 1904), *El pasado (La feria de los discretos*, 1905; *Los últimos románticos*, 1906; *Las tragedias grotescas*, 1907), *La vida fantástica (Aventuras, inventos y mixtificaciones de Silvestre Paradox*, 1901; *Paradox, rey*, 1906), *La raza (La dama errante*, 1908; *La ciudad de la niebla*, 1909; *El árbol de la ciencia*, 1911), *Las ciudades (César o nada*, 1910; *El mundo es ansí*, 1912; *La sensualidad pervertida*, 1920), *El mar (Las inquietudes de Shanti Andía*, 1911; *El laberinto de las sirenas*, 1923; *Los pilotos de altura*, 1929).

Aviraneta: *Memorias de un hombre de acción* (22 tomos).

Otras obras: *Vidas sombrías* (1900), *Camino de perfección* (1902), *Juventud, egolatría* (1917), *Memorias* (1944).

AZORÍN (Monóvar, Alicante, 1873 - Madrid, 1967)

Novelas y cuentos: *La voluntad* (1902), *Antonio Azorín* (1903), *Tomás Rueda* (1915), *Don Juan* (1922), *Doña Inés* (1925), *María Fontán* (1944), *Salvadora de Olbena* (1944).

Autobiografías: *Las confesiones de un pequeño filósofo* (1904).

Ensayos: *Los Pueblos* (1905), *El Político* (1908), *España* (1909), *Castilla* (1912), *Un pueblecito* (1916), *El paisaje de España visto por los españoles* (1917), *Una hora de España* (1924), *Españoles en París* (1939), *Pensando en España* (1940), *Valencia* (1941), *Madrid* (1941).

Recreaciones literarias: *La ruta de don Quijote* (1905), *Lecturas españolas* (1912), *Clásicos y modernos* (1913), *Los valores literarios* (1914), *Al margen de los clásicos* (1914), *Rivas y Larra* (1916), *Los dos Luises y otros ensayos* (1921), *De Granada a Castelar* (1922), *Lope en silueta* (1935).

Teatro: *Old Spain!* (1926), *Brandy, mucho brandy* (1927), *Lo invisible* (1927), *Angelita* (1930).

ANTONIO MACHADO (Sevilla, 1874 - Collioure, Francia, 1939)

Poesía: *Soledades* (1902), *Soledades, galerías y otros poemas* (1907), *Campos de Castilla* (1912), *Nuevas canciones* (1924).

Prosa: *Juan de Mairena* (1936), *Abel Martín* (1943), *Los complementarios* (1947).

Teatro (en colaboración con su hermano Manuel): *La Lola se va a los Puertos, Desdichas de Fortuna o Julianillo Valcárcel, Juan de Mañara*.

Introducción a las Poesías *de* Unamuno

Las *Poesías* que Unamuno publica en 1907 constituyen una nutrida colección de más de 350 páginas. Decir que no todas son de la misma época o que se escribieron en tiempos diversos, sería de una ofensiva vulgaridad. Ya no lo es tanto intentar saber cómo se gestó el volumen, qué relación tiene cada texto con la situación espiritual de su autor, qué circunstancias llevaron a la selección. Porque aquí —y lo he dicho alguna vez— está buena parte del Unamuno futuro, está —también lo he dicho— el Unamuno de una problemática que intuíamos, aunque no poseyéramos la clave de su desvelo, y está, por si fuera poco, una de las creaciones más densas y originales de nuestra poesía contemporánea. Todos estos presupuestos necesitan aclaración y a todos ellos intentaremos dar respuesta. Pero procedamos con orden.

García Blanco merece nuestra gratitud por cuanto investigó la historia de los textos unamunescos. Para evitar repeticiones, me remito a él en este momento y recomiendo la lectura de unas páginas suyas[1] a las que voy a resumir: en 1899, escribió a Pedro Jiménez Ilundáin y a Luis Ruiz Contreras con su pretensión de publicar un tomito de poemas originales y algún otro traducido[2]. Un año después, los once textos originales eran ya veintisiete y, cuando el libro ve la luz, alcanzaron la respetable suma de cien[3].

---

[1] Las 9-124 de *Don Miguel de Unamuno y sus poesías. Estudio y antología de textos poéticos no incluidos en sus libros*, «Acta Salmanticensia», VIII, Salamanca, 1954.

[2] La nómina no nos es completamente conocida, pero al parecer, se incluían en ella los siguientes textos: *La flor tronchada*, *La cigarra* (que no publicó nunca, y que puede leerse en las págs. 367-370 del libro recién citado de García Blanco), *Alborada espiritual*, *Nubes de misterio*, *El Cristo de Cabrera*, *Al sueño*, y las traducciones *La retama* (de Leopardi), *Reflexiones al tener que dejar un lugar de retiro* (de Coleridge), *El arpa* (de Verdaguer) —que no fue incluida— y *La vaca ciega* (de Maragall). Creo que a las enumeraciones de García Blanco hay que añadir el *Árbol solitario*, el más antiguo de los poemas de Unamuno (1884) e incluido en *Poesías* (pág. 86 de la edición de 1907). Cfr. *EUM*, pág. 22, y, después, pág. 34.

[3] Cien en el índice; 102 en realidad, pues en él no se incluyeron *Al sueño* y *La sacerdotisa*.

Poco importarían estas minucias si en ellas no hubiera otra cosa que los números aducidos; pero desde 1884, fecha del *Árbol solitario*, hasta 1907 hay una serie de hitos a los que referir el quehacer del escritor: la crisis religiosa de 1897[4], el desastre nacional de 1898 y el final de su *Diario íntimo* (1902) con todo su hondo significado. A la luz de estos hechos cobrará su verdadero sentido cuando intentemos comentar.

Los poemas de la crisis religiosa

Los poemas fechados comienzan a partir de 1899, excepción hecha del de 1884, al que ya nos hemos referido. En aquellos días, la gran crisis religiosa había concluido, pero necesitamos unas breves palabras antes de pasar adelante. Por 1895, la fe de Unamuno se ha debilitado; busca en Alcalá a su antiguo director espiritual —como antes en 1887 y 1888; como después en 1895 y 1897[5]—; su hijo, de pocos meses, tiene un ataque de meningitis y queda gravemente enfermo[6], Unamuno desespera y la crisis religiosa se consuma; el *Diario* había sido comenzado antes de marzo de 1897[7], llega a mayo de ese año, se interrumpe hasta 1899. Después no hay sino una breve apuntación de 1902, cuando Unamuno ya es rector de la Universidad (1900) y se acaba la vida del hijo enfermo.

Los poemas que con certeza se pueden fechar por estos días de 1899-1902-1903 no son muchos, como acabo de anotar; en ellos se reflejan los temas que conturbaron al poeta hasta pocos años antes, y ninguno tiene la serenidad que inaugura la bellísima oda de *Salamanca* o la de tantos cantos dedicados a tierras y ciudades de España. También en ellos las preocupaciones literarias de los que encabezan el volumen. No quiero decir con esto que podamos establecer una fácil dicotomía: antes y después de 1902-1903.

---

[4] Fue estudiada por Antonio Sánchez Barbudo, «La formación del pensamiento de Unamuno. Una experiencia decisiva: la crisis de 1897» *(Hispanic Review,* XVIII [1950], págs. 217-243), y discutidas sus conclusiones por Armando Zubizarreta, «Miguel de Unamuno y Pedro Corominas. Una interpretación de la crisis de 1897» *(CCMU,* IX, 1959, págs. 5-34).

[5] Vid. E. Rivera de Ventosa, «La crisis religiosa de Unamuno en su retiro de Alcalá año 1897» *(CCMU,* XVI-XVII [1966-1967], págs. 107-133); Emilio Salcedo, *Vida de don Miguel,* Salamanca, 1970, págs. 55 y 86.

[6] Salcedo, *op. cit.,* pág. 82.

[7] No es segura la hipótesis de Salcedo, *op. cit.,* pág. 91.

No. Porque en los cuadernos que perpetúan la crisis religiosa hay mucha problemática que pasará a la obra futura de don Miguel, y que será como un contrapunto nunca extinguido, cuanto más en los años iniciales de nuestro siglo. Simplemente: creo encontrar en ellos un talante espiritual que los une en forma y en contenido, o en forma y sustancia de contenido, como dicen los sabios de hoy. Y, recíprocamente, entre los poemas posteriores a 1903 están los que manifiestan una decidida preocupación por el quehacer teórico (todos los que tienen que ver con su credo poético) y un cuidado más riguroso por las formas clásicas (estrofas de endecasílabos sáficos y pentasílabos adónicos).

Alguna vez he hablado de lo que el *Diario íntimo* significa para la creación literaria de Unamuno. Ignorado hasta hace bien poco, sirve ahora como acompañamiento de cualquier intento de explicación. Por eso no resulta extraño que las confesiones puedan darnos la clave de algún aspecto de la obra de don Miguel. Lo dije a propósito de *Para después de mi muerte*[8] y confío ampliarlo ahora. De 1899 son unos cuantos poemas que nos reclaman *(Al sueño, La flor tronchada, El Cristo de Cabrera)*, y de 1900, otro *(La elegía eterna)*, que no puede separarse de ellos. Para acercanos a la rápida comprensión de tales textos permítaseme narrar, muy abreviadamente, su contenido.

Al sueño es un canto de corte tradicional, sin perdonar —tampoco— ciertos ribetes retóricos. El poeta invoca al sueño en una serie de sus atributos, pero ve —también— en él al mensajero que nos hace sentir la tranquilidad que aquieta y enardece a nuestras almas. En el sueño el hombre encuentra fuerzas, y la verdad se revela esparciendo la paz; en él, la verdad eterna que nos mantiene serenos. El sueño es compañero de quienes aspiran al ideal o el lago donde reposan las ilusiones perdidas. Y como el sol, cuando se pone en el ocaso, deja vislumbrar los misterios que cercan a la tierra, así la vigilia engañadora se disipa en el sueño y deja brotar entonces las aspiraciones del ideal. El obligado prosaísmo de estas líneas sólo se justifica por la brevedad que nos han permitido, pero basta para asentar ese pilar que necesitábamos para nuestro apoyo. Veamos el segundo: en el *Diario íntimo* se van hilando conceptos semejantes:

---

[8] Vid. *Unamuno en sí mismo*, apud *El comentario de textos*, volumen organizado por Andrés Amorós, Madrid, 1973, págs. 242-244.

Una puesta serena de sol en medio del campo [...]. Algo así
debe ser la gloria, una inmersión en eterna calma[9].

Mucha mayor complejidad tiene el poema a *La flor tronchada*.
En sus 187 versos está un continuado paralelismo entre el campo
en el que grana la semilla y el hombre dispuesto a hacer fecundar
las ideas que recibe. Y del mismo modo que se bendice al Dios
que permite el logro del pan, debe bendecirse al Dios que deja
sazonarse a las almas. Hay que tratar de comprender a este Dios
«que destruyendo crea y creando destruye», y, a imitación suya,
luchar en la vida con las ideas fecundadoras por más que pueden
producir daño. Fe, Esperanza y Amor con el vencido al que nos
hemos de unir en abrazo fraterno para conseguir la vida de eterno
Amor.

Todo esto no es otra cosa que la paráfrasis de unos cuantos
motivos del *Diario íntimo*: el Dios Padre es Amor[10] y en su eternidad cobra sentido la esperanza de la vida perdurable, aunque
nazca del dolor[11], y al entregarnos intensamente a la vida se
lograrán las virtudes cristianas[12].

Un tercer poema, muy distinto, *El Cristo de Cabrera*, significa
el hallazgo del paisaje, transcendido del amor de Cristo. En un
solo verso se acuña una larga exposición:

> es el alma del campo
> que a su vez culto rinde
> del Hombre al hijo,

---

[9] Página 35. Cfr.: «Cuando se acuesta el sol en el ocaso / [...] / la creación
augusta se revela / [...] / La creación del alma soñadora, / en campo tan sereno /
cual el del cielo en noche recogida / que a la oración convida, / [...] envolviéndose
en magia soberana / el fondo eterno de la vida humana / [...] Pon tu mano intan-
gible y redentora sobre el pecho que llora, / y danos a beber en tu bebida / remedio
contra el sueño de la vida!» *(Al sueño.)*

[10] Cfr.: «Padre; he aquí la idea viva del cristianismo. Dios es Padre, es amor»
(pág. 20), «Lo más característico del cristianismo es la paternidad divina, el hacer
a los hombres hijos del Creador, no criaturas meramente, sino hijos» (pág. 44),
«La existencia del amor es lo que prueba la existencia de Dios Padre. El amor, no
un lazo interesado ni fundado en provecho, sino el amor» (pág. 96), «La gracia divina nos la da Dios por ser nuestro Padre [...] como Padre nos ha redimido y como
Padre nos ha hecho herederos de su gloria» (pág. 393).

[11] En las págs. 188-189, se lee: «Del fondo del dolor, de la miseria, de la desgracia, brota la santa esperanza en una vida eterna, esperanza que dulcifica y
santifica al dolor.»

[12] «Hay que vivir con toda el alma, y vivir con toda el alma es vivir con la fe
que brota del conocer, con la esperanza que brota del sentir, con la caridad que
brota del querer» (pág. 192).

diciendo a su manera
con misterioso rito
que es cristiana también Naturaleza[13].

Poco más o menos lo que en el *Diario íntimo* aparece claramente formulado: «El sentimiento del paisaje es un sentimiento moderno, se dice. Lo que es el sentimiento del paisaje es un sentimiento cristiano» (pág. 34). La conclusión se infiere de consuno: «Más de una vez había escrito yo que el hombre se sobrehumaniza naturalizándose. Sí, entrando en la naturaleza primitiva, la anterior al pecado [...]. Y a la vez se sobrenaturaliza a la naturaleza aquella humanizándola en Cristo» *(Diario*, 142), o en otras palabras:

> Y al salir de la ermita,
> al esplendor del campo
> que [...]
> soñar debieron en borroso ensueño
> a posarse piadoso bajó al suelo
> y abrazó al campo con abrazo tierno
> el infinito Amor! (pág. 60)

La elegía eterna (1900) está formada por una serie de comentarios en torno a la fugacidad del tiempo («el pasado no vuelve, / nunca ya torna») que constan en el *Diario;* partiendo de fray Luis de Granada, Unamuno glosa:

> «Volver atrás es imposible; pasar delante es intolerable; estarse así no se concede; pues, ¿qué harás?», ¡terrible misterio el del tiempo! ¿Cuándo estaremos libres del tiempo, del tiempo irrevertible e irreparable? (págs. 118-119).

Y como contestando a la pregunta, unos versos que —con vario tornavoz— resonarán siempre:

> Acuéstate a dormir... es lo seguro,
> hundido para siempre
> en el sueño profundo
> habrás vencido al tiempo
> tu implacable enemigo! (pág. 196)

---

[13] Página 57 de la primera edición de *Poesías*.

En el *Diario* se diría «vivir para morir» (pág. 41)[14] y «tenemos la experiencia de la muerte si es que no hay otra vida, y esta experiencia es la del sueño profundo. Morir sería entonces dormirse para siempre» (pág. 293).

A lo largo de estas páginas irán asomando acercamientos y correlaciones. Basten ahora estas pocas líneas de introducción: el contenido de muchos poemas no será otra cosa que el del *Diario;* lo que variará será la forma de expresión. pero no podemos hacer insolidaria la problemática de *Poesías* de la experiencia vivida por el hombre. En el momento oportuno veré en qué consiste la oposición y los logros que se alcanzan de una u otra manera. Quede señalado ahora —tan sólo— el acercamiento en ese manojo de textos.

Temas reiterados

En *Poesías* están algunos motivos que se repetirán continuamente en la obra de Unamuno. Por más que la crisis religiosa terminara, no acabó nunca la preocupación por algo que era mucho más que un episodio. La crisis significó, sí, la necesidad de decidir; no la capacidad de relegar el drama al olvido. Antes bien, quedaba el sedimento de cuanto se había sufrido como un sustento de la propia vida.

En el *Diario íntimo* se escriben unas cuantas palabras angustiadas: «Quiero consuelo en la vida y poder pensar serenamente en la muerte. Dame fe, Dios mío, que si logro fe en otra vida, es que la hay» (pág. 35), y unas páginas después ampliará sus conceptos: «La esperanza es la fuente de la felicidad, y la fe la madre de la esperanza» (pág. 190)[15]. Pero lo que Unamuno buscaba no llegó; acabado el *Diario* se había perdido la fe y con ella la esperanza. Si en un soneto de *Poesías* se dice

---

[14] En el mismo poema se escribe este endecasílabo: «¿Vida? La vida es un morir continuo» (pág. 194), que reaparecerá en el *Rosario de sonetos líricos* («este vivir, que es el vivir desnudo, / ¿no es acaso la vida de la muerte?», soneto IV), y en *Teresa* («Vivir es solamente, vida mía, / saber que se ha vivido, / es morir a sabiendas dando gracias / a Dios de haber nacido», poema 15). «¿Vida? La vida es un morir continuo», *Poesías*, 194, recuerda claramente a Quevedo.

[15] Cfr. Charles Moeller, *Desesperación esperazanda y esperanza bíblica*, en el estudio que dedica a nuestro autor *(Literatura del siglo XX y cristianismo*, t. IV, Madrid, 1958, págs. 150-160).

Tengámosla, no importa en lo que sea
fe pura y libre y viva, abrasadora
[...]
fe en la fe misma, inacabable aurora![16]

El *Salmo II*[17] plantea ya unos problemas totalmente distintos;
son los que atañen a la duda y que se arrastrarán años y años.
Unamuno trata de justificarse con el *Evangelio* y la cauda durará
toda la vida, desde el *Diario* hasta *La agonía del cristianismo*[18]. En
un texto escrito entre los días 16 y 19 de mayo de 1897, dice:

> Perdí la fe pensando mucho en el credo y tratando de racionalizar
> los misterios, de entenderlos de modo racional y más útil. Por eso
> he escrito muchas veces que la teología mata al dogma. Y hoy, a
> medida que más pienso, más claros se me aparecen los dogmas y su
> armonía y su hondo sentido. ¿Cabe mayor mostración del dedo
> de Dios? Me hace recobrar lo que perdí por camino inverso a aquel
> porque lo perdí; pensando en el dogma lo deshice, pensando en él
> lo rehago. Sólo que donde hay que pensarlo y vivirlo es en la ora-
> ción. La oración es la única fuente de la posible comprensión del
> misterio (pág. 329).

Pero Unamuno no permaneció en estas palabras. Quiso que
la oración sirviera para resolver sus propias congojas, las que le
nacían del dolor del niño enfermo sin culpa, y las negaciones le
llevaron a la ruptura con su propia fe. Humanamente estos desgarros
nos producen un profundo respeto y una sincerísima explicación[19];
las razones intelectuales que puedan justificarlos son de muy
otra naturaleza. El *Diario íntimo* termina con dos brevísimas apostillas (de 1899 y de 1902), a las que preceden las últimas líneas
de 1897:

---

[16] *Fe*, pág. 320, de *Poesías* (1907).

[17] No tenemos referencias a su fecha; por el tono y la temática creo que corresponde a una época tardía dentro del conjunto. Me atrevo a pensar en el año 1906
cuando se escribieron los *Salmos* I y III.

[18] Vid. *Unidad y evolución en la lírica de Unamuno*, apud *Estudios y ensayos de literatura contemporánea*, Madrid, 1971, págs. 113-114.

[19] «¿Contradicción? ¡Ya lo creo! ¡La de mi corazón, que dice sí, y mi cabeza,
que dice no!» *(Del sentimiento trágico de la vida*, O. C., XVI, pág. 140). La solución
de la crisis está clara en el epistolario con Jiménez-Ilundáin: «Ahora que he entrado
en relativa calma, creo que voy rehaciéndome interiormente, merced a la *razón
práctica*, al corazón, que edifica sobre las ruinas que la *razón teórica* acumuló» *(UI*,
página 263).

Esa sombra pura que atraviesa los siglos, sobre las aguas del mundo y sin sumergirse en ellas crees sea un fantasma, más aún si le pides poder caminar también tú sobre las aguas del mundo sin hundirte en ellas. Pero te falta fe y te sientes sumergirte y le pides que te salve. Y entonces te dice: «Hombre de poca fe, ¿por qué has dudado?» (págs. 409-410).

Pocas líneas después, el *Diario* acaba. Lo que parecía una fórmula retórica era —nada menos— la proyección sincerísima de un alma. La poca fe llevó a la duda y, luego, a su total pérdida. Todo lo que después se intente no será sino el deseo de comprender el propio drama personal. Es harto sintomático que el libro proyectado como *Tratado del amor de Dios* acabara siendo *Del sentimiento trágico de la vida en los hombres y en los pueblos*[20], y en él se leen unas líneas que necesito incorporar a estos comentarios:

¡Creo, Señor; socorre a mi incredulidad! Esto podrá parecer una contradicción, pues si cree, si confía, ¿cómo es que pide al Señor que venga en socorro de su falta de confianza? Y, sin embargo, esa contradicción es lo que da todo su más hondo valor humano a ese grito de las entrañas del endemoniado. Su fe es una fe a base de incertidumbre. Porque cree, es decir, porque quiere creer, porque necesita que su hijo se cure, pide al señor que venga en ayuda de su incredulidad, de su duda de que tal curación pueda hacerse tal es la fe humana[21].

Necesito de estas líneas porque hay un claro trasunto de lo que fue el proceso anímico de don Miguel. También él, con el hijo enfermo, pidió; pretendía que el milagro, bajo la forma de

---

[20] En 1896 escribió a *Clarín* que tenía presto un libro, *El reino del hombre*, que —luego— pensó refundir con *El reino de Dios* (1897). En esta última fecha inicia unas *Meditaciones evangélicas*, que alimentaron las páginas *Del sentimiento* y de las cuales leyó un anticipo en el Ateneo madrileño (1899). Vid. el Prólogo de M. García Blanco al t. XVI de las O. C., págs. 13-22, y una carta (1903) a Maragall *(EUM*, pág. 28). Tanteó la forma dialogal en alguno de estos proyectos según contaba en 1900 a su amigo Jiménez-Ilundáin *(UI,* pág. 204). Sabemos que el *Tratado* lo comenzó en 1906, pues en una carta a Pedro de Múgica (13. IV. 1909) le dice: «Sigo trabajando en mi *Tratado de amor de Dios,* donde voy dejando, hace ya tres años, todas mis inquietudes y tristezas» (cita de O. C., XVI, pág. 21). Al empezar las entregas *Del sentimiento* en la *España moderna* (1911), dice a Jiménez Ilundáin que ha fundido en él su *Tratado (UI,* pág. 426).

[21] O. C., XVI, pág. 248. Cfr. *La agonía del Cristianismo*, O. C., XVI, págs. 468 y 507.

la curación, pudiera hacerse, pues —bien lo sabía don Miguel— tal es la condición de la fe humana: «He tentado al Señor pidiéndole un prodigio, un milagro patente, cerrados los ojos al milagro vivo del universo y al milagro de mi mudanza» *(Diario*, pág. 20). Si este milagro era, como parece, la curación de Raimundín, cierto que no se cumplió, y la fe humana quedó aniquilada en el camino. Entre estos hitos (el proceso que señala el *Diario*, la explicación *Del sentimiento)* están los *Salmos I* y *II* de *Poesías*, respuestas a Richepin[22], pero —también— tortura de su propia conducta, desasosiego de una crisis religiosa que no se resolvió con la ruptura. Quijotescamente podría decir: «Mi cuerpo vive gracias a luchar momento a momento contra la muerte, y vive mi alma porque lucha también contra su muerte momento a momento. Y así vamos a la toma de una nueva afirmación [... y] proclamarán los nietos de nuestros nietos la afirmación última, y crearán así la inmortalidad del hombre»[23]. Estos *Salmos* eran el anhelo de comunicación religiosa que palpitaba en el *Diario íntimo*, pero eran lo que el poeta, como poeta, quería transfundir. No una confesión en voz baja cuyo secreto se quebrantaría al difundirse, sino la comunicación lírica que lograra el resón de simpatía en los demás[24]. No creo que Unamuno consiguiera su propósito: en 1907 publica *Mi religión*, y por si hacía falta aclarar las cosas, descorre el velo, con lo que el recato se rompe y el sentido queda transparente:

> Los salmos que figuran en mi volumen de *Poesías* no son más que gritos del corazón, con los cuales he buscado hacer vibrar las cuerdas dolorosas de los demás. Si no tienen esas cuerdas, o si las tienen tan rígidas que no vibran, mi grito no resonará en ellas y declararán que eso no es poesía, poniéndose a examinarlo acústicamente [...]. Esos salmos de mis *Poesías*, con otras varias composiciones que allí hay, son mi religión[25].

Religión y poesía se habían identificado en el alma de don Miguel, algo así como Walt Whitman querría:

---

[22] Vid. *El problema de la fe en Unamuno*, apud *Estudios y ensayos* ya citados, páginas 139-159.

[23] *Vida de don Quijote y Sancho*, O. C., IV, pág. 228.

[24] Cfr. José Miguel de Azaola, «Las cinco batallas de Unamuno contra la muerte» *(CCMU*, II [1951], págs. 57-65).

[25] O. C., XVI, pág. 123.

After the noble inventors, after the scientists, the
| chemist, the geologist, etnologist,
finally shall come the poet worthy that name,
The true son of God shall come singing his songs[26].

Estamos devanando una serie de problemas que no hacen sino cercar a una palabra testimonial: *dolor*[27]. Y en este momento se nos enlazan la biografía (angustia ante el hijo hidrocefálico), la vida histórica (la tragedia de la patria) y la religión (el silencio de Dios). Incapaz de encontrar solución humana a cuanto le rodea, Unamuno descubre el auténtico sentido del dolor. He aquí una nobilísima conducta acaso no valorada. Porque estamos acostumbrados a ver en don Miguel una serie de comportamientos espectaculares en sí mismos o en cuanto tienen de posibilidades de repetición colectiva: su religiosidad, como espejo de una crisis del catolicismo nacional; su conducta política, como expresión de la trágica dicotomía del pueblo español; su valentía cívica, como repudio de la cobardía acomodaticia[28]. Pero nos olvidamos mucho —naturalmente hay que hacer salvedades[29]— de esa veta de ternura y de emoción humana que va surgiendo silenciosa y continuamente del alma de don Miguel. Y es, precisamente, lo que expresa la palabra *dolor*, tan llena de connotaciones a lo largo de su obra; pero es bueno no olvidar que los primeros textos que tienen un sentido perdurable son, justo, unas apostillas del *Diario íntimo* y su desarrollo a partir de unos poemas de su primer libro. En sus confidencias había escrito:

Del fondo del dolor, de la miseria, de la desgracia, brota la santa esperanza de una vida eterna que dulcifica y santifica al dolor. Del

---

[26] *Complete Poetry and Selected Prose*, edit. James E. Miller, Jr. Cambridge, Mass., 1959, *Passage to India*, § 5, págs. 290-291.

[27] Acepto *le mot-témoin* de Matoré como 'símbolo material de un hecho espiritual importante' por más que mis precisiones tengan un carácter totalmente distinto que el sociológico; sin embargo, la terminología —y sólo ella— nos es útil para caminar (Georges Matoré, *La méthode en lexicologie*, edic. 1973, págs. 65-66).

[28] En su amado Carducci se quieren apreciar virtudes semejantes: «la schiettezza intimamente italiana, la serenità classica, l'ardenza patriottica, la dignità civile» (cit. por Carlo de Grande en la *Introduzione* a *Tutte le poesie*, de G. Carducci. Basiano, 1967, pág. 13).

[29] Vid. Luis Granjel, *Retrato de Unamuno*, Madrid, 1957, págs. 123-128; Carlos Blanco Aguinaga, *El Unamuno contemplativo*, México, 1959, capítulo IV; Armando F. Zubizarreta, *Unamuno en su «nivola»*, Madrid, 1960, págs. 262-270; Emilio Salcedo, *Vida*, ya citada, págs. 82-84 y 115-116.

seno de la vida fácil y grata brota la desesperación de hundirse en la nada *(Diario,* págs. 188-189).

No pensar en la muerte. ¡Imposible! Cuanto más se goza, más se piensa en ella. ¡Feliz quien en ella piensa desde el seno del dolor! *(Ibíd.,* pág. 191).

Su largo poema *Por dentro* es, tal vez, lo más significativo que en este momento puedo aducir. Y no quiero silenciar algo que me parece sintomático: Unamuno que tanto habló de sus versos y que tanto los reelaboró antes y después de publicarlos, guardó un total silencio sobre éstos. De ellos sólo sabemos por su inclusión en *Poesías.* Como si un delicado pudor le impidera manifestar lo que guardaba para sí o para los futuros —e ignorados— lectores[30]. El poema es bellísimo y de inusitada ternura bajo apariencias metafísicas y sociales. Su sentido es bien claro si partimos de unos versos del fragmento II:

(Calla, mi amor, cierra tu boca fresca,
que así te quiero
[...]
Calla que hay otro mundo
por dentro del que vemos
un mundo en el que tejen las tinieblas
y es todo cielo.)

Y del remate del poema

(Callemos ya, mi amor; en el silencio
la dulcedumbre de la pena guarda;
callemos ya, mi amor, harto te dije,
voy a callarme... ¡calla!)

Entre estos dos tajamares, el arco bajo el que va pasando un río de dolor. Tal vez el poema naciera como consecuencia de la muerte del hijo (1902); indudablemente se refiere al dolor que su presencia produce en el corazón de la madre. La apariencia objetiva del canto no es sino la veladura de una serie de motivos personales que apenas si se pueden intuir: para que cobren sentido hace falta situar estos versos en todo el contexto vital de Unamuno.

---

[30] Creo que esta interpretación se ampara en todo el primer fragmento del poema.

Entonces se puede hermanar con algunas de las líneas recién transcritas del *Diario*, pero ahora con un sentido más transcendente: el dolor personal se ha convertido en sustento de toda la creación; cada uno de nosotros no somos sino la menuda partecilla de un hecho universal que, desde nosotros, podemos explicarlo y comprenderlo. El hombre en soledad y desasimiento de cuanto le rodea puede identificarse con su propia pena («Baja, pues, al silencio, / y espera a que el dolor allí te rinda»), pues sólo en ella cobrará sentido la vida («Es el dolor la fuente / de que la vida brota», / «Es el dolor del árbol de la vida / la savia vigorosa») y, en la vida, toda la creación:

> Cuando el mundo va hundirse en la inconciencia
> ¡Dios surge y sopla!
> Y es su soplo dolor, dolor intenso
> que a las almas azota,
> y las almas buscando algún alivio
> se revuelven ansiosas
> y hacen el mundo
> que así resulta ser del dolor obra.

La siembra de la inmortalidad vencedora del tiempo («es el dolor eternizado el único / que cura del que mata») producirá granazón en el más hondo de sus libros. No voy a insistir demasiado; léase el capítulo VII, de donde extraigo estas líneas:

> El dolor es el camino de la conciencia, y es por él como los seres vivos llegan a tener conciencia de sí. Porque tener conciencia de sí mismo, tener personalidad, es saberse y sentirse distinto de los demás seres, y a sentir esta distinción sólo se llega por el choque, por el dolor más o menos grande, por la sensación del propio límite[31].
>
> El dolor es la sustancia de la vida y la raíz de la personalidad, pues sólo sufriendo se es persona[32].

----

[31] *Del sentimiento trágico*, O. C., XVI, pág. 268. Motivos de este capítulo (páginas 266-267) aparecen en *Aldebarán (Rimas de Dentro*, O. C., XIII, págs. 882-886), que puede ser coetáneo de los textos en prosa (se escribió en 1908).

[32] *Del sentimiento*, pág. 331. Añádase un texto de la página siguiente:

> No hay verdadero amor sino en el dolor, y en este mundo hay que escoger o el amor, que es el dolor, o la dicha. Y el amor no nos lleva a otra dicha que la del amor mismo, y su trágico consuelo de esperanza incierta [...]. El hombre es tanto más hombre, esto es, tanto más divino cuanta más capacidad para el sufrimiento, o mejor dicho, para la congoja tiene.

Pero en la problemática elaboración de Unamuno —alargado el dolor hasta convertirlo en congoja de todo lo existente— los resultados de su tesis van más allá de lo que *Poesías* anotaba: lo que había sido el dolor personalísimo y humano ante la enfermedad y muerte del hijo, ahora —en desesperanza— se proyecta a todo el universo y no se puede encontrar asidero para la evasión: Dios, en palabras de Unamuno, sufre también y el hombre no acierta —porque no existe— con la senda que le lleve a la felicidad[33].

Tierras de España

La personalidad de Unamuno no está hecha de retazos. Es una armónica y ciclópea unidad. Todo su mundo manifiesta una exacta coherencia apoyada en un sustrato religioso. Al pasar por unas páginas anteriores, hemos visto cómo la creación del paisaje es en don Miguel un problema estético, pero condicionado por su compromiso doctrinal[34]; en otras ocasiones he podido ver cómo su libro *Poesías* encierra la problemática de la supervivencia sintiéndola en la vida de una ciudad[35], o como consecuencia de su propio quehacer poético[36]; pero siempre, trabado todo por una religiosidad que daba transcendencia a cada uno de sus gestos. El soneto *Al destino* (1901) podría ser el punto de partida a nuestros comentarios:

> Quiero mi paz ganarme con la guerra,
> conquistar quiero el sueño venturoso,
> no me des ocio el que tu entraña encierra
> de esclarecer enigma tenebroso,
> y cuando al suelo torne de la tierra,
> haz que merezca el eternal reposo.

He aquí cómo la vida del hombre se convierte en el sustento de unos problemas de muy variado perfil; pero este hombre, tan

---

[33] Cfr.: «Y la fórmula, terrible, trágica de la vida íntima espiritual es, o lograr la más dicha con lo menos de amor, o lo más de amor con lo menos de dicha. Y hay que escoger entre una y otra cosa. Y estar seguro de que quien se acerca al infinito del amor, al amor infinito, se acerca al cero de la dicha, a la suprema congoja» (*Del sentimiento*, pág. 333).

[34] Ténganse en cuenta las páginas *Unamuno y el paisaje de España*, apud *Estudios y ensayos*, ya citados, págs. 160-176, y añádase *EUM*, pág. 23.

[35] Símbolo y mito en la oda Salamanca, *CCMU*, XXIII (1973), págs. 49-70.

[36] *Unamuno en sí mismo:* «*Para después de mi muerte*», apud *El comentario de textos*, Madrid, 1973, págs. 240-270.

constreñido por la historia, no se zafa de la tierra sobre la que vive. Es significativo que muchos poemas de su libro, los muy bellos que dedica a ciudades y tierras de España, sean posteriores al año crucial de 1902; algo así como si en el suelo de la patria buscara enraizarse, una vez que se frustró el sentido ortodoxo de su religiosidad, y es digno de considerar que, en el *Diario*, no haya ninguna alusión a los amargos días de España, aunque sí unas líneas que, fuera de ese libro y cuando el problema religioso ha quedado lejos, se irán desarrollando hasta convertirse en un tratado patriótico

> ¿Qué hace la comunidad del pueblo sino la religión? ¿Qué les une por debajo de la historia, en el curso oscuro de sus humildes labores cotidianas? Los intereses no son más que la liga aparente de la aglomeración, el espíritu común lo da la religión. La religión hace patria y es la patria del espíritu *(Diario*, pág. 25).

Vemos, pues, que en *Poesías* el sentido de la patria no está condicionado por avatares concretos. Hay —sin embargo— la emoción irrestañable ante las ciudades y los paisajes de España. Algo que es duradero por encima de cualquier contingencia: el amor a unas tierras que va conociendo y la emoción ante las obras que cumplieron unos españoles de excepción. Por eso se sentirá cerca de Carducci, que con sus poemas contribuyó «a fraguar un pueblo»; lo que él, el poeta civil llamado Unamuno, también querría hacer, o haber hecho. La postura de Unamuno ante la circunstancia histórica que le tocó vivir está en una conversación que tuvo con Guerra Junqueiro; más aún, la serenidad de esos poemas que dedica a Castilla, a Vasconia, a Cataluña, es el sedimento que van dejando sus meditaciones españolas. Cuando llegaron los días acedos del desastre, no hubo gritos que se irguieran del dolor de la patria, y es que «ustedes no tienen un poeta», decía Guerra Junqueiro. La respuesta de Unamuno era tajante: «Acaso tengamos poetas, pero no son patriotas»[37]. Como un tributo de amor fueron naciendo esos poemas que se incluyeron en *Poesías*, deuda pagada por aquellos otros días de vergüenza en que las voces españolas quedaron enmudecidas: «Si un hombre no siente lo que tiene en derredor, lo concreto, lo tangible, la patria, podrá ser un gran filósofo, un gran pensador, un gran sociólogo;

---

[37] O. C. IV, pág. 893; *EUM*, pág. 114, y *UI*, pág. 277.

pero un poeta, no.» Para dar la razón a Junqueiro está aquí una parvada de textos que con otras páginas, de Azorín, de Baroja, de Machado, cuentan para siempre en nuestra visión y en nuestro amor a España. Los años acrecerían la andanzas; pero las *Poesías* son —ya— una interpretación de Castilla, una visión poetizada de la Vasconia natal, un concretísimo —también— y generoso enriquecimiento: el amor a Cataluña.

Castilla y Vasconia aparecen hermanadas en los tres artículos que —1889— dedicó a Alcalá de Henares[38]. La primera Castilla que Unamuno descubre es un eco de tristezas: tristezas en la grandeza perdida y tristeza en el sobrio campo, pero «¡qué hermosa la tristeza enorme de sus soledades, la tristeza llena de sol, de aire, de cielo!». Los hombres que pueblan una ciudad como Alcalá son insolidarios y recelosos, como si para ellos hubiera acuñado Bacon el *Magna civitas, magna solitudo;* los que atraviesan los campos son lugareños de color de tierra, «encaramados en la cabalgadura». Sin embargo, Unamuno —ya en este primer contacto— ha descubierto un hondo sentido al paisaje de Castilla; más aún, lo ha humanado en el símbolo impar de la estirpe: los horizontes dilatados de la tierra, le hacen pensar en los «horizontes dilatados del espíritu de don Quijote, horizontes cálidos, yermos, sin verdura». Pero este paisaje es bello, no comparable al de Vizcaya, sino con otra suerte de belleza:

> En Castilla, el espíritu se desase del suelo y se levanta, se siente un más allá y el alma sube a otras alturas a contemplar sobre estos horizontes inacabables y secos una bóveda azul y transparente, inmóvil y serena[39].

Unamuno acaba de evocar un tipo de belleza poemática, la de fray Luis de León, y acaba de identificarse con Castilla en ese

[38] O. C., I, págs. 145-163.
[39] O. C., I, pág. 153. De cómo Unamuno trató de entender los pueblos a los que dedica los textos poéticos que me ocupan, puede verse en este testimonio de una carta a Jiménez Ilundáin:

> ¡España no morirá! No muere así como así toda una nación, ni se encuentra tan mal como por ahí y por aquí se dice. Hay «bárbaros» que mediante una invasión pueden salvarla, y esos «bárbaros» están dentro, vendrán de dentro, surgirán de las profundidades. No se sabe de lo que es capaz el pueblo bajo castellano, rudo, tosco y nada espiritual. Lo único que necesita es la invasión del dinero, que de la periferia puede venir *(UI,* página 325). Vid. también, la pág. 331 del mismo epistolario.

intento de desasirse de la tierra para buscar una evasión celestial. Es —1889— el arranque de las *Poesías* de *Castilla*: no es necesario siquiera aducir nombres o referencias.

Pero, al mismo tiempo, Unamuno no se ha desprendido, nunca se desprendería, del amor a su paisaje natal, de la visión suave y muelle, diríamos que poco unamunesca, de su Vizcaya. Si Castilla es en este primer ensayo la intuición del desasimiento, el País Vasco no ha superado todavía una realidad concreta y materializada[40]. Creo que todo lo que va a ser su visión de España acaba de ser descubierto en los duros campos de la Alcarria; cuanto haga una elaboración posterior, será purificar la ganga que arrastra de unos recuerdos aún no poetizados. Es el paso que va a dar desde «mi corazón es [...] de carne, y prefiere a esta austera poesía el lirismo ramplón de nuestras montañas» hasta la intelección del

> Como tu cielo es el de mi alma triste
> y en él llueve tristeza a fino orvallo,
> y como tú entre férreas montañas,
> sueño agitándome.

Cataluña es —en *Poesías*— el paisaje sin referencias. No el cotejo para deducir valoraciones, sino la realidad válida en sí misma y por sí misma, a la que se intenta aprehender con *inteletto d'amore*. Merece la pena que nos detengamos en ello.

Cuando en 1906 pasa unas semanas en Barcelona, cuenta con la compañía egregia de Juan Maragall, «nobilísimo poeta», hombre religioso y bueno. A él dedica un texto clave, *La catedral de Barcelona*. El poema es espléndido y fundamental para lo que quiero anotar: la visión del templo es mucho más que la fruición artística; es la fusión de la arquitectura religiosa con el alma del hombre («entra en mi pecho y bajaré hasta el tuyo; / modelarán tu corazón mis manos / [...] / convirtiéndolo en templo recogido») y es la visión que —a través de ella— hace de un mundo que —en su condición de lingüista— le resulta entrañable:

---

[40] En la página 155 se leen estas líneas:

> Prefiero mis encañadas frescas, mis paisajes de nacimiento de cartón, el cielo de nubes, los días grises, todo lo que acompañado de tamboril y chistu, después de merendar bien y beber buen chacolí, da una alegría agria.

El amor seguirá en línea de purificación *(UI,* pág. 420).

Canta mi coro en el latín sagrado
de que fluyeron los romances nobles,
canta en la vieja madre lengua muerta
que desde Roma, reina de los siglos,
por Italia, de gloria y de infortunio
cuna y sepulcro, vino a dar su verbo
a esta mi áspera tierra catalana,
a los adustos campos de Castilla,
de Portugal a los mimosos prados,
y al verde llano de la dulce Francia.

Y fueron esos cuatro últimos versos transcritos los que Maragall señaló a don Miguel[41], aunque no fueran los que a él le gustaran. Y es cierto que uno y otro tenían su razón: para Unamuno, los versos preferidos eran aquellos en los que puso lo «más intenso»; para Maragall, los impresionistas que ahorran mayores descripciones[42]. Unamuno estaba dentro de su quehacer más hondo al identificar con sus propios sentimientos religiosos lo que era un pedazo del cristianismo, cuando no creación supratemporal del espíritu del hombre; de ahí que al caracterizar a las regiones de Hispania con un adjetivo busque lo que es tópico, porque así se identifica fácilmente con la verdad:

Venid a mí, que todos en mí caben,
entre mis brazos todos sois hermanos,
tienda del cielo soy acá en la tierra,
del cielo, patria universal del hombre.

Pero Maragall miraba sin desasirse de la realidad. No quería —acaso no podía— ver sino el equilibrio de la aguja, la perfección de las torres octogonales. Era su visión artística de Cataluña: no

---

[41] *Leyendo a Maragall*, I, O. C., V, pág. 654, y la carta del poeta catalán del 16 de enero de 1906 *(EUM*, pág. 32).

[42] El gran poeta catalán, discutió —y no tenía razón— si sería preferible poner *de la Francia dulce*. No tenía razón porque el sintagma de Unamuno estaba aludiendo a la tradición de la literatura francesa. Sin embargo, Maragall no le discutió lo de la *áspera tierra catalana*, que es desafortunado. ¿*Áspera* la tierra catalana? Para mí lo más hermoso de Cataluña no son sus asperezas, sino la blandura de sus campos, el verde suave, el equilibrio de sus montes y sus llanos, los matices —infinitos y cambiantes— de sus paisajes. Algo que es Claudio de Lorena o Patinir, algo que difícilmente se encuentra en el resto de esta *ancha y espaciosa España*. Pero Maragall mal podía censurar el adjetivo desgraciado: Unamuno rendía con él tributo al amigo: *la terra aspra* era Cataluña en la hermosísima *Oda a Espanya*, que Unamuno pensó traducir *(EUM*, pág. 34; también en las 42 y 46).

transcendida, sino inmediata. Lo que allí estaba. Y fue a fijarse en los versos que marcaban la diferencia de unos pueblos gracias al espejo de su lengua. Desde el latín litúrgico iban brotando los romances peninsulares —portugués, castellano, catalán—, iban brotando las otras lenguas de la Romania —italiano, francés—. Eso era lo que a Maragall le atraía del poema de don Miguel; la identificación de la tierra con la lengua de sus hombres. No en vano, en ocasión solemne, don Miguel recordaba los versos en que el gran poeta catalán hablaba su lengua regional, a la madre común:

> Escolta, Espnaya, - la veu d'un fill.
> que et parla en llengua - no castellana;
> parlo en la llengua - que m'ha donat
> la terra aspra:
> en 'questa llengua - pocs t'han parlat;
> en l'altra, massa[43].

Unamuno entendió bien a su amigo y, sin duda, comprendió el sentido de la preferencia que le guiaba al leer los versos de *La catedral de Barcelona;* por eso, al recordar al poeta muerto, escribió palabras de verdad:

> Maragall, como excelso poeta, religiosamente poeta, sentía la santidad de la palabra, y pocos habrán rezado con más entrañada intimidad que él aquello de: ¡santificado sea tu nombre! Sentía la santidad de la palabra y que no se debe profanarla[44].

El sentido del paisaje había sido descubierto desde el cristianismo; en Salamanca —a partir de 1891— Unamuno «empezó a sentir el pulso de España en sus paisajes»[45]. Paisajes, religión y patria se le unirían metafísicamente para siempre. Vizcaya fue el terruño entrañable; Castilla, el sentido de la vida; Cataluña,

---

[43] *Discurso sobre la lengua española*, pronunciado en las Cortes Constituyentes de la República (18 de septiembre de 1931); vid. O. C., V, pág. 696. Sobre el alcance de este poema en la obra maragalliana pueden verse las págs. 31-34 del libro de Mercedes Vilanova, *España en Maragall* (Madrid, 1968).

[44] *Leyendo a Maragall*, II, O. C., V, pág. 657. Para las relaciones entre ambos escritores, vid. las págs. 122-138 de la obra, recién aducida, de Mercedes Vilanova, y Fermín Estrella Gutiérrez, *Unamuno y Maragall (historia de una amistad)*, Buenos Aires, 1964.

[45] Vid. mi edición de *Paisajes*, Madrid, 1966, pág. 23.

vista y sentida a través de Maragall, la variedad que enriquece y matiza a la patria común[46]. Tríptico de amor en *Poesías* para iniciar —ya en esta primera andanza— la comunicación espiritual de las tierras hispánicas a las que incorporaría —y no sin fervor— sus visiones portuguesas[47].

LOS POEMAS DOMÉSTICOS

La idea del Unamuno torturado por los problemas religiosos o preocupado por las cuestiones cívicas nos ha borrado una imagen amable e íntima del gran poeta. En la nota 29 he dado una breve bibliografía, que ahora quisiera ampliar con otros comentarios. Emilio Salcedo, que de niño vio alguna vez a Unamuno, guarda de él un recuerdo de ternura. Puedo confirmarlo con otro testimonio: en 1964 y 1965 hice encuestas en la isla de Fuerteventura; uno de mis informantes —no es necesario decir que de la condición social más humilde— recordaba a don Miguel: lo alzó del suelo y lo llevó en brazos, un día que él —niño— había caído y lloraba[48]. Sí, lo sé, son sentimientos humanos y elementales. Pero ¿no son sentimientos humanos y elementales los que derivan del amor a la mujer propia? Y, sin embargo, no parecen demasiado frecuentes en nuestra poesía. Más aún, poeta de tan distinta condición que Unamuno —Luis Cernuda— veía con toda la razón que la extrañeza que su poesía produjo se debía a cantar un tríptico de sentimientos poco usuales: familia, patria y religión[49]. Al ir acercándome a estas *Poesías* he visto —sin recordar para nada el texto de Cernuda, aunque *a posteriori* haya coincidido con él— que lo caracterizador de estos poemas son, en verdad, las notas que señaló el autor de *La realidad y el deseo*.

Unamuno —y coincide con sus compañeros de generación— fue un hombre de austeridades. Charles Moeller lo ha evocado

---

[46] Faltan elementos para caracterizar la visión de España en un libro escasamente interpretativo y mal informado: René Marill Albérès, *Miguel de Unamuno*, Buenos Aires, 1952, pág. 54 y siguientes.

[47] De 1907 es el poema *Portugal*, que se ha publicado en *MUP*, pág. 384. Un año antes estuvo en Oporto y allí escribió *En una ciudad extranjera*, que incluyó en *Poesías*. Para su devoción al otro pueblo peninsular, vid. Miguel de Ferdinandy, «Unamuno y Portugal», *CCMU* II (1951), págs. 111-131, y Julio García Morejón, *Unamuno y Portugal*, Madrid, 1964.

[48] Lo conté en la nota 30 del prólogo que puse a *Paisajes* (Madrid, 1966, pág. 21).

[49] Vid. más adelante, el desarrollo de algunas de estas ideas.

junto a Péguy en la sencillez de sus costumbres[50]. Yo pienso que
tiene razón y aun habría que asociarlos en su apasionamiento,
en su falta de ironía (lo que no quiere decir que no pudieran ser
feroces en la polémica o el sarcasmo), en su voluntad de insertar
lo divino en lo humano, en su socialismo (del que uno y otro se
retiraron), en su incasable vocación de trabajo. Sí, y hasta en cosas
más triviales, pero que podrían condicionar sus propias poéticas:
uno y otro eran admirables lectores... Este sentido de ternura y
de amor familiar hace que la poesía de Unamuno presente — ¿no
lo tuvo también la poesía de Péguy?— un aire desusado y raro
en las normas de su tiempo. Y de cara al futuro, cierto sesgo extraño —ya en *Poesías*— al mezclar, pero no fundir Bécquer con
Bartrina, con resultados muy distintos a lo que Campoamor pudiera significar. En su emocionante correspondencia con Maragall, escribió unas líneas bellísimas:

> En su última carta me hablaba usted de mi tienda de campaña.
> Sí, en mi vida de lucha y de pelea, en mi vida de beduino del es-
> píritu, tengo plantada en medio del desierto mi tienda de campaña.
> Y allí me recojo y allí me retemplo. Y allí me restaura la mirada de
> mi mujer, que me trae brisas de mi infancia. Nos conocimos, de niños
> casi, en Bilbao; a los doce años volvió ella a su pueblo, Guernica,
> y allí iba yo siempre que podía, a pasear con ella a la sombra del
> viejo roble, del árbol simbólico. Y allí me casé. A mi mujer la ale-
> gría del corazón le rebosa por los ojos, y ante ella tengo vergüenza
> de estar triste. Un día, hace años, cuando me preocupaba lo car-
> díaco, al verme llorar presa de congoja, lanzó un ¡hijo mío! que
> aún me repercute. Y ésta es mi tienda de campaña[51].

Concha Lizarraga era esta mujer a la que siempre vivió unido
y a la que vio partir un día sin regreso («¡Y en lo hondo... ella!»).
Aquí en *Poesías* los versos de madurez viril a la esposa —ojos,
manos— que sentía, sufría y gozaba a su lado. Cartas éstas y versos
éstos que emocionaban a su amigo Maragall, gran poeta de la
vida doméstica, que en nuestra historia literaria evoca el recuerdo
de su paisano Boscán.
    Todo cuanto se ha ido desentrañando de la vida de Unamuno
en estos años tiene un trasfondo familiar inesquivable. Todo en
torno a aquella vida que se le convirtió en una cruz: Raimundo

---

[50] *Lit. siglo XX*, ya citada, t. IV, pág. 85.
[51] *EUM*, pág. 58, y *UI*, pág. 387. Las relaciones de los futuros esposos comenzaron cuando Unamuno tenía quince o dieciséis años *(UI*, pág. 267).

Jenaro, nacido en 1896, y muerto en 1902[52]. El niño, tras un ataque de meningitis, padeció de hidrocefalia. Don Miguel tuvo hacia aquella carne suya las ternuras más delicadas: hizo que los otros hermanos lo quisieran, le dedicó poemas, le sacó dibujos del rostro y de la mano paralítica. Y en torno al niño enfermo se consumó[53] la crisis religiosa del hombre que quiso el milagro para aquella criatura desgraciada. Péguy sintió de la misma manera: el dolor idéntico, como en cada padre que sufre, pero Péguy buscaba cobijo en la Virgen María para no caer en la desesperación:

> Il pense à ses enfants qu'il a mis particulièrement
>   sous la protection de la Sainte Vierge.
> Un jour qu'ils étaient malades.
> Et qu'il avait eu grand peur.
> Pour eux et pour lui.
> Parce qu'ils étaient malades[54].

Unamuno —cierto es— no supo vencer la dura prueba. Pero en el *Diario* —con Raimundín enfermo— había escrito estas palabras:

> He llegado hasta el ateísmo intelectual, hasta imaginar un mundo sin Dios, pero ahora observo que siempre conservé una oculta fe en la Virgen María. En momentos de apuros se me escapaba maquinalmente del pecho esta exclamación: Madre de Misericordia, favoréceme. Llegué a imaginar un poemita de un hijo pródigo que abandona la religión materna. Al dejar este hogar del espíritu sale hasta el umbral la Virgen y allí le despide llorosa, dándole instrucciones para el camino [...]. María es de los misterios el más dulce. La mujer es la base de la tradición en las sociedades, es la calma en la agitación, es el reposo en las luchas. La Virgen es la sencillez, la madre de la ternura[55].

Unamuno iba depositando en la esposa el amor a la Madre de Misericordia; en los hijos, esa infancia que le subía a flor del alma «cantándome sus recuerdos». Porque sus hijos le hacían vivir de

---

[52] Véanse las págs. 82-84 de E. Salcedo, *Vida de don Miguel*.
[53] *Vid.* antes, pág. 67.
[54] *Le Porche du Mystère de la Deuxième Vertu.*
[55] Página 42. Añádanse otros testimonios en las págs. 97, 101, 318, 399-400. Resulta curioso ver cómo su teatro también pareció «escrito cuando menos fuera de tiempo» *(UI*, pág. 288).

nuevo. En una carta muy íntima —y a Maragall, como siempre— le dirá: «Mis dos hijos mayores estudian junto a mí, o lee el mayor a Dickens, que es su encanto»[56]. Cambiando un poco, era el poema de *Poesías* («Junto al fuego leía / *Quintin Durward* mi hijo»). En la quietud hogareña, la lectura de los dos niños le hace pensar en el hilo eterno y discontinuo de la vida, como el respiro de las criaturas es anticipo de perennidad, como los dibujos infantiles le traen a las mientes la Creación, como... Todo ese mundo íntimo, entrañable, recoleto, podía romperse con una premonición, que acabaría cumpliéndose («Es de noche, en mi estudio»), y entonces el poeta volvería a *desnacerse* para salvarse en la infancia renacida.

IDEAS SOBRE POESÍA

Los poemas iniciales del libro representan la postura teórica de don Miguel ante el proceso creador. Sus versos resultaron extraños[57] y siguen resultando[58]. Bien poco después de publicar *Poesías* —y refiriéndose a ellas—, Unamuno escribió:

> Y el que vea raciocinio y lógica, y método y exégesis, más que vida en esos mis versos, porque no hay en ellos faunos, dríadas, silvanos, nenúfares, «absintios» (o sea ajenjos), ojos glaucos y otras garambainas más o menos modernistas, allá se quede con lo suyo[59].

Sin embargo, los mejores espíritus supieron apreciarla[60]. Rubén Darío —y no quiero hablar de discusiones harto conocidas— escribió las líneas famosas que sirvieron de pórtico a *Teresa*:

---

[56] 19 de diciembre de 1907, pág. 72.

[57] Se lo dijo a Jiménez Ilundáin (carta del 29 de julio de 1907), apud *MUG*, página 115. Para todo este apartado es imprescindible Francisco Ynduráin, *Unamuno en su poética y como poeta*, apud *Clásicos modernos* (Madrid, 1969, págs. 59-125).

[58] Vid. J. Villa Pastur, «Juan Ramón Jiménez ante la poesía de Miguel de Unamuno y Antonio Machado» (*Archivum*, V [1955], pág. 138); Luis Cernuda, *Estudio sobre poesía española contemporánea*, Madrid, 1957, págs. 89-90; Ramón J. Sender, *Unamuno, sombra fingida*, apud *Examen de ingenios. Los noventayochos*. Nueva York, 1961, páginas 13, 15, 17 *passim*.

[59] Cit. en *MUP*, pág. 111. Cuando muere Carducci, Unamuno le dedica un emocionado artículo; en él podemos rastrear algo de lo que fue levadura de su quehacer poético. A vueltas de otras cosas, se desatará iracundo contra los «insípidos y pálidos recuerdos versallescos», contra «unos faunos, sátiros y centauros anémicos traducidos del francés bulevardero» (O. C., IV, pág. 894).

[60] Luis Cernuda ha visto muy bien por qué esta poesía resultó extraña: cantaba tres orbes (familia, patria y religión) abandonados por los poetas españoles de su

[Unamuno es] un poeta, un fuerte poeta. Su misma técnica es de mi agrado. Para expresarse así hay que saber mucha armonía y mucho contrapunto. Lo que parece claudicación es uso de sabio procedimiento [...]. Eso es lo que más gusta en él, sus efusiones, sus escapadas jaculatorias hacia lo sagrado de la eternidad[61].

Rubén no marró, pero acaso nadie anduvo tan en lo cierto como Maragall. En una carta del 26 de noviembre de 1906, comenta *En el desierto*, y, una a una, las flechas dan en la diana: «Su idea de Dios es distinta cada vez, su sentimiento de Dios parece ser siempre el mismo, y esto me apena muchísimo, porque es un sentimiento depresivo, y para quien no sea depresivo, será tal vez de una exaltación feroz», «su poesía no llegará al mundo a destiempo, ni nunca es destiempo para una poesía fuerte como ésa», y le habla del estado de ánimo en que brota, y lo sabemos bien[62].

Lo que Unamuno buscaba con sus recursos poéticos era algo a lo que por otros caminos llegó también Darío: innovar el instrumento lírico, liberar el ritmo[63], mohosos y oxidados en la poesía española de entresiglos. Pero Unamuno anduvo a contrapelo; en diciembre de 1900 escribía a Juan Ardazun una carta fundamental, y suyas son estas palabras:

época *(Estudios sobre poesía española contemporánea*, Madrid, 1957, pág. 92). Por su parte, Unamuno había escrito: «La poesía castellana no me resulta; la encuentro seca y fría; en su contenido de un prosaísmo *estilizado* [...] y en su forma acompasada y cadenciosa más que rítmica y melódica» *(EUM*, pág. 22). Cfr. nota 56.

[61] Se puede leer en Unamuno, O. C., XIV, pág. 263. Las impresiones de *Poesías* en Maragall, en una carta de abril de 1907 en la que le dijo: «¿Qué va a decir, Dios mío, qué *podrá* decir la crítica madrileña sobre este libro austero?» *(EUM*, pág. 66). Añádase la ilusión que el poeta puso en sus versos *(UI*, pág. 417) y el escándalo que produjeron (*ibíd.*, pág. 420). Cfr., también, *UI*, pág. 441.

[62] Alboreando 1907, escribía a su amigo Francisco Antón:

Estoy pasando una temporada tormentosa, [...]. Busco consuelo haciendo versos, pero estos me salen cada vez más desconsoladores (apud *MUP*, pág. 108).

[63] Adapto palabras del *Prefacio* a los *Cantos de vida y esperanza* (O. C., edic. Méndez Plancarte, Madrid, 1952, págs. 685-686). Para la posición de Unamuno ante los modernistas, vid. Guillermo Díaz-Plaja, *Modernismo frente a noventa y ocho*, Madrid, 1951, págs. 242-245. Maragall no andaba lejos de lo que Unamuno dice en el texto, cfr. *EUM*, pág. 51.

Nuestra poesía española es, en cuanto a su fondo, pseudopoesía, huera descripción o elocuencia rimada[64], y en cuanto a la forma, música de bosquimanos, tamborilesca, machacona, en que el compás mata al ritmo [...]. Yo insisto que nuestro pueblo está capacitado para gustar *musings* a lo Wordsworth o a lo Coleridge[65].

Unamuno quiere innovar con los poetas ingleses de una mano, pero con Carducci[66] y Leopardi de otra. Sus traducciones de *Poesías* hablan a las claras. Pero hablan también algunos textos que podemos espigar. En *Amor y Pedagogía* (1902) escribió:

Sí, ya sé que nos ponemos a escribir versos libres aquellos a quienes no nos sale libremente la rima, los incapaces de hacer frente de asociación de ideas de la *rima generatrice*[67].

Por eso la gran inclinación de Unamuno hacia Carducci. Algo de afinidades electivas hubo en el proceder civil de estos dos hombres y en su quehacer literario. Veía don Miguel cómo el gran poeta italiano podía prescindir de la rima «porque la asociación poética de las imágenes y pensamientos es interna y robusta»; al considerar esta manera de hacer y compararla con las técnicas al uso en España, no encontraba en la rima otra cosa que la laña que conseguía la unión de los fragmentos sueltos, y veía la grandeza del Carducci poeta en su capacidad de ser traducido, frente a los poetas musicales cuya razón está sólo en el «halago del sonsonete», en el «desfile de imágenes imprecisas», en el «aluvión de lugares comunes». De ahí la convicción una-

---

[64] Cfr.: «con palabras muertas, reducimos la lírica a algo discursivo y oratorio, a elocuencia rimada» (*El canto adámico*, apud *El espejo de la muerte*, O. C., II, pág. 766). Para el carácter de la poesía de Unamuno son importantes las páginas que le dedica José María Valverde en «Acta Salmanticensia», X, 2 (1956), págs. 229-239.

[65] Apud *MUG*, pág. 45. En *Poesías* hay un soneto (*A la rima*) sin entusiasmo por el artificio llamado poético y un poema, *A la corte de los poetas*, contra el «casticismo» de los versificadores tradicionales. Cfr. *EUM*, pág. 22.

[66] García Blanco dio a conocer una carta de Unamuno a Antón (1907). Me interesan unas frases: «Casi las mismas cosas que se me están diciendo se las dijeron a Carducci cuando empezaba y él continuó sin hacer caso, como continuaré yo» (*MUG*, pág. 119). Acaso pensara en el filólogo italiano del que habla en *Sobre la erudición y la crítica* (O. C., III, pág. 907). No creo que en este punto sean aceptables las ideas que expone José F. Cirre en *Forma y espíritu de una lírica española*, pág. 17.

[67] Apud O. C., II, pág. 578. Este desinterés por la rima será constante en don Miguel; recuérdese lo que a este propósito escribe Josse de Kock en su *Introducción al «Cancionero» de Miguel de Unamuno*, Madrid, 1968, pág. 104.

munesca de separar los dos elementos tradicionales de la retórica, el fondo y la forma, pero con intuiciones bien claras: hay una «materia poética», que se manifiesta en una «forma interna», y tal fue su aspiración: que sus poemas hablaran de los grandes temas que preocupan al hombre, pero sin perderse en halagos sensoriales, haciéndoles tener una clara correspondencia con la forma en que se expresan. La «forma» no es en él independiente del «fondo», sino que una y otro constituyen la unidad indivisible a la que llamamos poema, tal y como se entiende —por ejemplo— en la teoría de Hjemslev: forma y sustancia en el plano del contenido. Incidentalmente escribió Unamuno y, sin embargo, su hallazgo era de enorme transcendencia; bástennos ahora sus palabras:

> Poned a Zorrilla en inglés, alemán o francés [...] y decidme cuánta poesía queda [...]. En cambio, Campoamor [...] es traductible. Y Carducci lo es enteramente, como es traductible el Dante, como lo es Homero, como lo es Shakespeare, como lo es Goethe. Lo que cantan es de suyo poético; sus cantos están formados con materia poética. Y es poética la forma interna de ellos[68].

Eran necesarias estas consideraciones no sólo por cuanto resultan aclaratorias por sí mismas, sino porque se formulan en el mismo año en que *Poesías* alumbra una colección de composiciones programáticas. Estos principios fueron válidos a lo largo de toda la vida del creador; después, muchos años después de este 1907, diría:

> Los supuestos revolucionarios estéticos y literarios no están mal, en lo programático, mientras hacen programas. Pero al ir a realizarlos no cumplen sus propios propósitos y promesas [...]. Sabido es que la poética sirve para vestir y revestir, acaso para disfrazar, el pensamiento y el sentimiento, cuando los hay, y que la poética sirve para desnudarlos. Un poeta es el que desnuda con el lenguaje rítmico su alma. El ritmo, además, le sirve, como el bieldo de aventar en la era, para apurar su pensamiento, separando a la brisa del cielo soleado el grano de la paja[69].

---

[68] O. C., IV, pág. 896. Añádase lo que dice en los *Recuerdos de niñez y mocedad*, O. C., I, pág. 302.
[69] *Poética* en la *Antología de la poesía española (1915-1931)*, de Gerardo Diego, Madrid, 1931, págs. 18-19.

Unamuno se mantuvo fiel a su postura. Más de una vez he tenido que referirme al significado de estos poemas iniciales de *Poesías*, me remito a esos trabajos para evitar repeticiones. Ahora quiero considerar otros asuntos.

Wladimir Weidlé, en su *Ensayo sobre el destino actual de las letras y las artes*, ha removido un abundante caudal de ideas que si no son siempre aceptables, al menos tienen el poder de la sugestión. En algún sitio de su libro habla, precisamente, de Unamuno y esto nos da pie para adentrarnos en otras páginas. Prescindiendo de algo que no es válido en este momento, sí queremos señalar con él, cómo «lo imaginario no está separado de lo real por una capa aisladora, y nadie, dentro de la obra poética, puede vanagloriarse de poder establecer la frontera exacta que se interpone entre el conocimiento y la creación»[70]. En efecto, cuanto vamos sabiendo de Unamuno nos manifiesta una coherente unidad en el complejo mundo de su personalidad y de su creación. Al comparar su *Diario* con *Poesías* vemos cómo el diario presenta la versión íntima de una problemática por cuanto es el hombre Unamuno quien la padece, mientras que las *Poesías* vienen a ser la universalización de las cuestiones. El conocimiento y la creación tienen un límite —ese límite buscado por Weidlé— en su formulación; o dicho con otras palabras, la creación es el conocimiento poetizado. Al decir poetizado, no pretendo limitarme a una pura cuestión estética, sino a la posibilidad de codificar un mensaje para que cobre transcendencia e interese a un universo de lectores. De atenernos a la realidad inmediata —también en el uso del instrumento lingüístico— no iríamos mucho más allá de lo que permiten algunas frases del *Diario* que pueden tener un talante como éste:

> Son incontables las formas que reviste la soberbia. Alguien me ha escrito diciéndome que él también pasó por donde yo estoy pasando, y al leerlo me he dicho: ¿tú por dónde yo?, ¡pobrecillo! ¿Por qué he de creerme superior a los demás hasta en mi capacidad para la tribulación y la lucha? Estoy muy enfermo y enfermo de *yoísmo* (pág. 274)[71].

Si todo el mundo unamunesco quedara reducido a algo semejante a estas líneas, creo que nos importaría muy poco. No anda-

---

[70] Traducción de Carlos María Reyles, Buenos Aires (1951), 2.ª ed., pág. 25.

[71] Véanse otros muchos sitios del *Diario;* por ejemplo, las págs. 277, 297, 316. Para el tema: Carlos Blanco Aguinaga, *Unamuno's «Yoismo» and its relation to traditional Spanish «Individualismo»*. (apud «Unamuno Centennial Studies», págs. 18-52).

ríamos muy lejos de escritores como Marcel Arland que pueden escribir: «Antepongo a toda literatura un objeto que me interesa en primer término: yo mismo». Fórmula de desesperación gideana que ha tenido numerosos seguidores, pero que en Unamuno transciende de su propia contingencia y se convierte en necesidad de efusión:

> Busca de tu alma la raíz divina,
> lo que a tu hermano te une y te asemeja
> y del puro querer que te aconseja
> aprende fiel la santa disciplina[72].

Resulta entonces que Unamuno —tantas veces contemplado como espectáculo— interesa no sólo como protagonista de una serie de acontecimientos, sino —lo que es mucho más importante— como incitador a la contemplación de la conciencia de cada uno de nosotros y de la conciencia colectiva[73], y ello a través del lenguaje poético que vamos viendo nacer desde su primer libro de versos. Si el *Diario* es —exclusivamente— un «documento humano», las *Poesías* son una especie de creación metafórica que cela pudorosamente cualquier tipo de confidencia más o menos freudiana; no «la mecanización de lo inconsciente», sino la cuidadosa elaboración de las experiencias íntimas; esto es, creación[74]. Pero creación a través de la palabra: en páginas anteriores he señalado el valor testimonial que en determinados contextos tiene la palabra *dolor*, como señalé el de *amor* en otros casos. En esas pocas referencias está el sentido poético que una palabra trivial puede haber cobrado: se convierte en un signo de economía frente a la enorme complejidad de muchas situaciones y multiplica su poder expresivo[75]. Desde un punto de vista puramente lógico, las páginas del *Diario* no serían otra cosa que *denotativas*, esto es, con un contenido lógico de información; pero tan pronto como cada una de esas palabras forman parte de unos sistemas de significantes más allá

---

[72] *Piedad*, soneto de *Poesías*.

[73] En este sentido puede leerse *La cigarra*, poema de 1899 pero no publicado hasta que García Blanco lo incluyó en *MUP*, págs. 367-370.

[74] El desarrollo de estas cuestiones tal vez permitiera llegar en la poesía a conclusiones semejantes a las que Ricardo Gullón alcanzó estudiando las novelas —y *Teresa*— de don Miguel *(Autobiografías de Unamuno*, Madrid, 1964).

[75] Vid., por ejemplo, Pierre Guiraud, «Le champ stylistique du Gouffre de Baudelaire» *(Orbis Litterarum*, 1959, pág. 83).

de la notación adquieren un valor *connotativo*[76]. Es lo que entendemos tan pronto como abrimos *Poesías;* la intensidad que el poema representa frente al enunciado mostrenco:

> ¡Cuántos murieron sin haber nacido
> dejando, como embrión, un solo verso!

Y, frente al uso gregario de la palabra, en el *Credo poético* dará testimonio de esa intencionalidad con que quiere dotar a los signos usuales

> el lenguaje es ante todo pensamiento,
> y es pensada su belleza.

Estos elementos intencionales en poesía cobran un valor intensivo, ya que con ella se intenta salvar cuanto de perecedero hay en el mundo que nos rodea, pero tiene que hacerlo condicionada por ciertos principios (acento, verso, rima, estrofa); como Unamuno desdeña las artificiosidades de la rima, tiene que cargar toda la intencionalidad en el ritmo y en la capacidad de expresión[77]. De ahí la doctrina explícita en *Poesías:*

> Dinos en pocas palabras,
> y sin dejar el sendero,
> lo más que decir se pueda,
> denso, denso.

Pero, al mismo tiempo, el metro —en su sistema poético— es un hecho de lengua que se manifiesta en un ritmo, hecho de habla, siguiendo la idea hegeliana de la interdependencia de metro y ritmo y su unidad dialéctica; de ahí el que Unamuno utilice recursos como el paralelismo y el encabalgamiento: el primero plantea —en el orden de las ideas— oposiciones y correlaciones; el segundo, la manera de dar intensidad a aquello que

---

[76] Michel Le Guern, *Sémantique de la métaphore et de la métonymie*, París, 1973, página 21. Véase mi estudio «La "noche oscura" de Dámaso Alonso» *(Cuadernos Hispanoamericanos*, núm. 280-282, 1973, págs. 112-135).

[77] Todo esto se desarrolla en *Unamuno en sí mismo*, ya citado, págs. 244-248 y 261-265. Pienso que Maragall tuvo también la preocupación por el ritmo; cfr. Dámaso Alonso, *Lo infinito y lo realísimo (y su molde) en la poesía de Maragall*, apud *Cuatro poetas españoles*, Madrid, 1962, pág. 109.

se quiere realzar. Es lo que se intenta establecer en *Credo poético*: la imposibilidad de separar *forma* e *idea*[78]. Si no se funden, los integrantes quedan sueltos y el poema no se logra:

> No te cuides en exceso del ropaje,
> de escultor no de sastre es tu tarea
> no te olvides que nunca más hermosa
> que desnuda está la idea[79].

Unamuno parece estar pensando fuera de nuestra lírica. Walt Whitman acababa en *A Song for Occupations* con unos versos en los que la obra se anteponía al hacedor o, a lo menos, él quería acercarse así a los hombres y mujeres que trabajan:

> When the psalm sings instead of the singer,
> When the script preaches instead of the preacher,
> When the pulpit descends and goes instead of the carver
>   that carved the supporting desk,
> When I can touch the body of books by night or by day,
>   and when they touch my body back again,
> [...]
> I intend to reach then my hand, and make as much of
>   then as I do of men and women like you[80].

Las escuelas pasaron, vinieron otras modas y se impusieron otros modos. Pero Unamuno se mantuvo fiel a su estética, que no era otra cosa que su verdad más íntima, su metafísica y su ética, su fe y su caridad. Cuando publica (1927) el *Romancero del destierro*, unas palabras del *Prólogo* determinan su postura («[la poesía pura] cuya pureza no he llegado a comprender, como ni tampoco los que de ella hablan»)[81], y sirven de antesala a su poema polémico, el **XXXIII**:

> ¿Prosa? ¿Y qué sabéis vosotros,
> jugadores de la forma
> y gongorinos de pega,

---

[78] Cfr. *Amado Teótimo*, apud *Estudios y ensayos*, pág. 192. Véase, también Rafael Ferreres, *Los límites del modernismo*, Madrid, 1964, págs. 84-92.

[79] Cfr. *Símbolo y mito en la oda «Salamanca» (CCMU*, XXIII págs. 59-60 y 68-70).

[80] *Complete Poetry*, ed. cit., pág. 160 (final del § 6).

[81] Vid. sobre estas relaciones Julio García Morejón, *Unamuno y el «Cancionero»*, São Paulo, 1966, págs. 151-158.

lo que es la prosa?
¿Poesía pura? El agua
destilada, no por obra
de nube del cielo, pero
de redoma.
¡Deshumanad!, ¡buen provecho!,
yo me quedo con la boda
de lo humano y lo divino,
que es la gloria[82].

Cada vez que nos enfrentamos con el Unamuno creador, llegamos al mismo resultado: su animadversión contra la literatura de los hombres de letras; su identificación con el hombre real de carne y hueso. Y es que, en definitiva, don Miguel estaba a años luz de cualquier clase de esteticismo; en sus anhelos de inmortalidad no podía conformarse con la «literatura», sino que, sabía, la vida eterna no se alcanza —ni aquí, ni fuera de aquí— con el compromiso de una escuela, sino en la universalidad del todos y para todos, del Hombre, al que él quería servir de vocero. Es posible que, al asentar estos principios, Unamuno exagerara; fuera tan intolerante con los demás como temió que lo habían sido con él, espejo fiel —ni bueno ni malo— de esa afirmación constante de la propia personalidad que Figueiredo considera como característica del hombre español[83].

FINAL

Con *Poesías*, Unamuno se vincula al panorama de la lírica española, con voz propia, diferente, a contrapelo. Tarde se incorporó don Miguel a la poesía, pero no tarde —por mucho que se diga— la escribió, ni llegó tarde. Era el logro de una vocación

---

[82] Apud O. C., XIV, pág. 654. En el t. XV de las O. C. (págs. 877-880) hay una carta muy interesante dirigida a Jorge Guillén. El autor de *Cántico* había visitado a Unamuno en Hendaya (verano de 1928); al acabar las navidades, don Miguel le escribió. Le hablaba de sus lecturas de *Cántico*, de João de Deus, del *Cancionero* y de don Mariano Castillo Ocsiero, «único poeta popular hispánico». Incluso había alguna reticencia hacia la poesía pura, dentro del tono cordialísimo de la carta. Al parecer —y según apostilla García Blanco— la décima guilleniana pasó al acervo métrico de Unamuno; por otra, parte, Cernuda, *Estudios*, ya citados, habla de la reconcialiación de don Miguel con los jóvenes (pág. 99).
[83] Cfr. *Pirene. Introducción a la historia comparada de las literaturas portuguesa y española*, Col. Austral, núm. 1448, pág. 40.

sofocada por la cátedra salmantina: «Hacerme al fin, el que soñé, poeta»[84].

Pero estos poemas muchas veces no son otra cosa que el ropaje para cubrir sus íntimas tragedias. Don Miguel diría a Gerardo Diego que «poeta es el que desnuda con el lenguaje rítmico su alma»[85]. Pero, también, quien la escribe con metáforas transcendidas. *Poesías* es una colección de experiencias personales, y no vale decir que toda labor de creación es el resultado de una experiencia; son las experiencias religiosas, familiares, nacionales que el poeta ha vivido. Al contarlas puede utilizar un relato directo en el que vayamos identificando los hechos (poemas al hijo enfermo, a las ciudades que conoce, por ejemplo); pero puede ocurrir —también— que bajo la cobertura poética o el sentido universalmente humano de unos sentimientos no haya otra cosa que una concretísima situación personal que trata de ocultarse. No pretendo decir que esto no sea lícito. Lo es. Y acaso más honesto que sacar a relucir lo que debe guardarse con pudor. Pretendo únicamente entender el proceso creador de Unamuno en su doble vertiente. Y es esta última la que necesita de mayores atenciones por cuanto está cifrada. Si no poseyéramos otros elementos que los que el poeta facilita, no podríamos ir mucho más allá de lo que nuestra intuición —grande o poca— nos permitiera descubrir; pero el *Diario íntimo* viene a darnos la clave para que el problema se nos aclare. No hace mucho escribí:

---

[84] *De Fuerteventura a París*, O. C., XIV, pág. 536, soneto LVI. Es curioso recordar cómo a su amado Carducci le había ocurrido algo parecido:

> Cuando publicó aquel su primer libro de rimas hubo crítico que le acusó de «falta absoluta de toda posible facultad poética». Y de hecho el libro no gustó. Carducci tuvo que fraguarse su gloria golpe a golpe, contra la indiferencia primero, contra la hostilidad después. Su espíritu rebelde y desdeñoso no se plegaba a acomodamientos fáciles, y su poesía alta, serena y fuerte, no era de las que entran fácilmente en un público que rehúye manjares jugosos (O. C., IV, pág. 891).

El *ser poeta* era la entrañable y no renunciada vocación de don Miguel. En una carta que en 1902 dirige a Jiménez Ilundáin:

> ¿Que culpa tengo de que alguien se haya podido imaginar [...] que soy un sabio encargado de enseñar conocimientos útiles a mis compatriotas y no un... (diré lo que siento) y no un apóstol, o un poeta, o un sentidor cuya misión es sacudir las almas [...]? *(UI*, pág. 379).

[85] Cfr. Carlos Clavería, *Notas italianas en la «Estética» de Unamuno*, apud *Temas de Unamuno*, Madrid, 1953, pág. 127.

Al enfrentarnos con la dualidad *Diario íntimo—Poesías*, tenemos dos tipos de expresión de una sola experiencia, o, si se quiere, un significado profundo se nos manifiesta con dualidad de significantes. Porque una cosa es la experiencia inmediata *(Diario)* y otra la transmisión —hacia fuera— de esa experiencia *(Poesías)*; resulta entonces que los poemas tienen una objetividad mayor que las anotaciones cotidianas, porque tratan de transcender lo puramente íntimo hacia una comunicación mucho más amplia[86].

Carlos París se ha planteado este mismo problema, pero sus juicios son distintos de los míos, y a ellos voy a referirme:

> *Poéticamente*, la palabra unamuniana refleja y expresa los «sentires» del alma vibrante de don Miguel, para darles permanencia y objetividad. Convertidos en «canto» que pueda él contemplar desde lejos, flotando en su vida autónoma. Se ha «extrañado» lo «entrañable». Y este extrañamiento implica ya un sacrificio del autor, al convertir la vivencia en criatura. Criatura que, después, podrá incluso ser gozada por otros, a medida que el autor se aleja en el tiempo de la situación en que le alumbró[87].

No creo que la expresión de los «sentires» varíe de la poesía a la prosa en cuanto expresión. Por lo que respecta al valor de la palabra, Unamuno era muy croceano[88] y, por tanto, para él se identificaban *lengua* y *arte*. Desde el momento que la personalidad del escritor se proyecta está haciendo arte, con independencia de los elementos formales de que se valga. Naturalmente, si no hay expresión, del tipo que sea, no hay escritor. Carlos París ha aducido un poema del libro que en esta ocasión nos ocupa *(Cuando yo sea viejo)* que —a mi modo de ver— no es un extrañamiento propio, sino un entrañamiento ajeno. Sin paradoja: Unamuno comunica una experiencia personal, pero sabe muy bien que el hombre no es inmutable; teme —por tanto— serse traidor, y lo que quiere lograr es, precisamente, la fidelidad unamuniana si es que Unamuno deserta; o como diría él: la quijotización de Sancho

---

[86] *Unamuno en sí mismo*, ya citado, pág. 245.

[87] *Unamuno. Estructura de su mundo intelectual*, Barcelona, 1968, págs. 14-15.

[88] *Vid.* la nota que puse en las págs. 202-203 de la obra de Iorgu Iordan, *Lingüística Románica*, Madrid, 1967. Añádase otra referencia bibliográfica: Manuel García Blanco, «Benedetto Croce y Unamuno. (Historia de una amistad) *(Annali del Instituto Universitario Orientali*, I [1959], págs. 1-29).

en el día que Alonso Quijano haya matado a don Quijote. Los poemas, sí, objetivan, pero no para ser contemplados desde lejos, sino para proyectar un subjetivismo, para hacer tantos Unamunos cuantos prosélitos se adhieran a ellos; no infinitas objetivaciones, sino un universo de espíritus concordes[89]. Estamos comparando en estas páginas esas dos realidades diferentes que son el *Diario* y las *Poesías*. Uno y otras representan la conversión en «criatura» de la «vivencia» unamunesca, pero lo único que varía en ellas es la transmisión de un determinado mensaje, no su contenido. Porque tan «criatura» es la minuta en prosa como su versión poetizada, pues al extrañar —en forma de *Diario* y en relato prosístico— lo que es entrañado, el propio escritor se ha realizado como tal y nosotros podemos contemplarlo. O dicho con sus propias palabras: «una constante aspiración a ser otros, sin dejar de ser lo que somos»[90].

Esto me ha hecho hablar de *Poesías* como creación metafórica de lo que en el *Diario* se cuenta. Ahora quisiera matizar algo más: las confesiones, tal y como las tenemos, no son una obra de arte; los poemas, sí. Pero crear —no sólo contar experiencias personales— exige una capacidad de intuición para seleccionar los medios que van a utilizarse; la obra sólo alcanzará granazón —sólo será obra de arte— si se logra la armonía de la intuición y los medios que la expresen[91]. O con otras palabras: si el poeta tiene fe en sí mismo (certeza en lo que vislumbra) y fe en la palabra de que se vale[92]. La poesía se convierte en una nueva manera de la Fe, problema que en Unamuno había nacido como proyección de algo que ya no es ni literatura ni realidad, sino creencia[93]. De ahí que la obra toda de don Miguel se nos muestre como un es-

---

[89] Esta efusión la plantea Unamuno desde la propia intimidad de cada cual, vid. *Soledad* (1905), O.C., III, págs. 881-901.

[90] Cfr. Carlos París, *op. cit.*, pág. 162. Creo que conformes con mi explicación están las propias palabras de don Miguel: «Hago versos. Es casi lo único que hago desde dentro». Creo que a estas mismas conclusiones llega Milagro Laín, *La palabra en Unamuno*, Caracas, 1964, págs. 69-83.

[91] Su amigo Maragall escribía: «la palabra es poética cuando su ritmo corresponde al ritmo profundo de las cosas». Estas y otras ideas acercan, en un plano puramente teórico, a los dos grandes creadores; cfr. M. Manent, *Cómo nace el poema y otros ensayos y notas*, Madrid, 1962, págs. 20-21.

[92] Más o menos, a esta conclusión llega De Kock en su análisis —ya citado— del *Cancionero*, pág. 189.

[93] Véase el viejo planteamiento (1899) que se hace en *Nicodemo el fariseo* (O.C., III, págs. 121-153).

fuerzo gigantesco por fundir en un principio de unidad cada una de sus realizaciones como hombre y como escritor. Inserto todo en una agregación dominada por la fe[94]. Al contemplar —como venimos haciendo— las líneas testimoniales del *Diario* con las versiones rítmicas de *Poesías*, vemos que Unamuno en su creación lírica ha conseguido identificar religión, poesía y vida[95], lo que tal vez no hubiera logrado por otras veredas. Los versos le dan una personalidad mucho más independiente que la prosa: los elementos formales son esa máscara que lo aislan del presunto lector y, amparado por ella, puede comportarse con una libertad no condicionada[96]. Es decir, sobre la cuartilla en blanco, puede verterse más sinceramente con ropaje poético, pues sin él la identificación del hombre es mucho más fácil. Frente a *Poesías*, el temor del *Diario*:

> Se han percatado de mi cambio, hasta algunos periódicos han hablado de él. Y ¿no es ésta una nueva esclavitud? Si persisto y esto es de gracia divina y vuelvo a la fe de mi niñez, ¿no será algo ficticio? Si vuelvo a lo que he sido estos años y dejo pasar esto como nube de verano y pasajera perturbación, ni unos ni otros me recibirán como antes, para unos y otros seré un loco o un hipócrita. He mostrado a toda luz mis flaquezas, no he sabido ser cauto (pág. 273).

Esta fusión de religión, poesía y vida se repetirá mil veces en Unamuno y vendrá a ser como la cuenta que impide enmarañarse a la madeja. Sin querer, recuerdo otros versos de su amado Whitman. El poeta ha hablado y sus palabras —sí, también su conducta, hasta en el gesto cotidiano— nos legan un retrato para los cronistas

---

[94] Fe que en un momento es la virtud cristiana, pero que desacralizada quedará reducida a la confianza de lograr algo. En *¡Id con Dios!*, dirá Unamuno a sus versos

> Vosotros apuráis mis obras todas;
> sois mis actos de fe, mis valederos.

Sé bien la anchura del campo semántico de la palabra *fe*, pero acepto, por cuanto tiene de síntoma, el empleo de un significante único.

[95] Léase el trabajo de Eugenio de Bustos, *Miguel de Unamuno, «poeta de dentro a fuera» (CCMU*, XXIII [1973, págs. 71-137). También ahora ha sido Maragall quien ha calado más hondo al considerar a Unamuno como «un poeta... hacia adentro» *(EUM*, pág. 63) o «poeta de dentro a fuera» *(ibíd.*, pág. 64).

[96] En otro orden de cosas, José Luis Aranguren plantea problemas semejantes: «Personalidad y religiosidad en Unamuno» *(La Torre*, IX [1961], págs. 239-249).

futuros: siente orgullo, más que de sus cantos, del amor que en ellos se derrama hacia los otros cuando camina lentamente o piensa en ellos tendido, insomne, sobre el lecho. Mensaje de amor que en Unamuno va desde los poemas religiosos hasta el sentimiento del paisaje, que se sustenta en una poesía desnuda de retórica para que cada lector identifique en ella la emoción de quien sufre y no la artesanía de quien la labra:

> Who has not proud of his songs, but of the measureless
> ocean of love within him, and freely pour'd it
> forth,
> Who often walk'd lonesome walks thinking of his dear
> friends, his lovers,
> Who pensive away from one he lov'd often lay sleepless
> and disatisfied at night[97].

De muy otra manera —y sírvanos para acabar— podríamos entender el arte de Unamuno en estas sus *Poesías*, lo que las hace alcanzar las más altas cimas de su validez y de su transcendencia:

> No es posible comprender la tragedia del arte, la de la poesía, la del poeta del siglo xix y la de los tiempos actuales, si se la considera exclusivamente en el plano estético y social; sólo puede ser verdaderamente comprendida en el plano religioso. El análisis estético mostrará el resecamiento racional, la lenta desagregación del arte, y el análisis social, la soledad más grande del artista entre los hombres; pero sólo la interpretación religiosa permitirá remontarse hasta el manantial mismo de este abandono y de esta decadencia. Ser artista, hoy, es plantear una profesión de fe en un mundo incrédulo[98].

---

[97] *Recorders Age Hence*, apud *Complete Poetry*, edic. cit., pág. 90.
[98] W. Weidlé, *Ensayo sobre el destino actual de las letras*, pág. 120.

Acercamiento a las Poesías
de Antonio Machado

LA LUZ DE SUS PENSAMIENTOS

«Por mucho que un hombre valga, nunca tendrá valor más alto que el de ser hombre.» Así hablaba Juan de Mairena formulando en palabras lo que su creador Antonio Machado practicaba en el dulce y doloroso ejercicio de vivir. Pocas veces al tener un libro entre las manos se cumplirán mejor los deseos de Walt Whitman: en nuestros dedos no descansan unas hojas, sino que tiembla un hombre. Estos poemas a los que intento acercarme son los poemas de un hombre. Para serlo no necesitó gritos ni charangas, le bastó el caminar, como lo vio Rubén, en silencio y con la mirada profunda, convirtiendo en luz la propia bondad íntima. Y es que aquel hombre que caminaba en sueños, iba «siempre buscando a Dios entre la niebla». Un día, calle del Cisne abajo, en Madrid, se cruzó con él Rafael Alberti; lo encontró desasido, desnuda el alma, como una tristeza que caminara.

> (Tristeza de árbol alto y escueto, con voz de aire pasado por la sombra. Y con la naturalidad, con la llaneza propia de lo verdadero, de lo que no ha brotado en la tierra para el engaño, hizo sonar sus hojas melancólicas en sus poemas)[1].

Y este hombre pasó doloridamente por la vida dejándonos unas cuantas palabras verdaderas. Son sus versos, desasidos y desnudos, como una tristeza que caminara. Pero, también, nos dejó en ellos fe y esperanza. No serían sino palabras de un hombre bueno. Su retórica es muy pobre. Los recursos de que se vale, apenas si nos permiten un mínimo asidero. Y, sin embargo, rara vez en nuestra poesía se habrá encontrado un testimonio más sincero y auténtico. Porque rara vez las palabras han significado más direc-

---

[1] *Imagen primera de...* Buenos Aires, 1945, pág. 46.

tamente aquello que querían significar. Las palabras en carne viva, sin lienzos que la puedan ocultar.

> (Y no es verdad, dolor, yo te conozco,
> tú eres nostalgia de la vida buena
> y soledad de corazón sombrío,
> de barco sin naufragio y sin estrella)[2].

---

[2] Cfr. las siguientes obras de conjunto: S. Serrano Poncela, *Antonio Machado, su mundo y su obra*, Buenos Aires, 1954; Ramón de Zubiría, *La poesía de Antonio Machado*, Madrid, 1959; Alberto Gil Novales, *Antonio Machado*, Barcelona, 1966; Tuñón de Lara, *Antonio Machado, poeta del pueblo*. Barcelona, 1967; A. Sánchez Barbudo, *Los poemas de Antonio Machado. Los temas, el sentimiento y la expresión*, Barcelona, 1967. Añádase como imprescindible, Oreste Macrì, *Poesie di Antonio Machado*. Milán, 1969 (3.ª ed.).

Soledades. Galerías

La publicación de *Soledades* presenta un pequeño problema bibliográfico: salidas en 1902, llevan pie de imprenta de 1903. En 1904, se reimprimen, y en 1907 adquieren su forma plena: *Soledades, Galerías, Otros poemas,* título que se cambiará ligeramente en la edición de 1919: *Soledades, Galerías y Otros poemas.* Cierto que estas menudencias no tienen mayor valor y me refiero a ellas para conocer la trayectoria externa de la obra que inicia el quehacer de uno de nuestros más grandes poetas. Los sesenta primeros poemas constituyen el núcleo original; poesías escritas —casi todas— entre 1898 y 1900, que se ampliaron en la edición de 1907 con otros 31 textos que constituyen las *Galerías,* y aún quedan esos *Otros poemas* con los que se alcanza el número 96 de las *Obras Completas.* Pero todo no acaba aquí: hubo poemas que se olvidaron en estas primeras ediciones y otros no recogidos en libro, que han sido encontrados por Dámaso Alonso[1]. Es ésta una historia para que todo quede puntualmente en orden. El conjunto nos enfrenta con una sorprendente realidad.

Esa sorprendente realidad es el sentido que el libro tiene en el panorama poético en el que se incrusta. Rubén Darío había publicado *Azul...* en 1888 y 1890; las *Prosas profanas,* en 1896 y 1901; los *Cantos de vida y esperanza,* en 1905. Preludiándolo o a su zaga iban unos cuantos nombres españoles: Manuel Reina[2], Sal-

---

[1] *Poesías olvidadas de Antonio Machado,* apud *Poetas españoles contemporáneos,* Madrid, 1952, págs. 103-159. Véase, también, del mismo crítico, *Cuatro poetas españoles,* Madrid, 1962, págs. 139-143; Rafael Ferreres, *Prólogo* a su edición del libro. Madrid, 1967.

[2] *Andantes y alegros* (1877), *Cromos y acuarelas* (1878), *La canción de las estrellas* (1895), *Poemas paganos* (1896), *Rayo de sol* (1897), y, póstumos ya, los *Robles de la selva sagrada* (1906). Rubén, el Rubén juvenil (1884), había dedicado un amplio poema al escritor de Puente Genil.

vador Rueda[3], Villaespesa[4], Marquina[5]. Esta era la veta innovadora con la que Machado se encuentra. La otra, la que iba repitiendo mejor o peor las enseñanzas de Campoamor o Núñez de Arce, poco podía contar. Machado fue atraído por los halagos del modernismo[6], aunque pronto supo liberarse de tutelas. Ahí quedaba su hermano Manuel con libros capitales en el quehacer del modernismo español: *Alma* (1900), *Caprichos* (1905), *La fiesta nacional* (1906), *Alma, museo. Los cantares* (1907).

Decir que Antonio no es poeta modernista no es decir gran cosa, pues también podría defenderse lo contrario. A mi modo de ver, hay algo diferente de escribir poemas en un sentido u otro: es el talante de la inclinación, la voluntad de ser. Y Antonio Machado no quiso ser modernista por más que se puedan rastrear, y encontrar, influencias de la escuela. Seleccionó sus poemas y, en lo que acertamos a saber, eliminó los que denunciaban más claramente tal filiación: *Desde la boca de un dragón caía, Me dijo el agua clara, que reía, Caminé hacia la tarde de verano, Era una tarde de un jardín umbrío*, etc. Después, el repudio sería explícito:

> Adoro la hermosura, y en la moderna estética
> corté las viejas rosas del huerto de Ronsard;
> mas no amo los afeites de la actual cosmética,
> no soy un ave de esas del nuevo gay-trinar[7].

---

[3] *Noventa estrofas* (1883), *Poema nacional* (1885), *Sinfonía del año* (1888). *La corrida de toros* (1889), *Estrellas errantes* (1889), *Himno a la carne* (1890), *Aires españoles* (1890), *Cantos a la vendimia* (1891), *En tropel* (1892), *Fornos* (1896), *Camafeos* (1897), etc.

[4] *Intimidades* y *Flores de almendro* (1898), *Luchas y confidencias* (1899), *La copa del rey de Thule* (1900), *La musa enferma* (1901), *El alto de los bohemios* (1902), *Rapsodias* (1905).

[5] Sus *Odas* son de 1900, *Las vendimias* de 1901, *Églogas* de 1902, *Elegías* de 1905.

[6] Cfr. Hans Jeschke, *La generación de 98*. Madrid, 1954, págs. 106-137; Ricardo Gullón, *Simbolismo en la poesía de Antonio Machado* («Clavileño», núm. 22, 1953, páginas 44-50); Ramón de Zubiría, *La poesía de Antonio Machado*, Madrid, 1959, páginas 16-16.

[7] En el prólogo a *Soledades* (1917) dice:

> Por aquellos años [1899-1903], Rubén Darío combatido hasta el escarnio por la crítica al uso, era el ídolo de una selecta minoría. Yo también admiraba al autor de *Prosas Profanas*, el maestro incomparable de la forma y de la sensación, que más tarde nos reveló la hondura de su alma en *Cantos de vida y esperanza*. Pero yo pretendí [...] seguir camino bien distinto. Pensaba yo que el elemento poético no era la palabra por su valor fónico, ni el color, ni la línea, ni un complejo de sensaciones, sino una honda palpitación del espíritu; lo que pone el alma, si es que algo pone; o lo que dice, si es que

Las *Soledades*, ampliadas con las *Galerías*, eran unos poemas a contrapelo. Rompían con una tradición vieja, pero no se acompasaban con lo que la moderna poesía postulaba. Si acaso eran un salto atrás, la búsqueda, el descubrimiento de lo que Bécquer significaba. Tal vez haya que explicar esto fuera de lo que habitualmente solemos entender; al menos no quisiera ni simplificar, ni repetir. El libro de Machado es un libro teñido de melancolía, con ello estamos descubriendo esa veta de romanticismo que nunca habrá de abandonarle. No es necesario sacar a luz su biografía posterior.

Antes de la muerte de Leonor, sus versos manaban transidos de tristeza y melancolía. Muerta la esposa, un velo sutil cubre la circunstancia personal para dejar traslucir —tan sólo— ese talante de su espíritu. Las palabras siempre empañan una voz que se manifiesta ensordinada, y el episodio humano, por desgarrador que en sí sea, no rebasa la vibración del susurro o del rezo musitado. En los apuntes de *Los Complementarios* dejó unas notas que bien valen en este momento:

> Lo anecdótico, lo documental humano, no es poético por sí mismo. Tal era exactamente mi parecer de hace veinte años[8]. En mi composición *Los cantos de los niños*, escrita el año 98 (publicada en 1909 = *Soledades*), se proclama el derecho de la lírica a *contar* la pura emoción, borrando la totalidad de la historia humana. El libro *Soledades* fue el primer libro español del cual estaba íntegramente proscrito lo anecdótico[9].

Esta voz ensordinada afecta a los sentimientos y a la expresión. Es una continuidad de aquel desgarro sin estridencias al que llamamos Bécquer, que tanto había de condicionar el quehacer, y la visión, de Antonio Machado[10]. Es, sí, un «arrastre romántico»

---

algo dice, con voz propia, al contacto del mundo. Y aun pensaba que el hombre puede sorprender algunas palabras de un íntimo monólogo, distinguiendo la voz viva de los ecos inertes; que puede también, mirando hacia dentro, vislumbrar las ideas cordiales, los universales del sentimiento.

[8] Por la cronología de otras notas fechadas, ésta debe ser de 1920. Hace, pues, referencia a los comienzos del siglo xx.

[9] *Los Complementarios*, edic. Domingo Ynduráin, Madrid, 1971, pág. 69. Cfr. Ricardo Gullón, *Las galerías secretas de Antonio Machado*, Madrid, 1958.

[10] Vid., por ejemplo, Rafael Lapesa, *Bécquer, Rosalía y Machado* («Ínsula», 100-101, 1954); Carlos Bousoño, *Teoría de la expresión poética*, Madrid, 1956, páginas 146-148); Marta Rodríguez, *El intimismo en Antonio Machado*, Madrid, 1971, páginas 47-57; y mi trabajo inédito *La teoría poética de «Los Complementarios»*.

que purificado de anécdotas llega a nuestro poeta, como otros arrastres románticos llegaron a los modernistas[11], o recalaron en Verlaine[12]. Y he aquí que el rastreo ha venido a mostrar la convergencia de varios de esos caminos, pero Machado no quiso ser confundido —lo hemos visto— con los corifeos de Rubén, no quiso que lo contaran verleniano (si es que para él no eran dos cosas bastante parecidas) y, por el contrario, Bécquer estaba vivo en las glosas de Juan de Mairena, como vivo seguía en la creación de don Antonio:

> La poesía de Bécquer [...], tan clara y transparente, donde todo parece escrito para ser entendido, tiene su encanto, sin embargo, al margen de la lógica. Es palabra en el tiempo, el tiempo psíquico irreversible, en el cual nada se infiere ni se deduce [...]. Recordemos hoy a Gustavo Adolfo, el de las rimas pobres, la asonancia indefinida y los cuatro verbos por cada adjetivo definidor. Alguien ha dicho, con indudable acierto: «Bécquer, un acordeón tocado por un ángel.» Conforme: el ángel de la verdadera poesía[13].

Estos presupuestos: claridad pero no sencillez, poesía en un tiempo irreversible, pobreza retórica, sí, y, añadimos, intimismo más allá de las anécdotas, es lo que Antonio Machado nos entrega en su primer libro, lo que seguía vivo cuando se desdobla en otros poetas y en sofistas retóricos. Es el nacimiento de su poesía de siempre[14] con unción becqueriana, en el espíritu y en la forma.

---

[11] Pedro Salinas, *El problema del modernismo en España o un conflicto entre dos espíritus*, «Homenaje a Martinenche». París, 1940, pág. 273.

[12] Geoffrey Ribbans, *La poesía de Antonio Machado antes de llegar a Soria*, Soria, 1962, págs. 13-14.

[13] *Juan de Mairena*, II, Buenos Aires, 1943, págs.25-26. He aquí un bello testimonio de devoción:

> Conocí en Soria (1908) a un señor Noya, que fue el segundo marido de la madre de la mujer de Bécquer. Este señor Noya me regaló, como presente de bodas, dos autógrafos de Bécquer, dos composiciones inéditas que seguramente Bécquer no hubiera publicado. Yo las quemé en memoria y en honor del divino Gustavo Adolfo *(Los Complementarios*, pág. 123).

[14] Juan de Mairena reproduce palabras de Abel Martín:

> El alma de cada hombre [...] pudiera ser una pura intimidad, una nonada sin puertas ni ventanas, dicho líricamente: una melodía que se canta y escucha a sí misma, sorda e indiferente a otras posibles melodías — ¿iguales? ¿distintas?— que produzcan las otras almas *(Juan de Mairena*, 1, Buenos Aires, 1943, pág. 11).

Esa pura intimidad, en acuerdo consigo misma y no con las demás, acerca en el plano de la realidad poética al quehacer creador de los dos líricos.

De momento pensemos en aquél. Va resultando trivial hablar del romanticismo del poeta; no reincidamos. Quiero, sin embargo, encontrar una palabra-clave para entender de una vez lo que de otro modo nos llevaría demasiados comentarios. Esa palabra sobre la que gira el mundo lírico del primer Machado es *tarde*. Alguna vez se había entrevisto cuánto puede significar[15], pero no lo que significa. De los 96 poemas de que consta el libro, 36 de ellos[16] hacen referencia a *tarde* y a sus sinónimos —totales o parciales— *ocaso*[17], *sol que muere*[18], *crepúsculo*[19], *muere el día*[20]. Ahora bien, *tarde* puede ser un simple enunciado cronológico («tiempo que hay desde mediodía hasta anochecer», «últimas horas del día») o cargarse de una serie de contenidos que modifican su valor neutro. Si a ese valor neutro lo llamamos denotativo, denotaciones hay en versos como

Deshójanse las copas otoñales
del parque mustio y viejo.
La *tarde*, tras los húmedos cristales
se pinta...[21].

Yo voy soñando caminos
de la *tarde*... (XI).

La *tarde* se ha dormido
y las campanas sueñan (XXV).

---

[15] Dámaso Alonso había aludido a ello muy de pasada *(op. cit.*, pág. 149) y más explícitamente Marta Rodríguez, *op. cit.*, págs. 43-46, aunque el análisis más demorado lo debemos a Giovanni Caravaggi, *I paesaggi emotivi di Antonio Machado*, Bolonia, 1969, págs. 52-75. Redactadas estas páginas me llega *La experiencia del tiempo en la poesía de Antonio Machado* (Sevilla, 1975), donde se incluye el trabajo de A. Aranda, *La tarde de las Soledades;* creo que en poco coincidimos.

[16] Son los que llevan los números I, IV, V, VI, VII, XI, XIII, XV (vid. las dos notas siguientes), XVII, XIX, XXIV, XXV, XXVII, XXX, XXXII (vid. nota 6), XXXVIII, XLI, XLV, XLVI, XLVIII, XLIX, LI, LIV, LV, LXVI, LXX, LXXIII, LXXIV, LXXVI, LXXVII, LXXIX (vid. nota 4), LXXX, LXXXI, XC, XCI, XCIV. Por otro camino, y con otro ejemplo, Alessandro Finzi había buscado acercamientos semejantes a los que ahora intento («El análisis numérico como instrumento crítico en el estudio de la poesía de Antonio Machado», *Prohemio*, I, 1970, págs. 203-224).

[17] «Se extinguen lentamente los ecos del *ocaso*» (XV), «¿Qué buscas, / poeta, en el *ocaso*?» (LXXIX), «el sol en el *ocaso* esplende» (XCI).

[18] «Ocultan los altos caserones / el *sol que muere*» (XV).

[19] «Las ascuas de un *crepúsculo* morado» (XXXII).

[20] «Está la plaza sombría; / muere el día» (LIV).

[21] *Soledades*, I. De ahora en adelante, un número romano indicará el número del poema en las *Poesías Completas*. En todo este apartado sólo aduciré textos de *Soledades, Galerías y Otros poemas*.

Pero no es esto lo que interesa señalar[22], sino, justamente, todos aquellos casos en que la palabra está dotada de una serie de cargas afectivas motivadas por unos modificantes. Sólo así podremos comprender una poesía, sencilla en su apariencia, pero cuyo significado está más allá de una lengua trivializada. En definitiva, entender el texto o, si se prefiere, pasar a un lenguaje neutro todo aquello que el poeta nos da cargado de afectividad. Claro que esto nos plantea el delicado problema de qué es el lenguaje poético o cómo se expresa, pero frente a los versos de Machado —o a los de cualquier poeta— nuestra postura no puede ser la de la máquina de traducir, pues el signo poético transciende la simple soldadura de significante y significado y está enriquecido con una carga de valores emocionales. La expresión seleccionada por Antonio Machado no es ajena a aquello que quiere comunicarnos; por eso no se muestra ajena al contenido, sino que está fundida con él. La *tarde* es sí 'la tarde' en unos cuantos testimonios —los menos—, pero es muchas otras cosas en los numerosos textos en que aparece. Sólo habremos comprendido el poema si somos capaces de entender correctamente aquello que el poeta nos quiere transmitir, pero la descodificación en la poesía lírica no se reduce a dar una serie de equivalencias funcionales, sino —además— a encontrar el sentido que hay bajo ellas: el poeta quiere ser entendido de algún modo que no es precisamente el funcional, pues para ello emplea la lengua de una determinada manera que no es la del coloquio o la del consumo, y ese modo de comprensión hemos de buscarlo más allá de los enunciados triviales, en un metalenguaje del que —también— tenemos unos indicios para su comprensión.

Machado no emplea la palabra *tarde* como un determinado período de tiempo, sino que la carga de nuevos contenidos: es *horrible* (IV), *clara, triste y soñolienta* (VI), *lenta* (VI), *clara* (XVII, XLVIII), *roja* (XLV), si se trata de las tardes estivales. Pero cada una de esas posibles adjetivaciones modifican el talante de la palabra. Cierto que alguno de estos valores está implícito en la circunstancia: *clara, soñolienta* y aun *roja* son adjetivos consabidos en las tardes de verano. Su valor apenas si modifica el sen-

---

[22] Simples denotaciones hay en XXVII, LV, LXVI, XC y XCIV. Y aun en no pocos de ellos el contexto hace que la *tarde* quede envuelta en una denotación que afecta a todo el verso o a la frase en que está inserta la palabra: «Brilla la tarde en el resol bermejo» (XXX), «Me dijo una tarde / de la primavera» (XLI), «Pregunté a la tarde de abril que moría» (XLIII), «La tarde es polvo y sol» (XLV), y así en LI, LIV, LV, XC.

tido de la denotación porque es inherente a la propia condición de las tardes veraniegas, su claridad, su duración, el fuego de sus soles, la somnolencia que producen[23]. En algún caso, Antonio Machado había escrito: «No pretendemos ser más originales de lo que somos»[24]. Y no cabe originalidad en el uso de algo que es trivial, pero, entonces, sobre el adjetivo. Sí y no. Pues el adjetivo sirve en estos casos como delimitador entre una serie de posibilidades de definición: la tarde veraniega podría no ser *clara*, o la claridad es lo que de ella nos interesa, o la lentitud con que camina hacia la sombra o el brillo refulgente del sol. En la denotación pudieran sobrar los adjetivos; en la connotación, no. En las anotaciones que aparecen en *Los Complementarios* hay una que nos interesa en este momento:

> Cuando Homero dice la *nave hueca*, no describe nave alguna, sino que, sencillamente, nos da una definición de la nave, una idea de la nave, que es una visión de la nave y un punto de vista al par, para ver naves, ya se muevan éstas por remo, por vapor o rayos ultravioletas. ¿Está la nave homérica fuera del tiempo y del espacio? Como queráis. Sólo importa a mi propósito hacer constar que todo navegante la reconocerá por suya. Fenicios, griegos, normandos, venecianos, portugueses o españoles han navegado en esa nave hueca a que alude Homero, y en ella seguirán navegando todos los pueblos del planeta (pág. 141).

Pero ¿por qué *horrible* una tarde veraniega? ¿O *triste?* Aquí los problemas son de índole distinta: sobre el mundo circundante, el poeta proyecta su propio estado anímico —la muerte de un amigo, la pena renovada—, y no lo desdeñemos, Machado cuando no define busca unas connotaciones de carácter negativo, las mismas que entran en valoraciones del tipo *amplia como el hastío* (XVII) o *triste y polvorienta* (XLVI)[25]. Sin embargo, lo que me interesa señalar es la transposición del mundo espiritual del poeta a una determinada formulación lingüística, sólo así la connotación adquiere su propio valor. En cualquiera de los casos anteriores —definición, motivación externa—, difícilmente podríamos hablar

---

[23] Lógicamente, en el mismo plano habrá que situar *la tarde parda y fría / de invierno* (V), o las *clara* (VII, XXXVIII), *tibia* (VII), *plácida* (XXXVIII), *luminosa* (LXXVI), *risueña* (LXXVI) de la primavera, o las *luminosa* y *polvorienta* (XIII) del verano.

[24] *Los Complementarios*, pág. 141.

[25] Habla de una noria: naturalmente, camina en la sequedad del estío.

de connotación pura; sí cuando nos enfrentemos con un tipo de expresión lírica en que no quepan identificaciones ni metáforas. Cuando Machado habla de *una clara tarde de melancolía* (XLIII), *una tarde de soledad y hastío, | ¡oh tarde como tantas!, el alma mía era!* (XLIX), *tarde tranquila, casi | con placidez de alma* (LXXIV), *Es una tarde cenicienta y mustia, | destartalada, como el alma mía* (LXXVII) nos ha llevado a un plano totalmente distinto: la connotación ha modificado por completo la semántica de esos textos. Un contenido neutro se ha transformado: *tarde* ya no es la referencia cronológica que definen los diccionarios, sino esa especial dependencia que se establece entre el hombre y el cosmos, el misterio que está más allá del mundo sensible y que, sin embargo, nos atrae y nos condiciona. Estamos acercándonos a la esencia de los mitos: de una parte, la explicación en la naturaleza de nuestro propio destino; de otra, la expresión del misterio por un lenguaje simbólico, cuando nos resulta insuficiente el lenguaje de la lógica. Si el mito, se ha dicho, nos explica el significado de la vida, la poesía se convierte en mito tan pronto como nos ayude a entender la metahistoria de nuestra propia existencia. Estos poemas de Antonio Machado intentan bucear en el misterio del hombre; lingüísticamente no pueden alcanzar sino lo que la lengua permite descubrir, esa parcela comunicable con unas pocas palabras sencillas; más allá, hay que recurrir a las acepciones simbólicas, y esto es lo que ha hecho el poeta: dotar a las palabras de unos valores que las enriquecen y las limitan, buscar tras ellos el sentido de la propia vida y transmitirnos el mensaje. Entonces, todos estos signos, al tener una determinada intencionalidad poética, se convierten en señales estéticas. Pero el último significado del misterio siempre queda inasequible; poseemos atisbos, intuiciones, adivinaciones, pero nada más. Los místicos llegarían a escuchar la soledad sonora o el no sé qué que queda balbuciendo; quien no está ungido, revira hacia su interior y escucha su propia voz en la soledad. Machado lo cuenta con un nervioso temblor, camino de su nueva metamorfosis:

> Me dijo *una tarde*
> de la primavera:
> Si buscas caminos
> en flor en la tierra,
> mata tus palabras
> y oye tu alma vieja.
> [...]

Ama tu alegría
y ama tu tristeza,
si buscas caminos
en flor en la tierra.
Respondí a *la tarde*
de la primavera:
Tú has dicho el secreto
que en mi alma reza:
[...]
Mas antes que pise
tu florida senda,
quisiera traerte
muerta mi alma vieja.

(XLI)

En función de símbolos y mitos, Machado va disponiendo de
un léxico que incide sobre el sentido que en él tiene la palabra-
clave: el tañido de las campanas (XXXVIII, LIV) y el valor de
las lágrimas (XXXVIII), las secretas galerías que llevan hacia la
muerte (LXX), las hojas mustias arrancadas por el viento (I,
LXXXI), los cipreses negros (XXXII), la iglesia sombría
(LXXIII), la alegría que no vuelve (XLIII)... La *tarde* cobra
en todos estos casos el sentido de tristeza, pena, despedida, soledad.
La tarde y el alma del poeta, en unos versos de emocionada identificación:

La tarde está muriendo
como un hogar humilde que se apaga
[...]
¿Lloras?... Entre los álamos de oro,
lejos, la sombra del amor te aguarda.

(LXXX)

Identificada el alma con los significados simbólicos que puede
tener la palabra *tarde* y con todas las cargas que sobre ella proyectan mil connotaciones de tipo emotivo, ya no extraña que otras
palabras completen un cuadro de intimismo romántico. Viene a
crearse así una semántica del texto en la que un léxico heterogéneo, en su hondura significativa, está condicionado por una
clara intencionalidad unificadora. Se ha hablado de *fuentes* y *jar-
dines*[26] en esta primera poesía de Machado, pero quisiera ver cómo

---

[26] Dámaso Alonso, art. cit., págs. 146-155; Marta Rodríguez, *op. cit.*, pág. 36;
Giovanni Caravaggi, *op. cit.*, pág. 43. Véanse, también, Bartolomé Mostaza,

constituyen un sistema significativo con los valores que acabo de descubrir en la palabra *tarde*.

Rara vez el *agua* y la *fuente* son elementos decorativos. Más allá de la escenografía, transcienden un mundo cargado de significaciones. Machado podrá tomar la nota impresionista y dejarla sin mayor alcance:

> sobre la fuente, negro abejorro
> pasa volando, zumba al volar.
>
> (LXVI)
>
> El agua de la fuente,
> sobre la piedra tosca
> y de jardín cubierta,
> resbala silenciosa.
>
> (XC)

Pero esto apenas si ocurre. Fuente y agua son elementos de una realidad en la que están incrustados. Por eso no pueden retirarse de un mundo al que pertenecen inesquivablemente y al que conforman con sola su presencia. El agua o la fuente rara vez son agua y fuente: hacen tener sentido a las palabras con las que aparecen en el texto[27], se identifican con el mundo que el poeta canta (si bello, intensificador de belleza; si hostil, motivo de pena)[28], o son en sí mismos elementos de vida o muerte en la naturaleza

---

«El paisaje en la poesía de Antonio Machado» *(Cuadernos Hispanoamericanos,* 11-12 [1949], pág. 626), y Cesare Segre, *Sistema y estructuras en las «Soledades» de Antonio Machado,* apud *Crítica bajo control,* Barcelona, 1970, págs. 111-112.

[27] *Agua rizada* bajo el puente, *agua* que corre para que los arcos de piedra cobren cabal sentido (XIII).

[28] Véanse unos poquísimos testimonios seleccionados entre otros muchos:

> Tú miras al aire
> de la tarde bella,
> mientras de agua clara
> el cántaro llenas.
>
> (XIX)
>
> ¡El jardín y la tarde tranquila!...
> suena el agua en la fuente de mármol.
>
> (XXIV)
>
> Sonaban los cangilones de la noria soñolienta.
> Bajo las ramas oscuras caer el agua se oía.
>
> (XIII)

que las cerca[29]. Ya no es difícil entender por qué el poeta, un paso adelante, los convierte en elementos con vida propia, autónoma en su realidad material[30]. Pero todo esto quedaría ajeno al poeta. Machado se ha identificado con las connotaciones que dio a la palabra *tarde;* ahora se identifica con esta teoría vital, que viene a coincidir con los contenidos íntimos con que la tarde quedó dotada. El borbotar monótono[31] se hace melancolía («el agua en sombra pasaba tan melancólicamente», XIII) o es trasunto de intimidades:

> Adiós para siempre; tu monotonía,
> fuente, es más amarga que la pena mía.
> (VI)

No insisto con más testimonios: queden ahí las plazuelas y las campanas viejas, los paredones sombríos y las iglesias arruinadas, los patios con cipreses y el jardín encantado, el rechinar de la llave y el plañido de la copla, los pasos que se extinguen y las ciudades viejas...[32]. Una palabra-clave ha servido para plantear una teoría del comportamiento psíquico del poeta, como otras se disponen en su sistema completándolo y moviéndose según unos principios de coherencia. Machado ha dispuesto un mundo al que vemos con un pleno sentido. Detrás de esos símbolos estaba su alma

---

[29] Cfr.: «En todo el aire en sombra no más que el agua suena» (XCIV), o el sol «yerto y humilde» que «tiembla roto / sobre una fuente helada» (XXXIII).

[30] Así por ejemplo, el agua que sueña en la fuente verdinosa (XIX), el agua muerta en la taza de mármol (XXXI), el agua de la fuente que sueña lamiendo la piedra con lama (XCVI).

[31] La idea se repite «[...] La fuente vertía / sobre el blanco mármol su monotonía», «[...] vertía / como hoy sobre el mármol su nonotonía» (VI).

[32] Cfr. Bousoño, *op. cit.*, págs. 142-146. Aducir textos sería interminable: me conformo con dar uno, que no deja de ser buen espécimen:

> A la desierta plaza
> conduce un laberinto de callejas.
> A un lado, el viejo paredón sombrío
> de una ruinosa iglesia;
> a otro lado, la tapia blanquecina
> de un huerto de cipreses y palmeras,
> y, frente a mí, la casa,
> y en la casa la reja
> ante el cristal que levemente empaña
> su figurilla plácida y risueña.
> (X)

caminando por las sendas que se describen en la psicología india: la conciencia vigilante *(jagrata)* le hace descubrir un mundo; el subconsciente *(svapna)* actúa en estado de ensueño creando símbolos y mitos; la conciencia de sueño sin ensueño *(suschupti)* conduce al arrobo y al misticismo. Descendamos a nuestras posibilidades: Machado parte de un mundo significativo, lo transforma y se identifica con él. Es el caminar de tantos y tantos espíritus por unas sendas a las que suele llamarse misticismo, pero no induzcamos a error y apartemos cualquier idea religiosa. Bástenos lo que la lengua denuncia: triple ambular de la denotación a la connotación, de la connotación a la identificación ontológica de realidad y palabra y, luego, de vida con poesía. Esta es la lección. Más allá estaría la interpretación esotérica, agua y fuente como símbolos en los que se descubren el origen de la vida y la regeneración corporal y espiritual. Merece la pena recordarlo: entre las leyendas árabes sobre Alejandro hay una que cuenta su peregrinación hacia la Fuente de la Vida. Cuando llegó a ella, su cocinero lavó un pescado en salazón, que, en contacto con el agua, aleteó: esta fuente está en el País de las Tinieblas, que los mitólogos actuales sitúan como símbolo del inconsciente. Y aquí volvemos a las voces de los poetas: Novalis[33] dirá que el agua es «el elemento del amor y de la unión [...]. El propio sueño no es otra cosa que el flujo de este invisible mar universal, y el ensueño, el comienzo de su reflujo». El agua se convierte en fuente fecundadora del alma, curso de la existencia y espejo de deseos y sentimientos. En una tablilla de oro del Museo Británico hay consignada esta tradición órfica[34]:

> Cuando desciendas a la morada de Hades, verás a la izquierda de la puerta, cerca de un ciprés blanco, una fuente. Es la fuente del olvido. No bebas su agua. Ve más lejos. Entonces encontrarás un agua clara y fresca que mana del lago de la memoria; aproxímate a los guardianes del atrio y díles: «Soy hijo de la tierra y del cielo, pero mi raza es del cielo.» Entonces te darán a beber de esa agua y tú vivirás eternamente entre los héroes.

---

[33] *Die Lehrlinge zu Sais*, apud *Schriften*, edit. Paul Kluckhohn, t. I, Leipzig [s. a., ¿1928?]:

> Das Wasser [...] kann seinen wollüftigem Ursprung nicht verleugnen und zeigt sich als Element der Liebe und der Mischung mit himmlischer Allgewalt auf Erden. Nicht unwahr haben alte Weisen im Wasser den Ursprung der Dinere gesucht, [...] Selbst der Schlaf ist nichts als vie Flut jenes unsichtbaren Weltmeers, und das Erwachen das Eintreten der Ebbe (pág. 36).

[34] Cito por Marcel Brion, *Un enfant de la terre et du ciel*. París, 1943, págs. 130-131.

Machado también llegó a esos umbrales donde el agua confiere inmortalidad. La logró con sus poemas, por más que él no encontrara sino a los niños que, en la primera fuente, estaban cantando voces de olvido:

> y vierten en coro
> sus almas que sueñan,
> cual vierten sus aguas
> las fuentes de piedra.
> [...]
> Cantaban los niños
> canciones ingenuas,
> de un algo que pasa
> y que nunca llega:
> la historia confusa
> y clara la pena.
>   Seguía su cuento
> la fuente serena;
> borrada la historia,
> con toda la pena.
>
>   (VIII)[35]

---

[35] Un análisis distinto del mío en el libro de Segre, ya citado, págs. 127-128. En cuanto a los problemas de modernismo y noventayochismo, vid. el imprescindible trabajo de Rafael Ferreres, *Los límites del modernismo*, Madrid, 1964.

CAMPOS DE CASTILLA

La conversión de Machado al noventayochismo tiene lugar cuando las convulsiones de la catástrofe se apagan. Díaz-Plaja ha señalado el año 1907 como inicio de una reacción antimodernista: se busca la «sencillez lírica» y el aflorar de cierto tipo de patriotismo[1]. Machado se incorpora tarde a eso que venimos llamando 98: cuando publica, en 1912, sus *Campos de Castilla* y los amplía en 1917[2], pero su visión figurará siempre entre las más caracterizadoras y más hondas de la generación. Ahora bien, ¿qué caminos le han llevado? Apenas si podemos conocer los pasos; no el fervor que los movió.

Ideológicamente, no fue ajena a todo ello la Institución Libre de Enseñanza. La familia Machado había estado en relación con Federico de Castro[3], introductor del krausismo en Sevilla: un abuelo del poeta —don Antonio Machado Núñez— fue colaborador suyo, y al trasladarse a Madrid como catedrático, arrastró a la familia. En la capital, *Demófilo*, padre del escritor, estuvo en íntimo contacto con la Institución (que le ofreció una cátedra de folklore) a través de Giner y de Salmerón[4], y en la Institución estudiaron Manuel y Antonio[5]. El marco encuadra toda una postura espi-

---

[1] *Modernismo frente a noventa y ocho. Una introducción a la literatura española del siglo XX*, Madrid, 1941, págs. 124-126.

[2] Cfr. Macrì, *op. cit.*, págs. 74-79. Vid. Rafael Ferreres, *Prólogo* a su edición del libro (Madrid, 1970).

[3] (1834-1903) fue catedrático de Metafísica en la Universidad de Sevilla y se mantuvo fiedelísimo a las doctrinas de Krause, cuando el positivismo ganó a muchos de sus antiguos compañeros. Es muy escasa la bibliografía sobre este autor, pero puede consultarse una buena exposición: Antonio del Toro, «La concepción de la filosofía española en Federico de Castro» (*Archivo Hispalense*, LVI, 1973, págs. 445-464). En cuanto a datos biobibliográficos, vid. Guillermo Fraile, *Historia de la Filosofía española*, Madrid, 1976, págs. 142-143.

[4] Vid. María Dolores Gómez Molleda, *Los reformadores de la España contemporánea*, Madrid, 1966, pág. 290.

[5] Cfr. Joaquín Casalduero, «Machado, poeta institucionista y masón», en el *Homenaje a A. M.* de la revista *La Torre*, XII (1964), 99-110.

ritual. Así se ha visto una y mil veces y otras tantas se ha repetido. Pero yo quisiera añadir algo: el descubrimiento del paisaje, que tanto debe a los institucionistas, contó entre ellos con teóricos que bien pueden y deben aducirse al hablar de Machado. Giner de los Ríos escribió unas *Consideraciones sobre el desarrollo de la literatura moderna* (1892) a las que pertenecen estas líneas:

> Doble, por consiguiente, ha de ser el objeto de la creación artística que aspire a vivir eternamente en la memoria de los pueblos; debe por un lado referirse a las leyes necesarias de lo bello; por otro, al carácter de la civilización en que nace: lo inmutable y lo temporal, lo accidental y lo absoluto han de tener en ella representación. Allí donde el espíritu encuentra fundidos ambos términos se une con la obra contemplada y siente el puro goce de lo bello; allí donde uno de ellos falta, el arte no puede pretender más que una existencia efímera que se borrará con los últimos vestigios de las tendencias que ha halagado[6].

Como si la presencia viva de estas palabras le hubiera conmovido, Machado cambia su orientación: la «independencia personal» propia de la lírica es abandonada como *leit-motiv* y deja paso a algo que sería la interpretación de un paisaje real, muy concreto y nada literario; el intento de convertirse en colectividad y no encerrarse en la torre de marfil individual; en huir de lo que, directa o indirectamente, pudiera significar Francia. Entonces su poesía cobra un sesgo épico, se hace portavoz de la sociedad a la que pertenece e intenta convertirse en memoria colectiva[7]. (Esto, todo esto es evidente, por más que la muerte de Leonor haga temblar la intimidad más recoleta de Machado.) Estamos ante un nuevo texto de Giner y ante unas palabras harto significativas:

---

[6] Reproducido por Juan López Morillas en *Krausismo: estética y literatura*, Barcelona, 1973, pág. 159.

[7] Muchos años después, guerra civil declarada, aún pudo escribir:

> Existe un hombre del pueblo, que es, en España al menos, el hombre elemental y fundamental, y el que está más cerca del hombre universal y eterno. El hombre masa no existe; las masas humanas son una invención de la burguesía, una degradación de las muchedumbres de hombres basada en una descalificación del hombre que pretende dejarle reducido a aquello que el hombre tiene de común con los objetos del mundo físico: la propiedad de poder ser medido con relación a unidad volumen *(Abel Martín. Cancionero de Juan de Mairena. Prosas Varias*, Buenos Aires, 1943, pág. 114).

El sentimentalismo, el realismo y el individualismo han sido, pues, los tres principales extravíos de la literatura moderna; mas si estas malhadadas adulteraciones de los principios románticos han manchado en los últimos tiempos la historia literaria de casi todos los pueblos europeos, el país donde han predominado, donde han alcanzado más popularidad y brillante aceptación, y donde se han propagado funestamente, ha sido Francia (Giner, *op. cit.*, pág. 140).

Limitemos los textos a su valor y no caigamos en anacronismos. Pero, evidentemente, el primer Machado no era institucionista. Sí, el de *Campos de Castilla*. Y sobre su concepción, como sobre la de todos los hombres del 98, pesó, y no poco, lo que habían soñado, y querido hacer, aquellos españoles que se agruparon en torno a Giner de los Ríos[8]. El 21 de febrero de 1915, Machado signa en Baeza su poema CXXXIX, Giner había muerto tres días antes; el 23 de febrero publica en *Idea nueva* un comentario necrológico en el que hay muchos elementos del poema[9]. El texto poético bien vale como teoría ética:

> [...] Hacedme
> un duelo de labores y esperanzas.
> Sed buenos y no más, sed lo que he sido
> entre vosotros: alma.
> Vivid, la vida sigue,
> los muertos mueren y las sombras pasan;
> lleva quien deja y vive el que ha vivido.
> ¡Yunques, sonad; enmudeced, campanas!

Y el texto vale también como teoría estética. En él, bellísimos versos para interpretar nuestro paisaje y, algo más profundo, un palpitar de honda esperanza (¿hasta cuándo soñará el hombre español con la esperanza?):

---

[8] Sobre esta cuestión, Alfredo Carballo ha recogido unos textos muy importantes de Manuel Machado *(Alma. Apolo*, Madrid, 1967, págs. 14-15). Bien explícito es el trabajo de Jorge Campos, «Antonio Machado y Giner de los Ríos» *(Homenaje a A. M.* en *La Torre*, XII [1964], 59-64.) Véase, también, el artículo de G. Marañón, *Dos poetas de la España liberal*, prólogo a la biografía de los Machado escrita por Pérez Ferrero (apud *Ensayos liberales*, Colección Austral, núm. 600, págs. 143-152).

[9] El documento puede leerse en las *Poesie* de Macrì, págs. 1206-1207. Cfr.: Fernando González Ollé, «Antonio Machado: versión en prosa de la elegía a Giner» *(Nuestro Tiempo*, núm. 102, 1962, págs. 696-714).

...Oh, sí, llevad, amigos,
su cuerpo a la montaña,
a los azules montes
del ancho Guadarrama.
Allí hay barrancos hondos
de pinos verdes donde el viento canta.
Su corazón repose
bajo una encina casta,
en tierras de tomillos, donde juegan
mariposas doradas...
Allí el maestro un día
soñaba un nuevo florecer de España.

Antonio Machado había aprendido la lección y la puso en práctica. ¿No valdrían esos versos como elegía de sí mismo? Ahí estaba la herencia que él recibía de la Institución, lo que ésta había aprendido del krausismo: un «estilo de vida» en el que metafísica y ética transcendieron[10] y pudieron elaborar, también, una estética. Machado fue «en el buen sentido de la palabra, bueno», y su obra, como criatura artística, está aquí, en nuestras manos[11] con un valor perdurable porque ha sabido fundir «lo inmutable y lo temporal, lo accidental y lo absoluto». Pero de esto tendremos que hablar más.

Si en la Institución aprendió el estar en contacto con la naturaleza[12], la sacudida emocional que produjo una visión distinta de las cosas fue su descubrimiento de Castilla. En 1907 ha obtenido la cátedra de francés en el instituto de Soria, ha tomado posesión en mayo y el paisaje ante el que sus ojos se prenden lo ha deslumbrado. De esta primera visita[13] procede un poema definitivo:

[10] Cfr. las conclusiones del libro de López Morillas, *El krausismo español*. Méjico-Buenos Aires, 1956.

[11] «A la ética por la estética, decía Juan de Mairena, adelantándose a un ilustre paisano suyo» *(Juan de Mairena*, I, pág. 35), Cfr. José Luis L. Aranguren, «Esperanza y desesperanza de Dios en la experiencia de la vida de Antonio Machado» *(Cuadernos Hispanoamericanos*, 11-12 [1949], pág. 385). El paisano ilustre es Juan Ramón Jiménez (Macrì, *op. cit.*, pág. 1267).

[12] Y bastaría recordar un texto que vale por muchos ejemplos:
No necesitamos, ciertamente, recordar entonces los servicios que la Naturaleza presta a nuestro cuerpo, como tampoco los que ofrece al espíritu, que halla en su comercio paz y consuelo a la opresión del ánimo (F. Giner de los Ríos, *El arte y las artes*, apud *Krausismo: estética y literatura*, de J. López Morillas, págs. 102-103).

[13] Así sostiene Macrì, *Poesie*, pág. 1139, y confirma Pilar Palomo con buenas razones en su excelente *Prólogo* a la *Poesía* de A. Machado (Madrid, 1971, pag. 22, nota 33).

Orillas del Duero. La llegada a las tierras altas fue una violenta sacudida; si el hombre no sabía aún del sesgo de su vida, el poeta bien pronto se sintió zarandeado por unas nuevas e inéditas sensaciones. En mayo escribe el poema[14] y a finales de 1907 ya estaba incluido en *Soledades*. Es en este momento cuando vira en redondo: todos los cambios que descubríamos en sus versos se iniciaron —y arraigaron para siempre— en una fecha definitiva: 1.º de mayo de 1907. A la poesía española le nacían nuevos temas y nuevos modos. Sin pensar, el recuerdo vuela hacia un día de 1525, cuando por el Generalife granadino paseaban Boscán y Navagero. También entonces se mudó el destino de nuestra poesía.

Este primer poema noventayochista[15] es un añadido —¿hace falta decir que bellísimo?— en un libro romántico. Cierto que otros arrastres románticos aparecerán, ten con ten, en un libro de pasión española. Sin salir de algo analizado, pienso en la *tarde* con su declinar sobre los alcores (XCIX) o la huida del sol orillas del Duero (CII), con su tibieza (CXVIII) y con su tristeza otoñales (CVI) o su adormecimiento dorado (CVII), con sus arreboles (CXIII, III) o sus sombras agigantadas *(ibíd.,* IV), con su oscurecer (CXVII) o su silencio (CXVIII). Apenas nada más[16] y todo esto es bien poco. Comparando los testimonios con cuanto hemos leído en *Soledades. Galerías*, hemos de reconocer que la *tarde* no pasa de ser en este momento un elemento que necesita definiciones, pero que por sí mismo, no alcanza ninguna complejidad simbólica. Conste la situación de un léxico —y habría que repetir la cala con más elementos— que se arrastra desde el primer libro pero que ahora se reduce mucho en sus contenidos, espejo fiel de lo que se ha modificado también el alma del poeta.

---

[14] Es evidente: habla de cigüeñas y del invierno ya pasado, de la primavera en los chopos, del campo adolescente, de las humildes flores que han nacido, etc. Nada de ello conviene al otoño. Si hiciera falta recordaría un poema con muchos de estos elementos y en el que la Primavera está explícitamente aducida:

> [...] Primavera, como un escalofrío
> irá a cruzar el alto solar del romancero,
> ya verdearán de chopos las márgenes del río.
> ¿Dará sus verdes hojas el olmo aquel del Duero?
> Tendrán los campanarios de Soria sus cigüeñas,
> y la roqueda parda más de un zarzal en flor.
>
> (CXVI)

[15] Lo ha estudiado con sagacidad Gregorio Salvador, «*Orillas del Duero*», *de Antonio Machado,* apud *El comentario de textos,* Madrid, 1973 (1.ª edic.), págs. 271-284.

[16] Una referencia bien poco caracterizadora: *tardes de Soria* (CXIII, VII).

Orillas del Duero —y será título más tarde repetido— es un poema de intensión y no de extensión. O dicho con otras palabras: la retórica no tiene mucha cabida en él. No quiero sino apoyarme en lo que al analizar éste y otros poemas han dicho los críticos: «sencillez expresiva», «penuria de imágenes», «ingredientes tan sencillos y hasta vulgares»[17]. Añadiría por mi parte, el repudio de Machado hacia la metáfora o su hostilidad hacia el barroco[18], porque «la metáfora está contra la poesía directa y sencilla, desnuda y humana de la que Machado gustó». Y en ello está la clave del quehacer machadiano:

> Lo clásico —habla Mairena a sus alumnos— es el empleo del sustantivo, acompañado de un adjetivo definidor [...]. Lo barroco no añade nada a lo clásico, pero perturba su equilibrio, exaltando la importancia del adjetivo definidor hasta hacerla asumir la propia función del sustantivo[19].

Cierto que si nos atuviéramos a esto sólo, podríamos caer fácilmente en la vulgaridad. El escollo fue visto por el propio Juan de Mairena que supo franquearlo y aun reducirlo a sistema. El adjetivo vale más que la metáfora, porque mientras ésta se queda en una «forma breve de la comparación», según quería Quintiliano, el adjetivo tal como lo usa Machado es una auténtica definición; no una similitud, como en aquélla, sino la identificación absoluta con la cosa. La metáfora es ornato que cae sin mucho esfuerzo en el conceptismo, en la ruina de la poesía para Machado[20], mientras que el adjetivo es la esencia misma de la cosa en cada momento determinado. Una *tarde*, y vuelvo a lo que he comentado desde otras perspectivas, se remite en cada ocaso, aunque cada tarde es distinta de las demás e idéntica a sí misma: la lengua no posee sino una palabra para designar a todas y cada una de ellas, pero el adjetivo da la identidad inalienable de cada singularización: la *tarde clara* no es lo mismo que la *tarde triste*, ni que la *tarde soñolienta*, ni que la *tarde roja*, por más que todas se refieran a dis-

---

[17] Al trabajo recién aducido de Gregorio Salvador, añádase lo que en el mismo sentido dice Luis Felipe Vivanco, «Comentario a unos pocos poemas de Antonio Machado» *(Cuadernos Hispanoamericanos*, 11-12 [1949], pág. 563, por ejemplo).

[18] Véase *La teoría poética de «Los Complementarios»* con que encabezo una edición de esta obra.

[19] *Juan de Mairena*, I, pág. 30.

[20] *Los Complementarios*, págs. 69-78. Cfr. Pablo de A. Cobos, *El pensamiento de Antonio Machado en Juan de Mairena*, Madrid, 1971, pág. 171 y comentarios al pasaje.

tintas posibilidades del estío. Entonces, cada uno de esos adjetivos potencia al término neutro que asomaba en el sustantivo, pero no es ni una elipsis ni una comparación, es un estado físico de la realidad e incluso un estado espiritual del poeta, que se identifica con el mundo que le rodea. Los retóricos han hablado, y no poco, de los puntos de contacto que hay entre semejanza y metáfora: ambas hacen intervenir en su formulación una representación mental extraña al objeto que motiva el enunciado[21], pero esto queda muy lejos del quehacer de nuestro poeta. Cuando había alcanzado (1931) la incondicional admiración de todos, decía que el poeta debe enfrentarse con «dos imperativos, en cierto modo contradictorios: esencialidad y temporalidad»[22]. Contra la esencialidad pugna la metáfora, que impone una ruptura con la lógica habitual; no es in-formativa, sino de-formativa; elemento —entre tantos otros— del lenguaje poético considerado como desvío del lenguaje funcional[23].

Campos de Castilla no son una descripción, sino una interpretación. Interpretar significa seleccionar y elegir lo significativo y no lo mostrenco. La maestría de Machado está en haber sabido poner ante nuestros ojos una realidad a la que él ha convertido en fuente de belleza. Y esto es inobjetable: el paisaje de Soria estaba ahí, pero quienes nos lo han hecho criatura de arte han sido esos hombres (Bécquer, Antonio Machado, Gerardo Diego, Dionisio Ridruejo) que han sabido superar la circunstancia fotográfica. Son ellos quienes han dado virtualidad a la afirmación de Malraux:

> Que le style puisse être l'expression légitime et ressuscitée de l'intention créatrice, dont le sens unit les artistes d'une civilisation comme une âme commune, nous semble evident[24].

Junto a Antonio Machado sentimos vibrar esa «relación fundamental del hombre con el universo» que se ha convertido en su

---

[21] Michel Le Guern, *Sémantique de la métaphore et de la métonymie*, París, 1973, página 53. (Trad. esp., Madrid, Cátedra, 1975.)

[22] Palabras que se leen en la *Poética*, con que encabeza la selección de sus versos en la *Poesía española. (Contemporáneos)*, de Gerardo Diego (2.ª ed., Madrid, 1934, página 152).

[23] Por eso creo muy dudoso todo lo que dice Le Guern en la pág. 76 de su obra recién aducida.

[24] *Le musée imaginaire*, París, 1965, pág. 161. En la misma página dice que todo gran estilo es el símbolo de una «relation fundamentale de l'homme avec l'univers, d'une civilisation avec la valeur qu'elle tient pour suprême».

propia voz, en los signos descodificados con que nos transmite su mensaje, poético, personal, español. Todo reducido a esa perspectiva humana que es el hombre que habla consigo mismo en la esperanza de «hablar a Dios un día». Así se entiende que los críticos se detengan atónitos ante una obra desnuda, de tan simple e incomparable en la lírica española, acaso, de todos los tiempos. Y es que las cosas han sido quintaesenciadas, extraído el módulo que pueda caracterizarlas, transmitidas con «unas pocas palabras verdaderas». Permítaseme aducir un solo testimonio: por su brevedad, fácilmente abarcable; por su intención, buena muestra de cuanto he dicho; por la escasez de verbos, camino hacia una nominalización absoluta. Poema en el que las cosas no sólo son, sino que están, recortadas en sus límites inesquivables; palabras que no son símbolos o fantasmas de las cosas, sino esencias intransferibles (¿haría falta pensar en San Juan de la Cruz? ¿Tendríamos que recordar a Jorge Guillén o Vicente Aleixandre?):

> ¡Colinas plateadas,
> grises alcores, cárdenas roquedas
> por donde traza el Duero
> su curva de ballesta
> en torno a Soria, oscuros encinares,
> ariscos pedregales, calvas sierras,
> caminos blancos y álamos del río,
> tardes de Soria, mística y guerrera,
> hoy siento por vosotros, en el fondo
> del corazón, tristeza,
> tristeza que es amor! ¡Campos de Soria
> donde parece que las rocas sueñan,
> conmigo vais! ¡Colinas plateadas,
> grises alcores, cárdenas roquedas!...
> (CXIII, VII)

Si el adjetivo individualizaba al sustantivo en lo que tiene de intransferiblemente ocasional (y ocasional podría ser vivido o vital) este arte es un arte impresionista. Porque igual que los pintores impresionistas, Machado ve a la naturaleza en su realidad, no en las elaboraciones de taller: si unos pintan al aire libre, él, en contacto con la naturaleza, saca esos matices *plateados, grises, cárdenos, oscuros, blancos*, que aparecen en el poema. Como si Manet le hubiera prestado una paleta en la que dominaran unos tonos claros y fuera el temblar de la luz, cambiante, a cada hora del día *(tarde* *clara, cenicienta, mustia, polvorienta...)* y las sombras azules, violetas, malvas[25]. Los poemas de *Campos de Castilla* suelen ser breves; si alguno se alarga es porque en él *(A orillas del Duero*, XCVIII, por ejemplo)* entran elementos que ya no son estrictamente líricos, sino que pertenecen a un relato que no dudo en llamar épico. Pero cuando Machado se enfrente con la realidad que sus ojos contemplan *(Por tierras de España, El Hospicio ¿Eres tú, Guadarrama, viejo amigo, En abril, las aguas mil,* etc.) sus poemas no se alargan. Pienso en la técnica de los maestros impresionistas: al pintar ante la naturaleza, sus obras tomaban un aire muy simple, copiaban lo que veían en un momento determinado y no podían ni componer ni elegir, lo momentáneo pasaba a ser obra definitiva. La validez estética de la obra no estaba en una «belleza» elaborada, sino en la sensación —y valga la redundancia si la refiero a estética— que era capaz de herir en un momento. Esto en pintura fue una revolución: se había roto con las formas canónicas para presentar lo que estaba imprevisto y presentarlo con pincelada autónoma y contornos fugaces[26]. ¿No es éste el arte de Machado?[27]. Ante un paisaje cualquiera, y si hablo de *Campos de Castilla* es porque en este libro todo cobra una concreción mayor, nos enseña todo lo que ve, no lo que pudiera ser una selección embellecedora: el roquedal abierto, la vuelta umbría, el sudor del caminante, el hierbajo humilde... No podemos decir que en el cuadro hay composición; sin embargo, sí, la impresión de un momento, y al aducirla pienso en Claude Manet: a la exposición del boulevard de los Capuchinos (1874), había enviado una tela, *Impresión, salida del sol*. Precisamente, *impresión;* precisamente, *sol*. Como en el

---

[25] Permítaseme ejemplificar con una cancioncilla posterior:

> ¡Oh montes lejanos
> de malva y violeta!
> En el aire en sombra
> sólo el río suena.
> (CLVIII, IV)

[26] *Vid*. Theodore Duret, *Historia de los pintores impresionistas*, Buenos Aires, 1943.

[27] Pienso en el *Art poétique* (1874, apud *Jadis et naguère)* que Verlaine dedica al poeta simbolista Charles Morice. Allí se dice:

> Car nous voulons la Nuance encor,
> Pas la couleur, rien que la nuance!
> Oh! la nuance seule fiance
> Le rêve au rêve et la flûte au cor!

poema de Machado, aunque uno fuera un lienzo con mar al
fondo y otro un canto a la montaña:

Mediaba el mes de julio. Era un hermoso día.
Yo, solo, por las quiebras del pedregal subía,
buscando los recodos de sombra, lentamente.
A trechos me paraba para enjugar mi frente
y dar algún respiro al pecho jadeante;
o bien, ahincando el paso, el cuerpo hacia adelante
y hacia la mano diestra vencido y apoyado
en un bastón, a guisa de pastoril cayado,
trepaba por los cerros que habitan las rapaces
aves de altura, hollando las hierbas montaraces
de fuerte olor —romero, tomillo, salvia, espliego—.
Sobre los agrios campos caía un sol de fuego.

(XCVIII)

Cuando Machado canta, cada elemento es en su verso una
pincelada autónoma, independiente de cuanto la rodea. Pero el
conjunto de esos elementos aislados hace una criatura superior
inconfundible e inolvidable. De ahí también el predominio del
nombre sobre cualquier otro componente del discurso: no se trata
de descubrir acciones, sino de presentar realidades; de hacernos ver
el desarrollo de procesos, sino de mostrarnos criaturas existentes;
de narrar, sino de nombrar[28]. Por eso una y otra vez repetirá

---

[28] Bástanos el testimonio de *A orillas del Duero* (XCVIII):

[...] ¡Oh tierra triste y noble
la de los altos llanos y yermos y roquedas,
de campos sin arados, regatos ni arboledas;
decrépitas ciudades, caminos sin mesones,
y atónitos palurdos sin danzas ni canciones,
que aún van, abandonando el mortecino hogar,
como tus largos ríos, Castilla, hacia la mar!

O de otro poema cuasi homógeno *(Orillas del Duero)*:

¡Castilla varonil, adusta tierra,
Castilla del desdén contra la suerte,
Castilla del dolor y de la guerra,
tierra inmortal, Castilla de la muerte!

(CII)

Cfr. Heliodoro Carpintero, «Soria en la vida y en la obra de Antonio Machado»
(Escorial, VII [1943], págs. 111-127).

idéntica realidad, porque idénticas son las presencias con que se tropieza; álamos verdes, márgenes del río, zarzales florecidos, humildes violetas, ciruelos blanqueados o cigüeñas[29]. Todo ello alcanzará una vibración de calofrío cuando evoca a Leonor muerta: cada elemento es una pincelada que no puede borrarse sin que el cuadro desaparezca, todo palabras sencillas para designar a cosas sencillas; pero el conjunto, un manojo de presencias eternizadas en su esencialidad. Luis Felipe Vivanco habla de un «poema esencial de palabras buenas —sin una sola metáfora, sin una sola idea»—. No, un brazado de voces repristinadas en una circunstancia que sólo a ellas pertenece, que les hace ser criaturas perdurables, porque ellas y no otras pueden definir la realidad, porque la metáfora es un elemento perturbador de la intimidad. ¿Ideas? Gracias a esta autenticidad no es necesario expresar ideas: es el alma del poeta que florece con la llegada de la primavera, cuando la muerte la había ya desgarrado. Efusión de amor hacia la naturaleza («¡Oh, sí! Conmigo vais, campos de Soria, / me habéis llegado al alma, / ¿o acaso estabais en el fondo de ella?»), efusión para confundirse con ella y ser —de nuevo— cuerpo de Leonor en el alto Espino:

> ¿Está la primavera
> vistiendo ya las ramas de los chopos
> del río y los caminos? En la estepa
> del alto Duero, primavera tarda,
> ¡pero es tan bella y dulce cuando llega!...
> [...]
> ¿Hay zarzas florecidas
> entre las grises peñas,
> y blancas margaritas
> entre la fina hierba?
> [...]
> ¿Hay ciruelos en flor? ¿Quedan violetas?
> (CXXVI)

---

[29] Son bien próximos en la forma de su expresión algún fragmento de *La tierra de Alvargonzález (Otros días,* § 1) y otros de *Al borrarse la nieve, se alejaron* (CXXLV), de *A José María Palacio* (CXXVI) o de *Campos de Soria* (CXIII). Me parece oportuno traer a colación un texto en el que puede justificarse la selección que hace Machado para convertir en bellos motivos a elementos de la más insigne modestia. Un krausista, Francisco Fernández y González, escribió (1873) un estudio, *Naturaleza, fantasía y arte,* en cuyo primer artículo *(Lo bello y la Naturaleza)* se lee:

> Procede de aquí que no sea fácil hallar lo plenamente hermoso en la naturaleza, donde el contemplador, poniendo de suyo por ilusión extraor-

Campos de Castilla no permiten que agotemos fácilmente su contenido. El descubrimiento de estas tierras trajo el tenerse que enfrentar con la realidad de España. Aquí es donde afloró la visión institucionista de Machado y el hallazgo de unos paisajes —técnica, contenido— que estarían para siempre entre los más bellos de la generación del 98. El prodigio lo consiguió el poeta utilizando muy poca retórica y mucho de sinceridad. No ha embellecido según el uso, sino que ha identificado la hermosura con la verdad, y al entregarnos estas palabras sinceras ha ido brotando —como al santo de Berceo— la belleza desde el fondo del corazón. En *La tierra de Alvargonzález* (CXIV) hizo transcender la pobreza hasta lindes evangélicas: el alma está en la pobreza y no en la opulencia («¡Tierras pobres, tierras tristes, / tan tristes que tienen alma!»), del mismo modo que la falta de bienes hace ser desasido al hombre que es rico de espíritu:

> Tan pobre me estoy quedando
> que ya ni siquiera estoy
> conmigo, ni sé si voy
> comigo a solas viajando.
> (CXXVII)

Sin embargo, el hombre, es un perturbador del paisaje, como señaló Laín Entralgo[30]. Machado, igual que sus compañeros de generación, formula contra este espíritu mezquino los más acerbos juicios[31], pero en él hasta la aspereza se convertía en criatura estética. Conoce las tierras, sabe del hombre y estudia su propia lengua. Machado, al descubrir la gramática del texto[32], se ejercita en su propia práctica; al frente de los *Campos de Castilla* escribe:

> Me pareció el romance la suprema expresión de la poesía y quise escribir un nuevo Romancero. A este propósito responde *La tierra de Alvargonzález*. Muy lejos estaba yo de pretender resucitar

---

dinaria de los sentidos o de la imaginación relaciones positivas, o dejando de advertir las negativas, construye en mucha parte los elementos de la hermosura.

[30] *La generación del noventa y ocho*, Col. Austral, núm. 784, págs. 133-148. Lo que pueda deber este motivo a Unamuno es considerado por Aurora de Albornoz, *La presencia de Miguel de Unamuno en Antonio Machado*, Madrid, págs. 184-225.
[31] Vid., por ejemplo, *Por tierras de España* (XCIX), *Un loco* (CVI), *Coplas por la muerte de don Guido* (CXXXIII), *El mañana efímero* (CXXXV).
[32] Trato de ello en mi prólogo a *Los Complementarios*.

el género en su sentido tradicional [...], pero mis romances no emanan de las heroicas gestas, sino del pueblo que las compuso y de la tierra donde se contaron; mis romances miran a lo elemental humano, al campo de Castilla.

Y sobre este romance vienen a coincidir todos esos caminos que hemos ido descubriendo[33]: el impresionismo, la consideración del paisaje, el desvío por el hombre, la realidad y, también, la historia. Cada época exige, y da, al romancero un tributo en sazón. El 98, por Machado, crea esta historia brutal y desgarrada, de crímenes horrendos y de maldiciones bíblicas. Machado había encontrado el venero que alimentaba otra tradición: la vulgar y plebeya de los pliegos de cordel. Vulgar y plebeya, pero sustento espiritual de generaciones y generaciones. Hecho sociológico que no puede ignorarse porque estaba ahí —aún languidece por los mercados de España—, operaba sobre la sensibilidad de la gente y se escuchaba. El ciego colgaba el telón toscamente ilustrado, y sobre los cuadros iba salmodiando truculencias. Machado salvó y dignificó esta veta vulgar y plebeya. Ahora, cuando hacemos sociología de la literatura, hemos vuelto a lo que estos romances significaron[34] y sabemos que Machado no estuvo solo. En *Los cuernos de don Friolera*, Valle-Inclán los indultó: «el romance de ciego, hiperbólico, truculento y sanguinario, es una forma popular»[35]. Después, Fernando Villalón los recrearía: *Romances del 800* (Málaga, 1929)[36]. Eran caminos diferentes: Valle-Inclán, en el esperpento; Villalón, en el cromo costumbrista; Machado, en la voz bronca y auténtica de la tierra. Tres quehaceres bien distintos, pero, éticamente, uno solo verdadero: Machado fue fiel en todo su proceso y escribió un relato veraz. Pero la verdad, una

---

[33] Hubo, previamente, un relato en prosa que publicó en París en el *Mundial Magazine*, que dirigía Rubén Darío (1912). La historia de los textos (prioridad del romance, prosificación, nueva redacción del poema) ha sido estudiada por Carlos Beceiro, «La tierra de Alvargonzález. Un poema prosificado» *(Clavileño*, núm. 41 [1956], págs. 36-46). Añadamos: H. F. Grant, «Antonio Machado and *La tierra de Alvargonzález» (Atlante*, II, 1954); P. Darmangeat, «A propos de *La tierra de Alvargonzález» (Bulletin des langues néolatines*, XLIX, 1955), y Allen W. Phillips, «*La tierra de Alvargonzález: verso y prosa» (Nueva Revista de Filología Hispánica*, IX, 1955).

[34] Julio Caro Baroja, *Ensayos sobre la literatura de cordel*, Madrid, 1969.

[35] Cito por la edición de Madrid, 1925, pág. 34.

[36] Véase el prólogo a mi edición facsímil *Romances en pliegos de cordel (siglo XVIII)*, Málaga, 1974.

vez más, se había identificado con la belleza de las cosas y había condenado la maldad del hombre.

Pero Machado no podía quedarse aquí. Su corazón de hombre bueno no podía estar cerrado a la esperanza. Su formación en la escuela de Giner y Cossío le había dado fe en el porvenir de España. Tras los días amargos del desastre, la luz debía llegar. Junto a todos estos poemas, dentro de ellos mismos, el regenaracionismo estaba llamando —como en Unamuno, como en *Azorín*—. Laín Entralgo dedicó unas bellas páginas a la esperanza del poeta, casi diría yo de los poetas, como problema antropológico[37]. Me estoy refiriendo a una parcela de ella, la que nos hace ver a Machado con arraigo en su patria y en su tiempo: esperanza de cara al futuro de España, esperanza de la colectividad, esperanza para aquellas tierras desoladas y para aquellos hombres caínitas. Vino el vendaval y Machado fue arrastrado por él y en él murió. Ante la faz de Dios con el que pensó hablar algún día, ¿tendría tiempo de recordar su esperanza cuando ya había encontrado la eterna Esperanza?

> ¡Qué importa un día! Está el ayer alerto
> al mañana, mañana al infinito,
> hombre de España: ni el pasado ha muerto,
> ni está el mañana —ni el ayer— escrito.
> ¿Quién ha visto la faz al Dios hispano?
> Mi corazón aguarda
> al hombre ibero de la recia mano,
> que tallará en el roble castellano
> el Dios adusto de la tierra parda.
> (CI)

Su amado don Francisco Giner de los Ríos había escrito palabras que parecen resonar en todos los poemas patrióticos de Machado. También esos últimos versos de los que dedica al dios ibero:

> La originalidad de un pueblo se determina, pues, principalmente en virtud de dos elementos esenciales, a saber: la continuidad de la tradición en cada momento de su historia y la firmeza para mantener la vocación que la inspira y hacerla efectiva en el organismo de la sociedad humana *(Op. cit.,* pág. 118).

---

[37] Dice en la pág. 85 de su discurso académico *(La memoria y la esperanza. San Agustín, San Juan de la Cruz, Antonio Machado, Miguel de Unamuno,* Madrid, 1954): «Antonio Machado no se limita a una afirmación poética y antropológica de la esperanza. Además de afirmarla, sus versos la sitúan y ordenan en la realidad del hombre.»

El 1.º de agosto de 1912 muere Leonor. A sus manos llegaron los *Campos de Castilla* salidos en junio, pero que Machado no recibió hasta el 24 de julio. Con Leonor muerta, la vida del poeta cambia y cambia su quehacer poético. A la segunda edición del libro llegó un texto fundamental *(Recuerdos)*. El poema se fechó en abril de 1913 (1.ª edición) y abril de 1912 (la segunda). Evidentemente, no es de 1912: desde los naranjales del Guadalquivir evoca cada uno de sus «tópicos» sorianos, mientras el tren lo lleva hacia Sevilla. Se trata de una remembranza, no de una realidad inmediata. Antonio y Leonor estuvieron en París y regresaron a Soria con la ayuda económica de Rubén[38]; la esposa venía enferma de tuberculosis y no puede pensarse en abandonos con despedidas. El poema CXXVII bis *(Adiós)*[39] es evidentemente otra despedida de la tierra de Soria, pero... textual: «escrito en Baeza, 1915», y la segunda versión, de «Córdoba, 1919. Copiado, 1924». Resuelto este minúsculo problema, volvamos al texto:

> En la desesperanza y en la melancolía
> de tu recuerdo, Soria, mi corazón se abreva.
> Tierra del alma, toda, hacia la tierra mía,
> por los floridos valles, mi corazón te lleva.
>
> (CXVI)

Siete días después de dejar a Leonor en el alto Espino, Machado marcha de Soria. Ha pensado en suicidarse. Su hermano Manuel ha pedido a Giner que les ayude: un instituto en Madrid tal vez pudiera salvar a Antonio de soledad; respuesta negativa[40], y el poeta acaba en Baeza donde vivirá hasta 1919.

Esos meses posteriores a la muerte de Leonor son, a mi ver, quienes vienen a crear un *Cancionero* «in morte». La segunda edición de *Campos de Castilla* agrupa nueve poemas. Los dos últimos fechados en 1913; de 1913 son *Recuerdos* y *Al maestro «Azorín»*, textos que les preceden. Habida cuenta de la cronología datada, habida cuenta de la ordenación de estas composiciones y habida cuenta de su común talante, no será aventurado fechar los poemas entre

---

[38] En *Arbor*, LXVI (1967), Ginés de Albareda ha publicado la carta de don Antonio.

[39] En la edición de Macrì figura en la pág. 1018, pues no se incluye en *Campos de Castilla*.

[40] Vid. Alfonso Armas Ayala, «Epistolario de Manuel Machado» *(Índice de Artes y Letras*, núm. 50, abril de 1952).

la muerte de Leonor y finales de abril de 1913. Más aún, el 1.º de noviembre de 1912 tomó posesión de su cátedra de Baeza y en el primer poema del cancionero se dice que

> el río va corriendo,
> entre sombrías huertas
> y grises olivares,
> por los alegres campos de Baeza.
>   Tienen las vides pámpanos dorados
> sobre las rojas cepas.
> Guadalquivir, como un alfanje roto
> y disperso, reluce y espejea.
> [...]
> en esta tibia tarde de noviembre,
> tarde piadosa, cárdena y violeta.

Podría ser una fecha *ad quem*. Las canciones a Leonor muerta se escribieron entre el 1.º de noviembre de 1912 y el 29 de abril de 1913. Decir que estos poemas, tan pocos, son de los más intensos de nuestra lírica es decir, sí, unas pocas palabras verdaderas, pero sólo eso. Y, sin embargo, en ellos está todo el proceso espiritual de un alma: el Machado desesperado ha dejado paso al Machado de la resignación (CXIX) y de la esperanza (CXX, CXXII, CXXIV, CXXV), el Machado de las realidades impresionistas se retira ante el Machado de la nostalgia (CXXI, CXXII, CXIII, CXXXVI), el Machado de los recuerdos sevillanos se perdió ante el Machado que se desarraigaba de cuanto no fuera Leonor (CXXV). Todo un ciclo se ha cumplido: para la vida y para el arte. El recuerdo se atenaza como un garfio hiriente a un pasado que no quiere ser pasado, la amada está viva, pero el poeta ha envejecido definitivamente. La muchachita sigue hablando con voz de niña (CXXII), paseando de la mano del esposo (CXXI), que confía encontrarla en la orilla (CXXV). Todo el recuerdo de los paisajes vividos en compañía, todo el Machado soriano, «extranjero en los campos de mi tierra», con los ojos abiertos a los llanos altos de Soria por donde cruza el Duero:

> ¿No ves, Leonor, los álamos del río
> con sus ramajes yertos?
> Mira el Moncayo azul y blanco; dame
> tu mano y paseemos.
>   (CXXI)

No sólo vital, estéticamente una etapa se ha clausurado. Aún durará el noventayochismo en unos cuantos poemas. Aún irá su pensamiento hacia esos hombres a los que elogia y en los que buscaba a la España moderna, pero ésta era una parcela —bellísima, desde luego— de literatura; no toda la literatura y, mucho menos, la poesía lírica que había empezado siendo romántica, que se hizo epopeya y que, caída de nuevo en el lirismo, había roto con la literatura por culpa de un sutil y quebradizo hilillo. El recuerdo se le iba de la realidad para evadirse al ensueño:

> ¿Por qué, decísme, hacia los altos llanos
> huye mi corazón de esta ribera,
> y en tierra labradora y marinera
> suspiro por los yermos castellanos?

El recuerdo acentúa, aún más, el sentido del tiempo. Y el poeta, ajeno a su propio paisaje, ajeno a su propia realidad, ajeno a toda la literatura que ha escrito, rompe con el pasado y comienza una nueva etapa de su creación: *Proverbios y Cantares*. Después, también se rompe con ella y, lo dice en un verso impresionante, «las almas huyen para dar canciones» (CXXVII bis). Sí, canciones. *Las Nuevas canciones* (1917-1930), su tercer libro de versos y su nuevo quehacer poético[41].

---

[41] En 1920, dice que ya no hace sino folklore, autofolklore que lo identifique con el alma del pueblo (Valverde, edic. cit., pág. 94).

Soria dio al poeta la visión de la epopeya. El ritmo de las gestas, el paisaje de los héroes. Pero Soria es, ya, una entrañada evocación y la epopeya sobre tierras de Jaén tiene muy otros caracteres, totalmente alejados del poeta («la confección de nuevos romances viejos —caballerescos o moriscos— no fue nunca de mi agrado, y toda simulación de arcaísmo me parece ridícula»[1]). Ahora Machado intenta una nueva épica: la de enraizamiento clásico, no nacionalista; la acrónica, no la temporal; la de los frutos, no la de la tierra. El poeta («Ya habrá cigüeñas al sol, / mirando la tarde roja, / entre Moncayo y Urbión», CLVIII, II) lucha contra los recuerdos pertinaces y quiere, con el recuerdo de Virgilio, escribir una geórgica de su tierra. El libro se abre: *Olivo del camino*, pero aunque hay un arraigo local e histórico (CLIII, I), el contrapunto suena castellano:

> Hoy, a tu sombra, quiero
> ver estos campos de mi Andalucía,
> como a la vera ayer del Alto Duero
> la hermosa tierra de encinar veía[2].

Arraigo local que se transplantará a las tierras del mito; arraigo histórico que se vaciará de tiempo en la acronía que el mito exige. (¿No pensaría Fernando Villalón en este Machado cuando escribe *La Toriada?)*

Machado conoce la mitología griega. Si nos acompañamos de la de W. H. Roscher[3], podríamos completar lo que el poema hace

---

[1] Prólogo a la edición (1917) de *Campos de Castilla*. A poco que se piense, se encontrará en estas palabras la repulsa a las «recreaciones arqueológicas» de Rubén o de Manuel Machado.

[2] El poema está escrito en 1920, cuando Machado era catedrático de Segovia, pero en un viaje a Andalucía, según permite deducir la localización expresa.

[3] *Ausführliches Lexicon der Griechischen und Römischen Mythologie* (6 vol.), Leipzig, 1884-1924.

ser deliberadamente ambiguo o incompleto: la castración de Uranos en el país de los feacios y el nacimiento de Venus de la sangre caída al mar; la falta de servicios a Ceres en el Lacio y éstos totalmente helenizados; la cruel historia de Demofón y Masturio, victimario éste de la hija del rey cuya sangre bebió Demofón, padre de la doncella; el himno homérico que cuenta cómo Deméter encontró refugio en el palacio de Keleos, viejo rey de Eleusis. Y podríamos buscar otras informaciones, que Roscher no trae, para poder ilustrar el poema de Machado: en el Museo Británico hay algún vaso griego en el que unos braceros varean y apañan aceitunas. No extraña: el olivo es un árbol clásico y además rico en símbolos (paz, fecundidad, purificación, fuerza, victoria, recompensa); estaba consagrado a Atenas porque el primero nació de una querella que tuvo con Poseidón y sus retoños aún creen verse en la Acrópolis. Se sabe también —y añádase a la exactitud de nuestro poeta— que abundaba en la llanura de Eleusis, donde se le protegía hasta el extremo de ser entregados a la justicia quienes le producían algún daño; no extraña, pues, que llegaran incluso a estar divinizados en el himno a Deméter, introductor de las iniciaciones en Eleusis. Todos los pueblos han visto en el olivo símbolos preciosos: los chinos le dan valor tutelar; los japoneses, de victoria en toda clase de empresas; cristianos y judíos, de paz; musulmanes, de hombre universal y fuente de la luz[4]. Machado da vida nueva al viejo mito y conserva toda la sabiduría —experiencia, enseñanza— que encierra, pero hace ser al mito un valor actual, eficaz para su pueblo y para su tiempo, como Virgilio transmitiendo enseñanzas a las gentes del Lacio:

> Que en tu ramaje luzca, árbol sagrado,
> bajo la luna llena,
> el ojo encandilado
> del búho insomne de la sabia Atena.
> Y que la diosa de la hoz bruñida
> y de la adusta frente
> materna sed y angustia de uranida
> traiga a tu sombra, olivo de la fuente.
> Y con tus ramas de divina hoguera
> encienda en un hogar del campo mío,

---

[4] Jean Chevalier - Alain Gheerbrant, *Dictionnaire des symboles*, París, 1974, tomo III, s.v. *olivier*.

por donde tuerce perezoso un río
que toda la campiña hace ribera
antes que un pueblo, hacia la mar, navío.
(CLIII, VII)

Al final de *Campos de Castilla* había unos *Proverbios y cantares* que significaban la aparición de un nuevo Machado, el que se logrará definitivamente en las *Nuevas canciones*. Pero conviene aclararlo inmediatamente: la continuidad no lo es en cuanto al espíritu, sino en cuanto a la forma. Los *cantares* no son lo mismo que las *canciones*. Esta es la cuestión. Por más que cantares (¿hace falta recordar a Manuel?) fueran el alma de Andalucía, en tierras de Andalucía, Antonio escribe —a la manera castellana— canciones. Y como ocurre en casi todas sus decisiones, poéticas incluidas, podríamos ahora amparar su nuevo sesgo lírico en un texto de Giner:

> Divorcio funesto es siempre el de las literaturas popular y reflexiva; y cuando en vez de marchar unidas y alimentadas por unos mismos principios se apartan y contradicen, degenera ésta en insípida y convencional, perdiendo cuanto puede hacerla duradera e interesante en todos tiempos, y se aísla aquélla en una esfera reducida y menos preciada, tuerce el curso natural de su vida y engendra a lo sumo groseras producciones que no pueden aspirar a influir sino en las últimas clases de la sociedad *(op. cit.*, pág. 124).

No aventuro que Machado conociera estos textos, pero de algún modo, incluida la transmisión oral[5], pudieron llegar hasta él. Aunque llovía sobre mojado. Don Antonio Machado padre, *Demófilo*, había sido folklorista insigne: ahí siguen sus *Cantes flamencos*[6] sobre los que el gran Hugo Schuchardt escribió una insuperable monografía[7]. Esos *Cantes* que habían de inspirar alguna obra teatral de los dos hijos poetas:

---

[5] «Me eduqué en la Institución Libre de Enseñanza. A sus maestros guardo vivo afecto y profunda gratitud», escribía en 1917.

[6] Se publicaron en la Colección Austral (núm. 745), con mutilaciones injustificables, todas las notas, por más que la obra estuviera avalada con un prólogo de Manuel Machado. De 1974 es la pulcra impresión de Ediciones Demófilo, S. A. Colección: «¿Llegaremos pronto a Sevilla?» Y de 1975 la muy bella del Instituto de Cultura Hispánica.

[7] «Die Cantes Flamencos», *Zeitschrift für romanische Philologie*, V, 1881, páginas 249-322.

A Sebiya ba la Lola,
Consolasión se ba ar Puerto,
La Nena la ejan sola[8].

En la Colección de *Demófilo* está la tendencia popularista que luego cultivarán Antonio y Manuel y Fernando Villalón[9]. Pero no ignoremos algo fundamental: el abuelo paterno, don Antonio Machado Núñez, catedrático, político, alcalde de Sevilla, etc., había sido trasladado a Madrid (1883); siguiendo sus pasos marchó toda la familia. Las cosas no rodaron bien y *Demófilo* fue a parar a Puerto Rico como registrador de la propiedad. Regresó (1893) con el tiempo justo para morir en Sevilla, donde había ido a recogerlo su mujer: contaba cuarenta y cinco años. El recuerdo paterno dejó un emocionante testimonio en la obra de su hijo Antonio: un día, exactamente el 13 de marzo de 1916, el poeta escribe *En el tiempo:* versos llenos de emoción, que se quedan en poco más que bosquejo; después pasan a las *Nuevas canciones* en un soneto admirable (CLXV, IV)[10]: el recuerdo de Sevilla, la casa donde nació y, ya, la presencia del padre, «aún joven», que lee, escribe, hojea sus libros y, desde su tiempo intemporal, contempla al hijo envejecido. 1916 es el año del borrador, cuando se publica la segunda edición de *Campos de Castilla*, el soneto no debía estar listo, pues hubiera cabido entre los *Elogios*. Lo creo posterior. 1916-1917 significan un nuevo sesgo en la poesía de Machado, la incorporación definitiva de lo popular. Y entonces se produce el recuerdo poético hacia el padre muerto, hacia aquel hombre de letra diminuta con la que estaba creando el folklore como disciplina científica entre nosotros: *Juegos infantiles españoles, Colección de enigmas y adivinanzas, Estudios sobre literatura popular*...

Y está la otra veta, la de los cancioneros musicales, que inició Barbieri en 1890, que fueron despojados en una obra riquísima de

---

[8] Anota *Demófilo:* «La Lola era una cantadora célebre de la Isla; ignoramos si en esta copla se alude a ella» (edic. 1974, pág. 32, nota 20). Una variante de la soleá del texto es la ya bien conocida *(ibíd.*, pág. 91) de

La Lola,
La Lola se ba a los Puertos
La Isla se quea sola.

[9] Cfr. *Dialectalismos en la poesía del siglo XX*, apud *Estudios y ensayos de literatura contemporánea*, Madrid, 1971, págs. 331-337, especialmente.
[10] Para el proceso de elaboración, vid. mi prólogo a *Los Complementarios*.

Cejador[11], que divulgó Menéndez Pidal[12], que motivaron una célebre tesis de Henríquez Ureña[13], que habían de crear la tendencia neopopular de Moreno Villa, de Alberti, de Lorca.

Todo son caminos que llevaban por los años 1916-1924 hacia el re-descubrimiento de la poesía popular, y con ella, o antes de ella, a lo que *Demófilo* encontró en el folklore. Por eso, Antonio Machado desdoblado en Juan de Mairena había de decir que «el *folklore* era cultura viva y creadora de un pueblo de quien había mucho que aprender, para poder luego enseñar bien a las clases adineradas»[14], y completaría muchas páginas después: «si vais para poetas, cuidad vuestro folklore. Porque la verdadera poesía la hace el pueblo. Entendámonos: la hace alguien que no sabemos quién es o que, en último término, podemos ignorar quien sea, sin el menor detrimento de la poesía»[15].

He aquí las posibles sendas, ¿hasta dónde llegan? De una parte, la voz de la estirpe. Son esos cantos que oye el pueblo y con los que él se identifica hasta fundirse. Cancioncillas de geografía entrañadas como coplas oídas al volver una cantonada. Enumeración de nombres que en su propio enunciado —desde Mena hasta Neruda— crean un manadero de emociones[16]:

> Desde mi ventana,
> ¡campo de Baeza,
> a la luna clara!
> ¡Montes de Cazorla,
> Aznaitín y Mágina!
> ¡De luna y de piedra
> también los cachorros
> de Sierra Morena!   (CLIV, I)

---

[11] Me refiero a la *Verdadera poesía castellana* (1921-1924). No creo que Machado ignorara la existencia de esta obra. A Cejador dedicó su poema CXXVII, y acaso haya en ello un pecadillo de don Antonio (¿por qué borró las palabras en todas las demás ediciones?). En septiembre de 1917 se examinó de latín con don Julio y, previamente, le escribió rogándole benevolencia (Macrì, *op. cit.*, pág. 44). El poema es de 1915 (Macrì, pág. 1194) y la dedicatoria al latinista aparece sólo en las *Poesías escogidas* de 1917 (no en *La lectura*, 1916, donde se había publicado el poema, ni en las *Poesías Completas*, también de 1917).

[12] Sobre todo en la lección inaugural del curso 1919-1920 del Ateneo: *La primitiva poesía lírica española* (ahora en los *Estudios literarios*, Colección Austral, núm. 28).

[13] *La versificación española irregular* (2.ª ed.), Madrid, 1933. La obra se escribió entre 1916 y 1920, según se dice en la pág. VII.

[14] *Juan de Mairena*, I, págs. 58-59.

[15] *Ibíd.*, II, pág. 56.

[16] Vid. Francisco Ynduráin, «Una nota a *Poesía y estilo de Pablo Neruda* de Amado Alonso» *(Archivum*, IV, 1954, págs. 238-246).

Y en esta tierra nuevamente descubierta, en estos olivares de releje plateado por la luna, en los cortijos blancos de la Loma de Úbeda, el recuerdo lacerante. El poeta no ve aquella tierra, oscura como un vinagre espeso, ni la exacta geometría de los olivares, ni las manchas doradas del trigal. El poeta no quiere ver. ¡Él que había convertido en una inigualable criatura de arte a las pobres tierras sorianas! Sabemos que paseaba, que iba a Úbeda. Úbeda con su plaza grande, portento de emociones y de equilibrios: Ayuntamiento labrado por Vandelvira, palacio del Condestable, iglesia del Salvador (allí se apagó la voz de San Juan de la Cruz, la más pura y cálida de nuestra lírica), colegiata de Santa María, por donde pasaron los castellanos de la reconquista, y el pretil abierto sobre un paisaje: suaves colinas y llanuras dilatadas, tierra bermejeante y arbolado oscuro, cielos transparentes como vidrieras y aire terso. El poeta no quiere ver, sino que hace vivir su propio recuerdo. Muchos años antes había dicho:

> De toda la memoria sólo vale
> el don preclaro de evocar los sueños.
> (LXXXIX)

Y ahora, sobre esta tierra, que ya no quiere como suya, busca el hilo que le ensarte los recuerdos. El tiempo se ha concitado contra su encariñamiento y va desdibujando los días sorianos. Por eso no quiere ver la circunstancia en la que está sumergido, porque también ella había de colaborar con el olvido. Ahora sólo anécdotas —y a poder ser negativas—, sólo lo que la superficie brinda sin descubrir esencias, sólo voluntad de no querer. La última de las canciones es clave para el entendimiento de cuanto apunto:

> Los olivos grises,
> los caminos blancos.
> El sol ha sorbido
> la calor del campo;
> y hasta tu recuerdo
> me lo va secando
> este alma de polvo
> de los días malos.
> (CLIV, IX)[17]

---

[17] Esta evidencia sigue siéndolo para mí en otro bellísimo poema, *Parergon*. Todo —tono, léxico, sentimiento— parece aludir a Leonor; al temor de que el olvido borre a Leonor. Se ha dado alguna otra interpretación —el poema no ha llamado mucho la atención de los críticos— que me parece sin fundamento.

Desde la noluntad, como diría Unamuno, creo que se explican las palabras de Julián Marías dedicadas a estos poemas: «La visión de Andalucía no es, como antes la de Castilla, personal, individualista e *histórica*, sino popular. No ve Andalucía con sus ojos [...], sino con los del pueblo, a través de sus canciones, de lo que se dice y se canta»[18]. Y es que el corazón seguía estando en el alto Duero. ¡Cuán distintas las *Canciones de tierras altas!* Evocación de cosas concretas (nieve menuda, cigüeñas recién llegadas, la encina parda, los yermos pedregosos), de experiencias vividas (el camino borrado por la nieve, el río descubierto cuando sale el sol, Soria en los límites de la tierra y la luna), nombres repetidamente evocados como en una letanía apasionada (Urbión y Moncayo, Moncayo y Urbión). Y el recuerdo de los días felices, con las propias palabras entristecidas:

> ¡Alta paramera
> donde corre el Duero niño,
> tierra donde está su tierra!
> (CLVIII, VII)

Hasta llegar al temblor estremecido:

> El río despierta.
> En el aire oscuro,
> sólo el río suena.
> ¡Oh canción amarga
> del agua en la piedra!
> ...Hacia el alto Espino,
> bajo las estrellas.
> Sólo suena el río
> al fondo del valle,
> bajo el alto Espino.
> *(Ibíd.*, VIII)

Esta tierra de Soria, pertinaz en el recuerdo, le hace descubrir la belleza sutil de los viejos cancioneros: el poeta recupera los temas de la tradición. Son canciones de molineros, de pastores, de colmeneros, de leñadores, de hortelanos o las primaverales de

---

[18] «Antonio Machado y su interpretación poética de las cosas» *(Cuadernos Hispanoamericanos*, 11-12 [1949], pág. 314). Cfr. Dámaso Alonso, *Cuatro poetas,* ya citado, págs. 150-151.

doncellas que danzan. Orillas del Duero, voz nueva, el mismo temblor incipiente que en una enumeración sin fin: *Delfín de música* (Luis de Narváez, 1538), *Tres libros* (Mudarra, 1546), *Villancicos y canciones* (Juan Vásquez, 1551), *Libro de música de vihuela* (Diego Pisador, 1552), *Orphénica lyra* (M. de Fuenllana, 1554), *Recopilación* (Vásquez, 1560), *El Cortesano* (Luis Milán, 1561), *Libro de música en cifras para vihuela* (Esteban Daza, 1576), *De Música* (Francisco Salinas, 1577). Y Juan del Encina, Gil Vicente, Lope, Tirso. El noventayocho se había adelgazado con nuevos descubrimientos, pero —dentro de ellos— el poeta seguía siendo fiel a esa dolencia llamada España.

Las *Nuevas canciones* no añaden demasiados valores absolutos a lo que sabemos de Machado. Son, sí, la presencia activa del pueblo en su quehacer. Esto nos lleva a comprender mejor su último libro y, también tal vez, a entender los compromisos del poeta en años que fueron definitivos. Pero, además, en los *Proverbios y cantares* (no se descuide: dedicados a Ortega) el planteamiento de una nueva forma de poesía: el aforismo filosófico que vendría a vincularse con la larga serie de apócrifos. Pero esto nos lleva a otras cuestiones[19].

---

[19] En la obra de Dámaso Alonso aducida en la nota anterior llega a escribirse: «Machado cambió por cobre filosófico buena parte de su oro poético de ayer» (pág. 176).

De un cancionero inédito

Como una reacción contra Sainte Beuve, suele decirse desde Proust que la poesía es obra de otro yo. Todos somos no otro, sino muchos yo. Verdad es que Whitman andaba en lo cierto cuando decía que dentro del hombre había multitudes. Y mucho más si ese hombre es poeta. Estoy tratando de presentar la obra lírica de Machado y lo que voy haciendo son cortes: el romántico, el noventayochista, el intimista, el impresionista, el mitólogo, el folklorista, el gnómico, el...

> Con el tú de mi canción
> no te aludo, compañero;
> ese tú soy yo.

Machado realiza el viejo problema de multiplicarse en una serie de poetas distintos[1] por más que sea muy difícil saber los linderos de la propia y la ajena personalidad. ¿*Tú* es 'yo' o *tú* es una criatura separada de su propio creador? El problema es largo. Bástenos aducir un testimonio insigne —ni mejor ni peor, insigne— gracias al cual sabemos de este proceso. Pero lo sabemos en un hombre, no en otro ni en otros[2]. En marzo de 1914, Fernando Pessoa comienza un poema, *O guardador de rebanhos*, y ya sin descanso salen más de treinta: ha nacido Alberto Caeiro, de quien hace discípulos a Ricardo Reis y Alvaro de Campos[3]. Y tenemos

---

[1] Vid. Giovanni Caravaggi, «Sulla genesi degli "apocrifi" di A. Machado» (*Studi e problemi di critica testuale*, núm. 10, 1975, págs. 183-215). También, Aurora de Albornoz, *op. cit.*, págs. 227-310.

[2] Como planteamiento general sigue siendo útil la obra (publicada en «Les documents bleus») de A. Borel y G. Robin, *Les Rêveurs Eveillés*.

[3] «Escrevi trinta e tantos poemas a fio, numa espécie de êxtase cuja natureza não conseguirei definir. Foi o dia triunfal da minha vida, e nunca poderei ter outro assim. Abri com um titulo, «O Guardador de Rebanhos». E o que se seguiu foi o aparecimento de alguém em mim, a quem dei desde logo o nome de Alberto Caeiro»

aquí un planteamiento dramático: cada uno de esos hombres, Caeiro, Reis, Campos, es un drama individual y otro Fernando Pessoa, y el conjunto de todos, un drama distinto de cada uno de ellos. Pessoa en el número 17 de *Presença*, al que me he referido, publicó estas líneas:

> O que Fernando Pessoa escreve pertence a duas categorias de obras, a que poderemos chamar ortónimas e heterónimas. Não se poderá dizer que são anónimas e pseudónimas, porque deveras o não são. A obra pseudónima é do autor em sua pessoa, salvo o nome que assina; a heterónima é do autor fora da sua pessoa, é de uma individualidade completa fabricada por êle, como seriam os dizeres de qualquer personage de qualquer drama seu.

No es de mi incumbencia ahora discutir estos problemas[4], sí decir que no estoy muy de acuerdo con las posibilidades de que cada criatura se haga totalmente independiente de su creador. Menos, mucho menos en el caso de Antonio Machado, transparente en tantas circunstancias de las que rodean a Abel Martín y a Juan de Mairena. Como casual azar en las coincidencias del poeta español y el portugués, no sólo el inventar apócrifos, sino el hacerlos nacer y morir en fechas precisas y el establecer entre ellos dependencia intelectual. Pessoa (1888-1935) inventó sus heterónimos antes de que don Antonio hiciera nacer a los suyos, pero su poesía era totalmente ignorada en España; sin embargo, Machado venía rellenando desde 1912 unos cuadernos que acabaron siendo *Los Complementarios*.

> (Busca a tu complementario,
> que marcha siempre contigo,
> y suele ser tu contrario.)

De ellos pasaron muchas cosas al *Cancionero apócrifo*, que ya vio la luz en las *Poesías completas* de 1928. La independencia de ambos —y tan distintos— poetas me parece fuera de duda.

(Carta a Adolfo Casais Monteiro, inserta como apéndice de la *Antología* preparada por el propio Monteiro). Para todo esto es importante la *Tábua bibliográfica* que el mismo Pessoa redactó para la revista *Presença*, núm. 17. Aunque de su veracidad, no muy exacta siempre, habría que pensar con indulgencia: «o poeta é um fingidor».

[4] *Vid.*, por ejemplo, Ildefonso Manuel Gil, *La Poesía de Fernando Pessoa*, apud *Ensayos sobre poesía portuguesa* (Zaragoza, 1948), João Mendes, *Pessoa e seus heterónimos* («Brotéria», XLVII [1948], págs. 328-348), y Jacinto de Prado Coello, *Diversidade e unidade en Fernando Pessoa*. Lisboa, 1963.

De un cancionero apócrifo se fue incorporando a las sucesivas ediciones de las *Poesías completas* (a partir de la ya mencionada de 1928), y plantea numerosos problemas de índole muy diversa, pues en él no sólo son versos lo que se incluye, y aun estos van teñidos de muchas precisiones filosóficas[5]. Se trata de ensayos críticos, a veces de cierta extensión, de breves apostillas, de teoría literaria[6]; si tuviera que dar en pocas palabras una referencia aprovechable, diría que estas prosas recuerdan al *Glosario* de D'Ors[7]. Quedan en nuestro objeto de hoy los poemas: unos filosóficos, otros de «geografía emotiva», otros de humor sarcástico. Tal vez no añaden mucho al aprecio que tenemos a una obra que es portentosa. Guardemos, sin embargo, los poemas de Guiomar[8]: *Canciones*, *Otras canciones*. Machado vuelve a ser Machado. No con capacidad de inventar nuevos modos (poco afortunado incrustar filosofía en el lirismo), sí para hacer retoñar su maestría poética. A veces, un simbolismo que diríamos modernista *(Por ti la mar ensaya olas y espumas)*, otras el trasunto de situaciones que nos hacen pensar en algún bello poema a Leonor *(Tu poeta / piensa en ti)* o la nostalgia con que quedó transida —para siempre— su alma *(Hoy te escribo en mi celda de viajero)*. Guiomar pasa como una tenue luz.

> ¡Sólo tu figura,
> como una centella blanca,
> en mi noche oscura!

[5] No en vano, Mairena había dicho: «Algún día [...] se trocarán los papeles entre los poetas y los filósofos» *(Juan de Mairena*, I, pág. 70). Véanse las muy valiosas páginas de José María Valverde en su edición de las *Nuevas canciones* y *De un nuevo cancionero apócrifo*, Madrid, 1971, págs. 52-65. Como recuerdo a su filiación bergsoniana, me permito aducir un recuerdo autobiográfico de *Los Complementarios* (pág. 24):

> Durante el curso de 1910 a 1911 asistí a las lecciones de Henri Bergson. El aula donde daba su clase era la mayor del Colegio de Francia y estaba siempre rebosante de oyentes. Bergson es un hombre frío, de ojos muy vivos. Su cráneo es muy bello. Su palabra es perfecta, pero no añade nada a su obra escrita. Entre los oyentes hay muchas mujeres.

[6] De esto me ocupo en mi edición de *Los Complementarios*. Cfr.: Carlos Clavería, *Notas sobre la poética de Antonio Machado*, apud *Cinco estudios de la literatura española moderna*. Salamanca, 1945, págs. 93-116; Zubiría, *op. cit.*, págs. 137-146.

[7] En 1921 le dedicó Machado un espléndido soneto. Cfr. Pablo de A. Cobos, *Machado en Juan de Mairena*, ya citado.

[8] Macrì (págs. 1249-1250) da antecedentes literarios del nombre de Guiomar. Sin embargo, no cita el que puede haber tenido más eco en el recuerdo de Machado: Guiomar era la esposa de Jorge Manrique, el poeta bien amado por Antonio (vid. Macrì, págs. 208-209).

Mientras, Machado es una pura renuncia. Su vida ya no puede remontar la corriente («reo de haberte creado, / ya no te puedo olvidar») y el poeta escribe su propio desengaño. Las cancioncillas no llevan sino la amargura y el dolor del poeta. Después, la guerra dio el corte definitivo. Un soneto lleno de belleza y de nostalgia, y un velo discreto, que lastima levantar:

> De mar a mar entre los dos la guerra,
> más honda que la mar. En mi parterre,
> miro a la mar que el horizonte cierra.
> Tú, asomada, Guiomar, a un finisterre,
>   miras hacia otro mar, la mar de España
> que Camoens cantara, tenebrosa.
> Acaso a ti mi ausencia te acompaña.
> A mí me duele tu recuerdo, diosa.
>   La guerra dio al amor el tajo fuerte.
> Y es la total angustia de la muerte,
> con la sombra infecunda de tu llama
>   y la soñada miel de amor tardío,
>   y la flor imposible de la rama
> que ha sentido del hacha el corte frío.

Guiomar había querido ser entrevista de algún poema (el CLV, el CLXII, el III de los *Sueños dialogados*, etc.). Para mí, son —unos— anécdotas líricas que más bien traen el recuerdo de Leonor; otros, por falta de emoción, literatura; por último, sí, Guiomar[9]. En 1928, Machado conoció a Guiomar en Segovia, con ella siguió viéndose en Madrid; era la escritora Pilar de Valderrama, a la que elogió en *Los Lunes del Imparcial*[10], y a la que Manuel Machado dedicó un soneto *Eco Prólogo*[11].

Después vinieron otras poesías —¿de circunstancias diría Goethe?—, pero los ciclos ya no podían modificarse. Estaban cerrados años atrás. Se llamaron *Soledades y Galerías, Campos de Castilla* y *Nuevas canciones*. También, Abel Martín y Juan de Mairena. Entre esos títulos, años y años de emoción y tristeza, de soledad

---

[9] Vid. Concha Espina, *De Antonio Machado a su grande y secreto amor*, Madrid, 1950 (cartas incompletas para evitar la identificación de la mujer amada); Zubiría, *op. cit.*, págs. 119-126.

[10] José Luis Cano, *Poesía española del siglo XX: De Unamuno a Blas de Otero*, Madrid, 1960, págs. 63-130; Justina Ruiz de Conde, *Antonio Machado y Guiomar*, Madrid, 1964; Macrì, *op. cit.*, págs. 51-52.

[11] Valverde, ed. cit., pág. 86.

y amor a España[12], de retazos de vida y de fluir nacional. Nosotros podemos reconstruir ahora muchos de esos pasos, los que sustentaron la vida de un hombre bueno, y esa vida nos dejó la lección de su poesía y el ejemplo de su conducta.

(Contra la flecha que el tahúr tiraba
al cielo, creo en la palabra buena.)

---

[12] En *El porvenir castellano* (Soria, 10 de marzo de 1913), don Antonio publicó un artículo *(Sobre pedagogía)* muy lleno del espíritu de la Institución. Éstas son sus últimas palabras: «Si las escuelas no han de ser ineficaces —y bien pudieran serlo aun duplicando su número— han de servir para formar españoles. Pero ¿sabemos nosotros lo que es o puede ser un español?» (cito por Rodrigo Álvarez Molina, *Variaciones sobre Antonio Machado: el hombre y su lenguaje*, Madrid, 1973, pág. 109).

La imaginación simbólica, dice Virgilio Melchiorre, tiene su forma más alta en el ámbito de la expresión artística, pero el papel de la imaginación será tanto más esencial cuanto no pueda reducirse a la parcialidad de un dominio por privilegiado y noble que en sí mismo lo consideremos[1]. Nosotros podemos transportar esa capacidad imaginativa hasta los límites del símbolo o del mito y entonces podemos convertir la anécdota en un oscuro y misterioso anticipar, que cobrará sentido en el decurso del tiempo. He intentado presentar a un poeta cercano a nosotros: cercano cronológicamente, cercano por la validez de su mensaje lírico, cercano por sus lecciones íntima y civil. Antonio Machado ya va siendo historia (más de treinta y cinco años hace que calló su «corazón sonoro»), pero próxima para que aún tengamos testimonios de quienes vivieron con él. Por eso podemos acercarnos al hombre y a la obra; no hacer arqueología, ni gacetilla cotidiana: es un pedazo de nuestra historia cultural más próxima, pero historia —la de Machado— cerrada ya. Las anécdotas, desde el principio hasta el fin, las vemos con un sentido que la demasiada cercanía lo hubiera convertido en trivialidad y, sin embargo, las poseemos vivas, trabadas, condicionadas y condicionantes, no como silva de varia lección, heterogénea y dispersa.

En la literatura simbólica, el mar es lugar de nacimiento, de transformación y de renacer; es el vientre materno del que se surge hacia la luz. Pero en las aguas, la presencia de delfines hablan de regeneración, sabiduría y prudencia. No en vano, delfines había —y el símbolo no cesa— cerca del trípode de Apolo en Delfos. Pero también el mar podía dar testimonio de luchas y pasiones, de muerte si no se sabía surcar: por eso los cretenses cabalgaban sobre delfines para alcanzar la morada de la eterna quietud. El origen remoto de Machado estuvo signado por aguas y delfines;

---

[1] *L'immaginazione simbolica*, Bolonia, 1972, pág. 10.

su fin, a la orilla del mar, cerca de unas barcas de pescadores. Y, entre medio, el tiempo que lo torturó. Pero dejemos la palabra a Juan de Mairena; para que valga el símbolo, el tiempo preciso no cuenta: algo así como el relato folklórico anclado en unos años en que fueron posibles todos los prodigios:

> Otro acontecimiento, también importante, de mi vida es anterior a mi nacimiento. Y fue que unos delfines, equivocando su camino y a favor de marea, se habían adentrado por el Guadalquivir, llegando hasta Sevilla. De toda la ciudad acudió mucha gente, atraída por el insólito espectáculo, a la orilla del río, damitas y galanes, entre ellos los que fueron mis padres, que allí se vieron por vez primera. Fue una tarde de sol, que yo he creído o he soñado recordar alguna vez[2].

Y el mar vuelve a aparecer. Con el ejército republicano en retirada, el 27 de enero de 1939, van unas sombras humanas. Aún dura la de aquella muchachita que se casó en 1873, pero ahora es una pobre mujer huyendo en una ambulancia. Los fugitivos quedan abandonados en la frontera. Diluvia. Los papeles del hijo se dejan en el vehículo. («La madre de don Antonio, de ochenta y cinco años, con los cabellos mojados, era una belleza trágica.») Les dan pan blanco y queso. En un coche puede entrar el poeta enfermo; sobre sus rodillas se acomoda la madre. Los dos van hacia la morada de la eterna quietud; no sobre delfines, sino a través de funcionarios burocráticos. Cerbère, Colliure. Ya era el 28 de enero. Una sola vez salió el poeta de la pensión; viendo las barcas de pescadores dice a su hermano José: «¡Si pudiera vivir detrás de una de estas ventanas, libre de todas preocupaciones!» El 15 de febrero empeoró[3] y moría una semana después. Los símbolos vuelven: era un miércoles de ceniza, frente quedaba el mar. La madre, tierra, mar, soledad desde 1893, ya no hacía falta para más desamparos; era la lamparilla que se extinguía cuando se consume el aceite. Tres días después, el 25 de febrero, iba en busca del hueco recién abierto para el hijo. Entre aquel jubiloso salto de delfines y este mar gris de febrero había vivido un grandísimo poeta. Eran unos años — ¿muchos, pocos? — en los que el tiempo no se detuvo, pero que ahora, al contemplar una obra sin límites, se nos antojan muchísimos, o muy pocos para lo que quisiéramos tener. El último

---

[2] *Juan de Mairena*, t. II, Buenos Aires, 1942, págs. 39-40.
[3] Vid. Macrì, pág. 60.

verso del poeta, solo, aislado, reza simplemente: «Estos días azules y este sol de la infancia.» Volvía el tiempo, el gran tema de Machado; pero buscando premoniciones en sus versos — ¿cuántas veces se recordó el *Autorretrato?*—, la mañana del 24 de febrero había sido entrevista y, fatal, se había cumplido.

(Y encontrarás una mañana pura
amarrada tu barca a otra ribera)
(XXI)[4]

---

[4] Ana Ruiz y Antonio Machado se casaron el 22 de mayo de 1873; Manuel les nació en agosto del 74, y Antonio, el 26 de julio del 75, en el palacio de Las Dueñas, que el poeta había de evocar bellísima y emocionadamente. Después los hijos aumentan, hay dificultades económicas, viajes. Traslado familiar a Madrid (1883), estudios en la Institución Libre de Enseñanza. Muere el padre el 93. Antonio hace teatro con Fernando Díaz de Mendoza. En junio del 99, París; regresa en octubre. Vida literaria en Madrid (Villaespesa, Rubén, Juan Ramón, *Azorín*, Valle-Inclán). Catedrático de francés en Soria (1907-12); conoce a Leonor Izquierdo Cuevas el 21 de septiembre de 1907 (la niña tenía trece años), y se casan el 30 de julio de 1909. La Junta de Ampliación de Estudios lo envía a seguir un curso con Bédier, pero deja la filología por la filosofía: asiste a las clases de Bergson. Leonor tiene una hemoptisis y Rubén ayuda económicamente al matrimonio para que pueda regresar a Soria; muere la esposa el 1.º de agosto de 1912. Machado se traslada a Baeza (1912-1919) y se licencia en Letras (1917). En 1919 marcha a Segovia, donde permanece hasta 1932. Colabora con su hermano Manuel en varias obras teatrales (1926-1932). Conoce a Guiomar en Segovia (1928); es elegido académico (1927) y, aunque en 1931 tenía escrito parcialmente su discurso de ingreso, nunca llegó a leerlo. Se traslada al Instituto Calderón de la Barca de Madrid (1932) y luego al Cervantes (1935). Durante la guerra manifestó su adhesión a la república a cuya causa sirvió con entusiasmo. El fin, ha quedado transcrito. (Para la biografía de Machado, véase Miguel Pérez Ferrero, *Vida de Antonio Machado y Manuel*. Madrid, 1947; José Machado, *Ultimas soledades del poeta Antonio Machado*, 1940.)

Del modernismo americano

Unamuno y Delmira Agustini

I

Mi trabajo *Amado Teótimo*[1] fue motivado por una carta de Unamuno a Delmira Agustini. Pero la carta, transcrita en *Los cálices vacíos* (1913) y en un libro de Clara Silva *(Genio y figura de Delmira Agustini*, 1968), no estaba completa, ni se incluía en los epistolarios de Unamuno, a pesar de su excepcional valor para numerosos motivos: relaciones de dos estéticas contrapuestas, magisterio de don Miguel, teoría literaria del gran escritor, etc. En los comentarios con que redacté mi estudio creo que pude aclarar muchas cosas y explicar otras. Sin embargo, a pesar de cuanta diligencia puse entonces, no conté con una copia íntegra del texto. Hoy puedo transcribirlo en su totalidad y dejar contestadas algunas interrogantes de las páginas escritas por don Miguel. Lo sorprendente en las ediciones anteriores son tantas y tantas mutilaciones y, por otra parte, las correcciones que se hacen al original. Creo útil volver sobre el texto, transcribirlo íntegramente, identificar sus referencias y situarlo dentro del marco que pusieron mis comentarios anteriores. Las páginas enviadas por Unamuno fueron éstas:

15.IV.10[2]

Sra. D.ª Delmira Agustini

Señora[3]: Abrí sus «Cantos de la Mañana»[4] [con el recuerdo de otras poetisas orientales que he leído en una colección. (Entre

---

[1] Está incluido en los *Estudios y ensayos de literatura contemporánea*, Madrid, Grados, 1971, págs. 177-203.

[2] En el ángulo superior izquierdo, el membrete dice: El Rector de la Universidad de Salamanca, Particular.

[3] En *Los cálices*, se corrige: *Señorita.*

[4] En *Los cálices*, falta todo lo comprendido entre [ ].

ellas recuerdo ahora a[5] Eugenia Vaz.) Y vi lo primero que es[6] musa hispana, gitana su sangre y teutón el rubio vaso.

Alma que cabe en un verso
mejor que en un universo[7]

¡Qué intra-femenino[8], es decir, qué hondamente humano es esto! *Las noches son caminos negros de las auroras...*[9] Sí, por la noche se va mejor.

[10] [No sé donde, pero en alguna parte he expuesto el ensueño de que en la otra vida vivamos al revés, hacia el pasado, que retroceda el Tiempo.[11]

¡Fuerte como en los brazos de Dios![12]

¡Qué poético, es decir, qué íntimamente verdadero es esto! Y los brazos de Dios son la soledad.

De las mil cosas, unas sublimes y otras grotescas, que a la luna se le han dicho pocas más poéticas que llamarle «prometida del Misterio»[13]. La luna es la Esfinge del cielo.]

Sí, por mi parte sé lo que es llevar dentro una estrella dormida que nos abrasa sin dar fulgor[14]. [Y esa extraña obsesión[15] que tiene

---

[5] Clara Silva añade María.

[6] Tachado *sum*.

[7] Versos 13-14 del poema *Fragmentos (Cantos de la mañana*, pág. 156). Las citas de Delmira las haré siempre por mi edición de las *Poesías Completas*, Textos Hispánicos Modernos, Barcelona, 1971.

[8] *Los cálices* leen *extra-femenino* y Clara Silva, *intrafemenino*.

[9] Verso 12 del fragmento I de las *Elegías dulces* (pág. 157).

[10] *Los cálices* no incluyen el largo fragmento que encierro entre [ ].

[11] Clara Silva lee *tiempo*. En cuanto a las ideas que aquí se expresan, vid. mi *Amado Teótimo*, págs. 193-195.

[12] Fragmento del v. 7 de *La barca milagrosa* (pág. 159).

[13] En el *Ex voto* titulado *A una cruz* están los vv. 11-13, de donde procede el sintagma que cita Unamuno:

La Luna alzaba dulce, dulcemente
El velo blanco, blanco y transparente
De prometida del Misterio [...]
(pág. 166)

[14] *Los cálices* y Clara Silva subrayan desde *una estrella* hasta *dar fulgor*, pues, en efecto es una cita casi literal. Procede de *Lo inefable* (vv. 7-8):

¿Nunca llevasteis dentro una estrella dormida
Que os abrasa enteros y no daba un fulgor?...
(pág. 168)

[15] Cfr. *Amado Teótimo*, pág. 198. Todo lo que hay entre [ ], a partir de la nota que he puesto en el texto, falta en la edición de *Los cálices*.

usted de tener entre las manos unas veces la cabeza muerta del amado, otras la de Dios[16]. ¿No está ésta[17] también muerta? Acaso su cabeza sí; pero su corazón no. Dios discurre con el corazón.]

> * *¡Y se besaban hondo hasta morderse el alma!*[18]

¡Y el alma suele morir de estas mordeduras!*[19] [Es lástima que para rimar haya usted hecho aguda la voz *ananque* (᾽ανάγκη) que es llana en griego y debe serlo en castellano. Lo otro es leerla a la francesa. También está de más la K.][20]

> *Engastada en mis manos fulgurada*
> *como oscura presea, tu cabeza...*[21]

[¡Y vuelve a la misma obsesión!][22]. Sí, de la cabeza fluye una vida ignota. El hombre, dicen, tiende a convertirse en un hipertrófico cerebro servido por órganos. [El vestido redujo la estatuaria al busto...][23]

---

[16] En mi artículo anterior escribí a este respecto:

> Y bien se ve cuando, comentando algunos versos de *La intensa realidad de un sueño lúgubre*, de *Lo inefable*, *Tú dormías...* [páginas 165, 168, y 178] vuelve a sus propias meditaciones, forzando mucho una interpretación que difícilmente podrá darse a los versos de Delmira [...]. En el *Diario íntimo* ha ido punteándose esta misma idea: un Dios amor, etc. (págs. 198-199).

[17] *Ésta* falta en Clara Silva. Para la ideología de Unamuno en este punto, vid. *Amado Teótimo*, pág. 198.

[18] Delmira puntúa así su verso: *Y se besaban hondo ¡hasta morderse el alma!...* (apud. *El nudo*, v. 7, pág. 176).

[19] Falta en Clara Silva todo lo encerrado entre * *

[20] Ninguna de las ediciones anteriores tiene lo que ahora incluyo entre [ ]. La palabra *Ananké*, rechazada por Unamuno, figura como última del poema *El nudo* (pág. 175). Por lo demás, Delmira no anduvo sola en la transposición de la voz griega; véase la nota de Méndez Plancarte al poema *Anagke*, de Rubén, con referencia explícita a Delmira (Rubén Darío, *Poesías completas*, Madrid, 1968, página 1177).

[21] Son los versos iniciales de *Tú dormías...* (pág. 178). Unamuno leyó mal (*oscura presea* en vez de *extraña presea*); Clara Silva restituyó lo que escribió Delmira, no así los editores de *Los cálices* que se atuvieron al manuscrito de don Miguel.

[22] Falta en *Los cálices* el comienzo de este renglón (lo que incluyo entre [ ]).

[23] En las dos ediciones anteriores falta lo encerrado entre [ ].

Y ahora, después de estas fugitivas notas, escritas mientras leo su libro, no quiero leer las «Opiniones sobre la poetisa». ¿Para qué? Voy a leer el otro, «El libro Blanco». [Lo abro ahora mismo y anoto:

He leído las dos composiciones.][24] No tienen ni la intensidad ni la intimidad de las de su otro libro. Ha progresado usted, es decir ha vivido.

[[25] *¡Si mi labio está aún dulce de la oración que os llama!*[26] ¡Muy poético! *Y luego el devoto se relame los labios. La oración endulza al alma; y la embalsama para la muerte.*[27]

La rima es el tirano empurpurado.[28]

De esto le escribiría todo un libro*[29], pero como pienso escribir de ello... Además ya en mis *Poesías* dediqué un soneto a la rima, a esa *rima generatrice* y desviadora[30]. Da una asociación de ideas externa. Y otra parte ¿porqué no habíamos de usarla independientemente del ritmo, disociada de él, repartida entre los versos, pero no a los finales? Esto daría una nueva orquestación.*]

La poesía a «La Estatua» me recuerda algo que he escrito titulado «Calma» y que aparecerá en mi segundo [y nuevo][31] tomo de poesías[32]. [¿Y no ha pensado, usted en lo de tener una cabeza de mármol, de mármol frío y duro, entre las manos?

¡La forma es un pretexto, el alma todo![33]

¿Y si el alma no fuera más que forma? Todo es forma, forma más o menos íntima; forma el ropaje, forma la piel, forma la en-

---

[24] Clara Silva no transcribe lo señalado con [ ]. Cfr. *Amado Teótino*, pág. 195.
[25] Desde aquí hasta el final marcado con el cierre], falta en Silva.
[26] Esta lectura pertenece a los *Cantos de la mañana*; vid. *Noche de Reyes* (v. 12, página 73 de mi edición).
[27] Lo comprendido entre * * no está en *Los cálices*.
[28] Este verso abre el poema *Rebelión* (pág. 75). Sobre el sentido que le hace tener Unamuno, vid. *Amado Teótino*, págs. 190-192.
[19] Desde este asterisco hasta el que aparece junto a] falta en *Los cálices*.
[30] Sobre este punto volveré más adelante; ahora me remito a esas líneas (páginas 77-79 de este volumen). Cfr. *Amado Teótino*, págs. 190-192.
[31] Falta en Clara Silva.
[32] Cfr. *Amado Teótino*, págs. 186-189.
[33] Verso inicial de *Al vuelo* (pág. 84, donde doy alguna información sobre el poema).

carnadura, forma las entrañas. Lo que hay es que los que se dicen cultores de la forma lo son de la más externa. Entre mis pobres versos, prefiero los más informes, es decir, los de forma más pura.

Mi musa tomó un día la placentera ruta[34], etc.

Despéinela usted y quítele las galas parisinas; muéstrenosla desnuda. Es lo que ha empezado a hacer en sus «Cantos de la mañana» donde ya se ha librado de no poca retórica que hay en este «Libro Blanco». De aquí el progreso. Ha ahondado en la forma; del ropaje pasó a la encarnadura. ¡Aún más dentro!][35]
*Tal llega a amarse un gran dolor amigo...[36]

¡Cómo que se vive de él...!*[37]
[«El poeta y la ilusión», pág. 55. ¡Esto sí que es retórica y forma la más externa y puramente formal! ¡No, cosas así, no!][38]
*[39] Sin el espectro destructor del tiempo...[40]

¡Sí, sí, esa es mi canción!

[*[41] sin el fantasma eterno del mañana...*[42]

¡Esto no! Lo malo del tiempo es el pasado. Lo grande es el porvenir, el eterno porvenir, el que jamás se hace pasado; lo santo es la eterna esperanza, la que jamás se convierte en recuerdo.

---

[34] Comienzo de un texto sin título, incluído en la pág. 98 de mi edición. Se trata de un soneto independiente, que fue mal interpretado en las impresiones de Zum Felde y *Oficial* (cfr. la nota que pongo a *Mi oración*, págs. 96-97 de los Textos Hispánicos Modernos).

[35] Falta en *Los cálices* este larguísimo fragmento (comienza tras mi llamada a la nota 32). Para lo que estas líneas —sobre todo las que comentan el verso *Mi musa tomó un día*, etc.— significaron para Unamuno, vid. *Amado Teótimo*, pág. 185.

[36] Verso 22 de la *Tarde pálida* (pág. 108), poema no incluído en *Los Cálices vacíos*.

[37] Faltan en Clara Silva las líneas insertas entre * *

[38] Falta en *Los cálices*. Cfr. *Amado Teótimo*, pág. 185.

[39] Clara Silva mutila enormemente el texto de Unamuno: casi una carilla de las tres y algo de que consta el original. Y elimina muchas líneas que son fundamentales para el pensamiento de don Miguel. La supresión va desde este asterisco inicial hasta el que figura junto a * en «el dolor ajeno».

[40] *Evocación*, v. 43 (pág. 113).

[41] Falta en *Los cálices* todo lo que encierro entre [ ].

[42] Verso 44 de *Evocación*, pág. 113.

Fue la Esperanza la que creó los mundos. Vivir es esperar. La fe, dice San Pablo, es la sustancia de la esperanza. ¡No!, la esperanza es la sustancia de la fe, como el pasado es la sombra del porvenir. Se cree lo que fue; se espera lo que será. Voy a componer, fundiendo esta metafísica en poesía, un canto a la Esperanza.]

«Misterio[43]: ven...[44]» [De esto no puedo decirle nada porque... Si usted conoce algo mis poesías llenará estos puntos suspensivos[45].] Sí, eso del más allá es la fuente de toda poesía.

[Hoy día 16[46].]

¡Sobre tus hombros pesará mi cruz![47]

Si no pudiéramos cambiarnos los hombres las cruces no viviríamos. El mejor modo de descansar del dolor propio es tomar sobre sí el dolor ajeno*.

«Desde lejos»[48]. ¡Muy bien! Sí, una mujer no puede ofrecer a un hombre nada más grande que su destino.

Y eso de

mi alma es frente a tu alma como el mar frente al cielo[49]

es de verdadera grandeza.

Y cierro éste libro; [[50] menos intenso y menos íntimo que el otro.

¿Impresión de conjunto? ¿Juicio total? Para qué. Sucede que es uno sincero y espontáneo en cada eslabón, y luego hace con ellos una cadena falsa. No, no quiero resumir ni sintetizar.[51]

---

[43] Una tachadura delante de esta palabra.
[44] Título de un poema incluido en las págs. 135-136 de mi edición.
[45] Nueva mutilación de *Los cálices*.
[46] *Ídem*.
[47] Verso 4 de *Íntima* (pág. 139).
[48] Título de un soneto incluido en la pág. 144. Unamuno se refiere a continuación a los vv. 10-11:

Yo puse entre tus manos pálidas mi destino...
¡Y nada de más grande jamás han de ofrecerte!

[49] También este verso pertenece a *Desde lejos* (pág. 144, v. 12).
[50] Todo lo que sigue a este [, falta en *Los cálices*.
[51] Cfr. *Amado Teótimo*, págs. 199-203.

Y ahora espero otro libro de usted. ¿Libro? Ya sabe usted lo que quiero decir. Porque esto de libro no dice lo debido.

Y espero que siga usted viviendo.]

Le saluda con toda simpatía de compañerismo.

Miguel de Unamuno.

II

El texto había sido transcrito sin ningún respeto y en las mutilaciones se llevó el viento alguno de los comentarios que don Miguel había hecho a propósito de la rima. Y no se me puede decir que no interesaban a Delmira, que tan preocupada anduvo por su estética modernista.

A los editores de *Los cálices vacíos* (1913) poco les importaba la crítica literaria y por eso se desentendieron de lo que no fueran elogios para Delmira. Más sorprende que Clara Silva mutilara un texto importantísimo, y lo mutilara con evidente perjuicio para lo que Unamuno creía y lo que Unamuno deseaba.

La correspondencia es una conversación, por más que cada carta se nos presente como un monólogo. Cierto que sin los versos de Delmira, don Miguel no hubiera escrito, pero cierto también, lo que interesa en don Miguel es lo que él piensa de la poesía, de la literatura, de la religión y de sí mismo. Prescindir de todo esto es dejar sin sentido a todo lo demás, incluido el juicio que le pudieran merecer los versos de la Agustini. Y es, además, ignorar quién era aquel hombre que se debatía en un eterno monólogo. Lo importante de sus cuartillas no eran tanto unos juicios sobre Delmira, sino el soliloquio que declamaba sobre el pretexto que se le ha dado. En definitiva, no creo que le entusiasmaran gran cosa los versos de aquella mujer apasionada, y se zafa sin emitir ninguna valoración. Lo que le importaba, a Unamuno, era su propio yo —literario y personal—; por eso, cuando estudié los retazos que teníamos de esta carta lo hice dentro de la obra de don Miguel y no como crítica literaria del modernismo. Verdad es que esto también se da, pero no con la intención de entender un quehacer estético, sino con los deseos de proyectar su propia personalidad. Es lo que nos sigue interesando: Unamuno como motivo, pues Delmira no pasó de serle un pretexto.

Y aquí queda una carta de la que dije que era importantísima. Ahora divulgándola en su integridad sigo creyendo en su valor, excepcional y único. Ojalá, desde estas páginas, alcance el conocimiento que se le ha negado y ocupe en el epistolario de don Miguel la dignidad que merece[52].

---

[52] La carta de Unamuno se había impreso, que yo sepa, en una rara ocasión antes de las dos que he comentado, pero no se había difundido; me refiero a la versión mutilada del diario *La Razón*, de Montevideo (20-V-1910). En 1968, la revista *Fuentes* (págs. 32-35) publicó el texto íntegro de Unamuno en el número de agosto, único aparecido.

Un poema desconocido y otros olvidados
de Delmira Agustini

UN TEXTO INÉDITO

A raíz de ser publicada mi edición de las *Poesías* de Delmira Agustini, Agustín de la Hoz, excelente escritor lanzaroteño, tuvo la gentileza de enviarme un texto de la poetisa que yo no había incluido. Era cierta la ausencia, pero creo que merece la pena intentar explicar el poema.

Al hacer mi compilación, me atuve al propio criterio de Delmira: editar lo que ella recogió en libro, o con mis palabras de entonces:

> Esta edición es —auténticamente— la de las *Poesías completas* que Delmira preparó. Fielmente he respetado su voluntad, sin modificarla ni discutirla. Nada de ello sería lógico: quien crea sabe bien los motivos de su criterio, y los investigadores debemos detenernos ante ellos. De otro modo, ni se podrá entender la creación ni nuestro trabajo podrá ser hacedero[1].

Quedaban fuera los poemas de *La Alborada* y los de ediciones tan problemáticas como *El rosario de Eros* y *Los astros del abismo* (1924). Creo que merece la pena ir recogiendo todos los materiales dispersos para ordenar —cronológicamente— la *Poesía completa* de Delmira. A este intento pretenden colaborar las notas de hoy.

Fechado en enero de 1907, y en Montevideo, está el poema que copio a continuación:

SURCOS ARDIENTES

A Isaac Viera

Poeta desconocido,
de lejas tierras venido
como un sonoro huracán,

---

[1] Delmira Agustini, *Poesías completas*. Textos Hispánicos Modernos, Barcelona, Labor, 1971, pág. 61.

acá para tus simientes
5 hay hondos surcos ardientes,
veneros para tu afán.

Bienvenido, bienvenido,
tus versos para mí han sido
el suave envío augural
10 de una maga y magna Flora
en la garganta canora
de una copa de cristal.

Que el Plata azul te sonría
y puedas contar un día
15 allá en tus tierras lejanas
que estas almas y estos puertos
tienen los brazos abiertos
como las cruces cristianas.

En ninguna de las ediciones que tengo a mi alcance, ni en los repertorios en los que figura alguna referencia a la poetisa he podido encontrar ninguna traza de estos versos. Acaso quien disponga de unas facilidades que yo no tengo podrá llevar a cabo rastreos más afortunados. Pero, ciertamente, ni aunque alguna vez hubiera sido dado a conocer este poema se mejoraría la ignorancia en que ha estado yaciendo hasta ahora.

El profesor Roberto Bonada Amigó, a quien tanto deben los estudios sobre la poetisa uruguaya, se me ofreció para buscar en los fondos de Montevideo algún antecedente del texto que acabo de transcribir. En carta del 28 de febrero de 1975 me escribía el resultado de sus gestiones:

> Después de varias entrevistas con el Sr. A. Visca, encargado del Archivo[2] que custodia todo lo relativo a la poetisa, me comunicó, ya que él se encargó de la investigación, que en dicho archivo no figura Isaac Viera, periodista canario, entre los corresponsales de la poetisa y nada se sabe acerca de dicho periodista, así como tampoco hay rastros del poema *Surcos ardientes*.

Quede, pues, en este punto lo que yo puedo aportar en cuanto al texto que edito. Conste mi gratitud a los colegas que me ayudaron. Ahora, pasemos a esta banda del mar.

---

[2] Se trata del Archivo Nacional de Investigaciones literarias, en el Archivo General de la Nación.

¿Quién era Isaac Viera?

Mis relaciones con las Islas permitieron muy pronto llevar a cabo una investigación que dio seguros resultados. Encontré escritores que habían conocido, y tratado, a Viera y me perfilaron la imagen humana de un tipo bastante curioso[3]. Después, no fue difícil consultar archivos y bibliotecas. He aquí buena parte de cuanto yo sé:

Nació el 16 de septiembre de 1858 en Yaiza (isla de Lanzarote); fue bautizado dos días después. Tuvo dos hermanos[4], estudió en su pueblo y en Arrecife (donde su familia tenía un comercio) e ingresó en el Seminario Conciliar de Las Palmas. Abandonó los estudios y, en 1887, casó con una muchachita de dieciséis, Dominga Viñoly. Después de la boda, el matrimonio marchó a Montevideo donde tuvieron cuatro hijos. Por razones políticas huyó del Uruguay abandonando a su familia, con la que nunca volvió a reunirse. La salida de Montevideo, camino de La Habana, fue dentro de un baúl; lo recogió su hermana para traerlo a Tenerife. Volvió a Venezuela, con nueva huida política; se estableció en la Argentina y pretendió independizar el municipio de Lanús de la provincia de Avellaneda, aventura que acabó con una nueva escapada.

En 1914 estaba de vuelta en las Islas[5], y en agosto de 1919 consta que vivía en Tenerife[6]. Allí se quedó hasta la jubilación de su hermana en que regresaron para siempre a Arrecife, donde

---

[3] Agustín de la Hoz y Ventura Doreste fueron quienes me dieron las primeras pistas; después, Juan Rodríguez Doreste —fondo sin fin de anécdotas y saberes— amplió lo que por mi parte iba allegando; por último, Jesús Godoy, que tanto me ha ayudado siempre en Lanzarote, derramó su generosidad para resolverme —como siempre también— mil impertinencias. A todos debo en un trabajo tan modesto como el que ahora redacto; tal vez sea una lección de humildad (entre todos sabemos todas las cosas) y de amistad (el buen oro de las gentes de mis Islas).

[4] Esteban, muerto en la cárcel, y Leonor, maestra nacional, que cuidó del periodista hasta su muerte.

[5] Dirigía el periódico *Autonomista* en Arrecife. En él defendía la autonomía particular de cada Isla, frente a la regional, y se dice que cobraba treinta duros mensuales para atacar a quienes sustentaban otras ideas. Su descrédito literario y político fue grande cuando atacó a León y Castillo y a José Betancort *(Angel Guerra)*. En 1918 estaba al frente de *El Heraldo de Lanzarote*, de signo liberal y republicano, que —al decir de algunos— contaba con el apoyo de Galdós. En 1930, dirigió *La Patria*, de Tenerife.

[6] Arrienda la Casa de La Iglesia de Gáldar, propiedad del obispado de Tenerife.

murió el 18 de febrero de 1941. Quienes lo trataron en estos años recuerdan claramente su estampa: grueso y ancho, bienhumorado y ocurrente, buen conversador y bohemio, ingenioso en sus improvisaciones, gran comedor y catador de vinos. Su corpachón de hombros caídos iba cubierto por una larga gabardina gris, grasienta y ajada, chaqueta de bajos faldones, corbata chillona de grandes lazos y negro sombrero de alas, llenas siempre de moscas. Desde Arrecife, casi todos los días iba a Yaiza para platicar con su amigo el párroco Andrés Hernández, para sentarse bajo el árbol que aún se llama el «especiero de don Isaac» o para asistir a la tertulia que presidía en la taberna de la Magdalena. En Arrecife, se refugiaba en el bar de la Marina, donde recalaban sus amigos y, a veces, sus siete perros. Fue político republicano-liberal, según se confesaba, pero sus entusiasmos se apagaron con la guerra civil.

En el Museo Canario de Las Palmas y en la Biblioteca Municipal de Arrecife se pueden encontrar bastantes obras suyas: *Vidas ajenas* (1888)[7], *Palotes y perfiles* (1904)[8], *Por Fuerteventura. Pueblos y villorios* (1904)[9], *Costumbres canarias* (1916)[10], *Aires isleños* (1921). Hay otros folletos de menor cuantía y, se sabe, que en el teatro Mario Moreno de Buenos Aires representó, sin éxito, su comedia versificada, en un acto y de tema criollo, *El hábito hace al monje*.

Esta es la papeleta biográfica y literaria del periodista a quien Delmira Agustini dedicó las tres sextinas que he transcrito. Pequeño problema resuelto. Tal vez sin el hallazgo, en Arrecife, de los versos de la poetisa nadie se hubiera acordado de Viera, que hubiera ido a la soledad sin límites, como estaba en ella ya en los últimos años de su vida.

---

[7] Treinta biografías comentadas de personajes políticos canarios y de algún escritor de la época. Lleva prólogo de Patricio Estévanez y la primera semblanza del libro es la de Galdós.

[8] Biografías versificadas, con prólogo de Miguel Pereyra.

[9] Prosa y verso sobre pueblos y paisajes majoreros.

[10] Al parecer, su mejor libro, útil por los muchos materiales etnográficos que posee. Se reeditó en 1924.

II

Poemillas poco conocidos

Bajo la dirección de Ricardo Sánchez, los editores Dornaleche y Reyes publicaron el *Almanaque ilustrado del Uruguay*. En el correspondiente a 1910 —año de los *Cantos de la mañana*— hay un manojuelo de versos de Delmira que tampoco han sido divulgados. Creo que merece la pena unirlos a *Surcos ardientes* para facilitar, también ahora, el acopio de unos materiales diversos y poco leídos.

De Ricardo Sánchez son unas parvas líneas que figuran en las *Opiniones sobre la poetisa*, incluidas al final de los *Cantos de la mañana* («dice usted las cosas en una forma tan rara, pero tan linda, que uno siente profundo bienestar al escucharlas»[11]). Si no hubiera unas razones objetivas —el propio significado poético de Delmira— tal vez este testimonio del crítico, por trivial y parco que sea, pudiera explicar la inclusión de los versos en una publicación ocasional.

En las páginas 197 a 199 del volumen y con la firma Delmira Agustini, se incluyen los textos que transcribo seguidamente[12]:

De una confesión

¿Cuál es el hombre que ha hecho
más bien a la humanidad?

Ante un vértigo helante de la vida,
alguien abrió los brazos de la cruz...

---

[11] Página 189 de mi edición de las *Poesías completas*.
[12] El profesor Bonada Amigó, a cuya gentileza ya he tenido ocasión de referirme, me facilitó copia de los poemas.

Hombre, Dios o Misterio, su alma herida
por todo el Mal fue todo el Bien[13] : Jesús.

¿Qué ojos prefiere usted?

5   Ojos cansados, ojos tristes, ojos
como llagas de luz; aguas en calma,
en cuyo fondo irisan los despojos
de un naufragio ideal... — ¡todos los ojos!
Los ojos son la carne y son el alma[14].

¿Qué país prefiere usted habitar?

10   Un rincón del Oriente, una comarca
de maravillas bajo un sol risueño,
y al capricho inefable de un monarca
de manos de marfil y ojos de ensueño[15].

¿Qué personaje de novela o de teatro?

    Bergerac redivivo en el diseño
15   mágico de Rostand: vivió por dos:
amor, fealdad, soberbia, ensueño
se cebaron en él como en un dios[16].

---

[13] En el poema *A una cruz*, de *Los cantos*, se leen estas mismas palabras (vv. 22-23):
        Como cayó en tus brazos mi *alma herida*
        Por todo el Mal y todo el Bien: mi alma
        Un fruto milagroso de la Vida.
                       (pág. 167)

Vid. también, *Noche de Reyes* (pág. 73).

[14] Delmira ha utilizado una y otra vez en sus poemas el motivo de los ojos. Incluso en algún caso, con cierto parecido al que ahora se transcribe. Cfr. los Sonetos *La noche entró...* (pág. 169), *Fue al pasar* (pág. 177), *Tú dormías...* (pág. 178) y, ya en *Los cálices vacíos* (1913), los serventesios *En tus ojos* (págs. 205-206). Vid. las págs. 38-39 de la *Introducción* que puse a sus *Poesías completas*. Y, para no seguir insistiendo, el último verso del poemilla es el 16 de *Supremo idilio* (pág. 161).

[15] Una vez más, el exotismo modernista, los «paisajes remotos» de que, a propósito de Delmira, ya he hablado *(Introducción* citada, págs. 21-22). Con mayor precisión en este momento, habría que recordar *Arabesco*, poema de tópicos que incluyó en *El libro blanco* (pág. 95).

[16] En los *Cantos de vida y esperanza* (1905), Rubén Darío incluyó su archiconocido *Cyrano en España*. Eludo toda exégesis.

¿Cree usted que la dicha exista?

Como la espuma, en gasas tembladoras,
blancas hasta cegar, la dicha existe...
20   Espumas de la mar y de las olas...
¡Un sorbo amargo y el recuerdo triste![17]

¿Cuál es, según usted, el ideal
de la dicha terrestre?

La torre del Ensueño, las vidrieras
magnamente historiadas... Traslúcida
por un iris de diáfanas quimeras,
25   como un sueño lejano, ver la vida[18].

¿Cuál es su principal esperanza?

Nací en las cumbres de la vida, trágicas,
con el sello maldito de lo raro;
vivo siguiendo por sobre olas mágicas
el espejismos de un extraño faro...[19]

¿Qué animal le es a usted
más simpático?

30   Sonrisa de los cielos bajo el ceño
del universo siniestra florecida,
la primer golondrina!... Flor, ensueño,
música, amor, azar, toda la vida[20].

---

[17] La amargura del recuerdo es aducida una y otra vez por Delmira. Recuérdese, por ejemplo, *Tarde pálida* (págs. 107-108) o *De «Elegías dulces»* (págs. 157-158), donde logra muy bella expresión. Para cierto talante afín al de estos versos, vid. *Evocación* (pág. 112).

[18] Cierta proximidad temática creo que puede descubrirse en el soneto que empieza *Sobre el mar que los cielos del Ensueño retrata* (pág. 180).

[19] *Las cumbres de la vida* es un sintagma que aparece en el v. 5 de *Íntima* (página 139). En este poema de *Orla rosa* (última parte de *El libro blanco*) hay elementos que pueden ponerse en relación con los de la cuarteta: soledad, morir de ensueño, aspiraciones sobrehumanas. Vid. también, *Supremo idilio* (pág. 162), *Iniciación* (pág. 131).

[20] No creo que pueda silenciarse —por trivial— el recuerdo de Bécquer, presente en otros casos *(Introducción, ya citada, pág. 36, nota 106), como lo estuvo en Rubén.

¿Qué vicio detesta usted más?

¿Enfermedad del alma?... ¿ley suprema?
35 Perversión voluntaria... ¿o todo en uno?...
Yo no lo sé: suspensa ante el problema,
perdono todos, sin loar ninguno.

¿Le gusta a usted la poesía?

¡Mi torre de marfil, mi vida entera!
¡Frente al lado fatal, toda mi palma!
40 —La pregunta es traidora, 'yo dijera
lo mismo en otra forma: ¿tenéis alma?[21]

VERSOS RESCATADOS

Estos poemas de circunstancias tienen un aire gracioso y ligero. Si no añaden mucho a lo que sabemos de Delmira, lo confirman con ecos diferentes, y no es poco ver cómo se refleja en una cuarentena de versos ocasionales. Ella misma, en una especie de centón donde repite textos de los *Cantos de la mañana*, el libro editado en ese 1910, o donde entremezcla recuerdos de *El libro blanco* con ideas que están en los poemas suyos más recientes. La presencia de Bécquer, como un acompañamiento remoto, y la cercanía de Rubén Darío, imponiendo una valoración literaria, determinando una preferencia exótica o exigiendo una identificación vida = poesía, a la que Delmira fue fidelísima y en la que acabó por abrasarse. Versos de 1910, cuando el 6 de julio de 1914 no podía presagiarse, pero que estaba intuido en aquellas palabras que emocionan: *un sorbo amargo y el recuerdo triste.*

---

[21] La identificación de vida y poesía, en *Al vuelo* (págs. 84-85).

De novela actual

Noventayocho y novela de posguerra

I

Las páginas que siguen pretenden asomarse a la historia. Pero es una historia demasiado próxima para poder ver con claridad. Por eso es necesario limitar el campo para conseguir un poco de perspectiva, y coherencia con lo que se quiere decir. La novela española de la posguerra se enfrentó con una serie de problemas pavorosos: ruptura con un pasado inmediato, dispersión de los valores literarios, aislamiento. Hubo que intentar rehacer las cosas. Habían desaparecido de la escena española los grandes maestros: unos fuera, nunca llegarían a contar con su prestigio anterior; otros —indiscutidos siempre— habían quedado marginados del mundo oficial. La guerra mundial obligaba al aislamiento y el país tenía que autoabastecerse, pero los problemas no se resolvían así: no se noveló la guerra civil y apenas —Pombo Angulo, Giménez Arnáu— si nos asomamos a la otra; el aprovincianamiento cultural era el tributo que constreñía. Sin embargo, los novelistas españoles no podían limitarse a estas perspectivas. El futuro no era previsible para vivirlo desde el presente: bastante era con sufrir al día. Y sin posibilidad de esquivarlo, ese presente se iba convirtiendo en futuro: eran unos hombres que padecieron lo que no habían sufrido los de antes de la guerra ni los que hemos llegado después. Gracias a ellos, hoy podemos ver de una manera distinta e incluso nos sentimos dentro de una continuidad. Sin ellos, sin su comportamiento, las cosas hubieran sido de otro modo. Cuando nos enfrentamos con el quehacer literario, tenemos que buscar las raíces por las que aquellas gentes se alimentaban para hacer lo que hicieron, para que nosotros podamos ser de una determinada manera. Y resulta que en las fraguas oscuras de la creación individual siguió operando un determinado tipo de tradición, que permitió anudar los hilos rotos. Quisiera ver —sencillamente— qué pasado actuó sobre los novelistas que advinieron en los años inmediatos a nuestra guerra y cómo se denuncian esas presencias.

Por eso pienso en los hombres del 98 —y en ese antecedente que fue Galdós— y pienso cómo se iban trasvasando los vinos añejos para dar cuerpo a los nuevos. Después, las cosas no podrían ser del mismo modo. Por eso, el límite de mis comentarios se queda interrumpido por 1955, cuando surgen ya otro tipo de preocupaciones y la novela española comienza una andadura bastante distinta de la que ahora intento comentar.

II

Hace años, al comenzar un ensayo teórico, el novelista Gironella escribió: «Siempre he creído que lo primero que hace falta para ser un novelista es ser un hombre. Si el hombre falla, falla la obra»[1]. Estas afirmaciones se pueden aceptar, pero sin limitación: detrás de cada logro anda la humanidad que le da aliento. Al poema, al lienzo o al bulto. Incluso en los momentos de mayor «deshumanización», no hay otra cosa que problemática, medida con los alcances del «inventor» o del «creador»[2] hombre, también él, en los treinta y seis rumbos de la palabra.

Con un solo ejemplo quisiera aseverar. Cuando Erik Satie escribe sus ironías musicales *(Morceaux en forme de poire)*, trata a toda costa de burlar al hombre, pero éste, el hombre, palpita en cada una de sus piruetas con la misma ansiedad con que agoniza lenta, lentísimamente en los sostenidos del *Socrate*. Detrás de cada obra hay un Eolo mofletudo que le va dando su poco o mucho aliento, pero sin el hombre —de una u otra calaña— no sería posible botar la nave.

Tampoco es mucho más cierta la afirmación, si lo que Gironella quiere decir es un tipo determinado de hombre con unos contenidos que pudieran llamarse positivos. Entonces, cortada a cercén, quedaría ignorada una zona, tenebrosa desde la faz que nosotros iluminamos[3].

Sin embargo, a pesar de las reservas, buena es esta presencia del hombre como motivo de preocupación tan pronto como nos asomamos a la ventana abierta de unas cuartillas.

---

[1] *El novelista ante el mundo*, Madrid, 1953, pág. 7.

[2] Para el sentido de estas palabras, vid. Ortega, *Tiempo, distancia y forma en el arte de Proust*, apud *Obras* (1936) I, 716.

[3] En general, todas las afirmaciones de Gironella son excesivamente limitativas. Exactas en el fondo y en la forma, pero válidas para el poeta lírico con la misma licitud que para el autor de novelas.

Lo que adivino tras las líneas del novelista, no es la particularidad de un determinado género literario, ni tampoco la condición específica de un autor, sino algo que, participando de ambas cuestiones, es mucho más hondo: la preocupación del hombre por sus semejantes en tanto éstos pueden ser materia literaria. O si se quiere de otro modo: en la novelística que nos ocupa, la preocupación por el hombre es tema cardinal; por ello el narrador debe participar del dolor o de la alegría de sus contemporáneos y vivir con ellos la andadura literaria que crea y en la que se introduce. Bien es verdad que estos presupuestos adulteran en mucho lo que pudiéramos llamar contenidos estéticos de la novela: hay como una voluntaria limitación de posibilidades novelables y aun de elementos a considerar. Lo fundamental es el hombre, aunque saber cuáles son las condiciones inequívocas de la hombría sea cuestión difícilmente reducible a síntesis y sometida en todo momento a la arbitrariedad del subjetivismo.

Nos encontramos ya ante algo que debemos considerar tan pronto como nos acercamos a nuestras novelas de la posguerra: de una parte, el hombre vivo como elemento activo, para la posibilidad de la creación literaria; de otra, la distintiva valoración de esas condiciones humanas, según los deseos del autor. Tanto en el común denominador como en cada una de sus especificaciones, los caminos no son de absoluta novedad. Acaso se nos ofrezca esto como innovación frente a un tipo de literatura floreciente en otro tiempo. Novelas de positivos méritos como *Locura y muerte de nadie*, de Jarnés (1929); *Los terribles amores de Agliberto y Celedonia*, de Bacarisse (1931), o *Crimen*, de Espinosa (1934), hoy quedan perdidas en algo que podría llamarse «voluntad de estilo» a pesar de la humanidad palpitante que en ellas se encierra. Pero es que la preocupación estrictamente «literaria» anega cualquier otra posibilidad por trascendente que sea, sin excluir el unamunesco motivo de la novela de Jarnés.

Frente a este quehacer entreverado de vida y de ficción deshumanada, la novela de posguerra saltó hacia tiempos que latían con preocupaciones parejas a las suyas, y en los que, al ser español, se jugaba —siempre el cara-cruz de nuestra vida— sus más hondas razones de existir. No hay que forzar las cosas. Basta ver serenamente. Y dos guerras, por muy distintas que entre sí sean, dejan un poso demasiado afín en los hombres que las presenciaron. Por eso, en nuestra limitación española, vemos como prójimos a los hombres del 98 y no a los que cronológicamente anduvieron más cerca, y por eso el novelista posterior a 1940 se aproximó a las preocupaciones del abuelo, preñadas de insatisfacción y dolor por el hombre español, y no a las puramente literarias del predecesor. Así creo que se pueden explicar coincidencias de temas, e incluso de estilo, y es que en esas formas de novelar, acaso mejor que en ningún otro sitio, se vislumbra un claro sentido tradicional de arte. Con la guerra del 36 vinieron a quebrarse aquellas tendencias que podríamos llamar con lenguaje unamunesco «paisajes del intelecto», y se volvió a buscar —como en la evolución literaria de don Miguel— al hombre de carne y hueso para emprender, con él y por él, la nueva singladura que ahora vamos a surcar.

III

Todas las anteriores consideraciones han surgido en torno a la postura teórica de un novelista, que, como los de siempre, ha querido definirse claramente. Estamos con otro hombre. Ahora el entenebrecido Diógenes que, candileja en mano, va a llevar su lucecilla hacia los recónditos semejantes. La dualidad vital ha surgido: el creador y la criatura. Pero el creador literario necesita justificarse ante un juez —el lector— que le tomará buena cuenta del trato que dé a sus criaturas. Por eso, en seguida, la cura, aunque sea en salud. El novelista se sintió más lleno de responsabilidad, más necesitado de aclarar las cosas y por ello la advertencia previa —con los móviles, el alcance, la peculiaridad— de tantos libros de ficción[4], o la glosa socrática de la propia obra[5].

Pero si hace un instante la preocupación humana era algo que nos situaba ante la creación del escritor, es preciso ahora cerrar un momento este postigo para ver con qué medios iremos a caminar por la tiniebla, pues cualesquiera que sean los hallazgos de nuestra novela actual no se podrá negar su entronque con nuestra tradición histórica.

Nos llamará la atención ver la falta de interés que nuestra novela manifiesta hacia temas que pudiéramos llamar épicos —la guerra

---

[4] Cela, *Pascual Duarte* (5.ª ed.), Barcelona, 1951, y *Mrs. Calwell habla con su hijo*, Barcelona, 1953; Darío Fernández Flórez, *Lola, espejo oscuro*, Madrid, 1950; José Plá, *La calle estrecha*, Barcelona, 1952; José María Gironella, *Los cipreses creen en Dios*, Barcelona, 1953, y la conferencia que cito en la nota 1; J. A. Giménez Arnáu, *El canto del gallo*, Barcelona, 1954; etc.

[5] Limitándome a unas fechas que son ya historia: Cela (Ateneo de Madrid, etc.), Laforet (Universidad de Salamanca), Delibes (diversas conferencias), etc.

civil, la guerra mundial—, con independencia de cualquier condicionamiento marginal, y, sin embargo, su preocupación por el estudio individualizado de los seres; entonces tendremos que evocar —inmediatamente— a los novelistas del 98. Reiteradamente nos ha hablado Unamuno de la necesidad sentida de encontrar libros que hablen como hombres, contra hombres que tradicionalmente hablan como libros. Unos versos suyos encerraban, en 1907, algo que había de evolucionar más tarde en función de la novela:

> Y si ello así no fuera
> si estos mis cantos — ¡pobres cantos míos!—
> jamás han de decir a mis hermanos
> si no esto que me dicen a mí mismo,
> entonces con justicia
> irán a dar rodando en el olvido[6].

Para salvar, y salvarse con ellos, a sus entes de ficción ideó don Miguel un tipo de novelas esquemáticas en las que no hubiera otra cosa que procesos espirituales, como en *Abel Sánchez*. Suyas son estas palabras:

> El que siguiendo mi producción literaria se haya fijado en mis novelas, excepción hecha de la primera de ellas en el tiempo, de *Paz en la guerra*, habrá podido observar que rehúyo en ellas las descripciones de paisajes y hasta el situarlas en épocas y lugar determinados, en darles color temporal y local[7].

Justamente éste es un camino abierto a la nueva novelística y, por poco que pensemos, *Nada menos que todo un hombre* nos asaltará en todas las encrucijadas. Es sintomático que alguna narración se titule, simplemente, *Un hombre*, como la novela de Gironella[8] o que se llegue a la exaltación de *San hombre*[9].

---

[6] *Poesías*, Madrid, 1907, pág. 16.

[7] *Andanzas y visiones españolas*. Col. Austral, núm. 160, pág. 9.

[8] Se publicó en Barcelona, 1947 (había sido premio «Nadal» el año anterior). Darío Fernández Flórez, al hacer la crítica de la novela, facilitó las siguientes líneas biográficas: «La personalidad del autor, de José María Gironella, es francamente curiosa. Desde los doce años, edad en que abandonó el Seminario, no ha hecho estudio oficial alguno. Después ha sido aprendiz en una fábrica de licores de San Feliú de Guixols, botones en la Sucursal de una Banca de Gerona, soldado en un batallón de esquiadores durante la guerra, marchante en cuadros, almacenista trapero y, finalmente, librero de lance y editor en Gerona» (*Crítica al viento*, Madrid, 1948, pág. 103).

[9] Novela de Manuel Iribarren (Madrid, 1943), muy discutible en todos sus planteamientos.

Un hombre es la primera novela de José María Gironella. La segunda edición del libro[10] es realmente una nueva versión —*Otro hombre*, como confiesa el mismo autor[11]—. Esta reelaboración de su propia obra habla del concepto en que Gironella tiene la misión del escritor. Sin embargo, queda viejo lastre en la nueva variante: era inevitable, porque la novela estaba pensada y escrita con todas las deficiencias de la obra primeriza[12]. Por más que el desarrollo de la novela se apoye en el fino análisis espiritual del alma de Miguel y sus barquinazos tras la muerte de Eva, pienso no tanto en las nivolas cuanto en desarrollos menos fáciles de encontrar. La primera parte de la obra me ha hecho pensar siempre en *El último puritano*, de Santayana. Me inclinaría a pensar en una influencia menos que difusa[13]: el desencanto ante la vida, los sentimientos paralelos de madre e hijo, el carácter (irresolución, escepticismo, amor al recuerdo, hiperestesia), la falta de concreción, la animadversión a las convenciones sociales. Otros detalles son también significativos: el hijo sometido a la sombra del padre o de la madre, que condiciona su actuar; la situación económica, los

---

[10] Colección Ancora y Delfín, Barcelona, 1954.

[11] Cito por la 3.ª ed., pág. 7.

[12] En la nota 8 he cuidado de copiar el testimonio de Darío Fernández Flórez que nos es de valor decisivo en este momento: una vez más se confirma la vieja sentencia de que el novelista en agraz escribe autobiografía. En verdad, Miguel, el protagonista, fue novicio jesuita —seminarista también el Ignacio Alvear en *Los cipreses*—, librero de lance, su madre era marchante en cuadros... Toda una experiencia personal vertida en el quehacer del escritor. Con esto no quiero decir que la novela sea autobiográfica. Tan sólo indicar la posibilidad de que, en ocasiones, no sea demasiado gruesa la sutura que une vida y fantasía. O, si de otro modo se quiere, diré que el mundo novelesco, aquí narrado, depende de la realidad mucho más directamente que de la ficción. Así veo las novelas de apariencia más acusadamente autobiográfica; por ejemplo, *La moneda en el suelo*, de Ildefonso Manuel Gil (Barcelona, 1950). Gracias al conocimiento directo de unas cuantas realidades, Gironella hace que las páginas que les dedica sean de lo más bello de la novela. Sin embargo, en contrapartida, son flojas —páginas insulsas de *Baedecker* o de *Guide bleu*— las peregrinaciones del «Circo Sansón» a través de una geografía entrañable: Coblenza, Maguncia, Munich, Salzburgo, Viena.

En la segunda versión quedan, todavía, algunos absurdos: que la esposa ignore los nombres de su marido, que el hijo desconozca las cosas de su madre (pág. 108), decir que Miguel no conocía la montaña sino de oídas (pág. 115), aunque había estudiado varios años en Lecároz, amén de los esfuerzos didácticos de la madre para explicar historia al hijo, etc. Hay algún lapsus geográfico: Veruela está en la provincia de Zaragoza y no en Navarra, como se dice en la pág. 82.

[13] Los dos tomos de la obra del filósofo se publicaron en Buenos Aires en 1940 (con reediciones en 1945 y 1951). Cronológicamente no hay, por tanto, ninguna dificultad.

viajes, el sentimiento del mar, etc., son elementos a considerar en ambas narraciones. La posible influencia acaso haya que llevarla también a un terreno estrictamente técnico: los pequeños detalles que sirven —con igual eficacia en los dos narradores— para definir apuradamente la personalidad de sus protagonistas.

Una obra —entre varias posibles— nos ha servido para caracterizar la presencia unamunesca en el proceso espiritual de un hombre. La inducción —paladinamente— se expresaba desde fuera, bajo el cobijo de los títulos. En función de ellos, la conducta que los motiva. Más difícil es enfrentarse con estos nexos desde dentro. Cuando hablo de relación o enlace no pretendo menoscabar valores ni quitar originalidad, cosas —ambas— que a mi modo de ver no tienen mucho sentido, y que conducen a desairados yerros. Busco ahora establecer esa continuidad histórica que tuvo la novela española de la posguerra con unos autores que, oficialmente marginados, condicionaron, en unos, su manera de escribir; en otros, su propia condición de ser. Cada uno tiene su manera de interpretar el hecho literario, pero nadie inventa todo, sino que perfecciona lo que le dan y levanta la talla del escritor. Ni más ni menos a como Bernard Shaw intentaba explicar a Shakespeare.

La dificultad de interpretar estas vinculaciones desde dentro está en lo sutil de las ataduras. No resulta difícil caer en exageraciones que nos priven de luz. El crítico no siempre ve con claridad, buscando lo que pueda ser exótico o prestigioso. Entonces es el propio novelista quien nos hace ser precavidos. Cuando hace casi treinta años se publicó *Pabellón de reposo*, surgieron parangones extraños, aunque, pregunto, ¿quienes los echaban sobre el tapete habían leído aquello de que hablaban? Y fue el propio Cela quien nos vino a decir paladinamente

> *Pabellón de reposo* es un intento —no nuevo en las modernas letras españolas; ya don Miguel de Unamuno se lo propuso— de desenmarcación de la circunstancia del tiempo que la constriñe y del espacio que la atenaza[14].

Pienso que estas palabras de Cela —tan honradas— no se han tenido en cuenta. Ellas claran —mejor que *La montaña mágica*, de Mann; mejor que *La cura en los Alpes*, de Morgan— un estilo de

---

[14] Nota preliminar a *Pabellón de reposo*, pág. 9 de la edición de Barcelona, 1952; véase también *Mrs. Calwell*, págs. 10-11.

novelar. *Pabellón de reposo* es una novela poemática, fundamentalmente lírica. Entendiendo por lírica el primitivo sentido musical que tuvo este tipo de poesía. Novela en la que una primera parte nos ofrece una serie de tipos que marchan —dulcemente enfermos, pero vertiginosamente vulnerados— hacia una muerte que espera siempre remansada. En ambas partes hay sólo una serie de variaciones hacia el auténtico motivo capital: el enterrador. La carreta del tétrico personaje —de esta Muerte disfrazada de rudo aldeano— va reiterando el *leit-motiv*, que, como en una sinfonía, se conserva ininterrumpido hasta la recapitulación final.

Si el nombre de Unamuno se ha invocado a propósito de tal arte de novelar, no puede prescindirse en este momento de *El canto del gallo*[15]. Giménez Arnáu se sitúa en una línea en la que figuran —ni más ni menos— el *San Manuel Bueno, mártir*, de don Miguel; *El poder y la gloria*, de G. Greene, y, remotamente, *El diario de un cura de aldea*, de Bernanos, o *Los santos van al infierno*, de Česbron. Creo que cada una de estas novelas podría ofrecer una presunta aportación al quehacer del novelista español, pero, a mi modo de ver, el tema dramáticamente humano del sacerdote perjuro y arrepentido es secundario. Lo principal, como en *San Manuel*, es el proceso espiritual de un alma, la descarnada «historia de pasión» del corazón cerrado a Cristo, mientras las gentes santifican al párroco endurecido. Estas dos vidas —la íntima y la pública— angustiosamente encontradas son, en definitiva, lo que acerca y sustenta a las dos narraciones. En Unamuno, para morir con la lucha perdida; en Giménez Arnáu[16], con el acuerdo encontrado al llamar de la muerte. Dos finales distintos, aunque también en la disparidad se pudiera aducir el testimonio de don Miguel:

> Y lo que más le une a cada uno consigo mismo, lo que hace la unidad íntima de nuestra vida, son nuestras discordias íntimas, las contradicciones interiores de nuestras discordias. Sólo se pone uno en paz consigo mismo, como don Quijote, para morir[17].

---

[15] Barcelona, 1954.

[16] Ténganse en cuenta las palabras previas: «Esta novela fue escrita por un católico y escrita creyendo prestar un servicio a quienes piensan que la religión puede sufrir de la conducta de sus Ministros» (pág. 7).

[17] *La agonía del Cristianismo*, pág. 27, y otros muchos casos de este libro o del *Sentimiento trágico* donde se insiste en motivos afines.

La novela es la exaltación de la caridad[18]. Ella sostiene al Padre Müller cuando la desesperanza acosa; ella hace volver la fe cuando los ojos han olvidado el llanto. Caridad cuando tanta voz, y tanta letra, sólo habla del odio de los hombres. También esta virtud lleva al heroísmo al protagonista de *El poder y la gloria*. Estas dos vidas paralelas de sacerdotes apóstatas tienen su mucho de común, pero el problema es más hondo en la extraordinaria novela de Greene: allí no se trata de un caso aislado, no; es la vida entera de la Iglesia quien padece la brutal persecución del Gobierno. Hasta el exterminio unas veces; otras —las más codiciadas— hasta la refinada protección estatal al relapso. El protagonista, un pobre pelele destrozado, va sufriendo las terribles dentelladas de la angustia en cada minuto que su existencia dura, pero más desgraciado que el padre Müller, sin una voz de sosiego que llegue a los entresijos de su alma. Sin comprender, en tanta andanza de infortunio, que *Dieu à besoin des hommes* para que se cumplan sus inescrutables designios. Por eso, en un supremo arranque de caridad, decide salvar un alma que agonizaba, sin acertar a ver que el alma salvada a costa de su propia sangre escribía las últimas palabras de su propia redención[19]. En ambos casos, el infierno vivía dentro de la propia sangre, «corría por sus venas como el paludismo»[20],

[18] Sobre el valor de esta virtud teologal en la novelística moderna, se puede ver el libro de Ch. Moeller, *Literatura del siglo XX y cristianismo*, Madrid, 1955. Siempre que se trata de este tema, aunque sea con fines estrictamente literarios, habrá que partir de San Pablo:

> Si hablando lenguas de hombres y de ángeles, no tengo caridad, soy como bronce que suena o címbalo que retiñe. Y si teniendo el don de profecía y conociendo todos los misterios y toda la ciencia tuviere tan gran fe que trasladase los montes, si no tengo caridad, no soy nada. Y si repartiere toda mi hacienda y entregare mi cuerpo al fuego, no teniendo caridad, nada me aprovecha... Ahora permanecen estas tres cosas: la fe, la esperanza, la caridad; pero la más excelente de ellas es la caridad» *(Corintios*, XIII, 1-13).

[19] Recuérdense las hermosas palabras de Graham Greene en *Las paradojas del cristianismo*:

> «Donde Dios está más presente, ahí también se encuentra su enemigo; y al contrario, en los lugares donde el enemigo está ausente a veces perdemos la esperanza de encontrar a Dios. Uno estaría tentado a creer que el mal no es sino la sombra que lleva el bien, dentro de su perfección, y que un día alcanzaremos a comprender también la sombra» (apud *Ensayos católicos*, traduc. M.ª Luisa Carril, Buenos Aires, 1955, pág. 30).

[20] *El poder y la gloria*, traducción de G. Villalonga (ed. Caralt), Barcelona, 1957, pág. 223. (La novela de Greene se publicó en español por vez primera en 1952.)

y negaba luz a los ojos que, con las pupilas desgarradas, querían ver en las tinieblas. Porque la pobre inteligencia del hombre, de la soberbia del hombre, no acierta a saber que Dios está presente en la tribulación y en el pecado de los hombres. El Apóstol había transcrito palabras del Señor: «La fortaleza del cielo, en la debilidad del hombre se perfecciona»[21].

En *La canción del jilguero*[22], Giménez Arnáu había iniciado este su procedimiento de novelar. La narración apenas si es otra cosa que la historia desnuda de un alma. A veces otros tipos episódicos, se derraman con idénticas manifestaciones; sin embargo, hay mucho de literario en la descripción, falta con frecuencia de brío vital y sobrada de especulaciones. La filiación unamunesca del libro se justificaría, si no hubiera otras razones, por las teorías del protagonista:

> No sólo pretendo, sino que afirmo[23] que el escritor no manda sobre sus personajes, y que apenas se celebra el matrimonio de la tinta con el papel, sus hijos tienen una independencia que desconcierta y sorprende constantemente al creador. ¿Cuántas veces un personaje secundario se nos *come* un capítulo o una obra entera? ¿Cuántas veces, ya en el camino de la acción, un intérprete se niega a obedecernos porque su naturaleza se lo impide? (pág. 131).

En el capítulo XXXI de *Niebla*, don Miguel expuso con toda claridad idénticos principios. Augusto Pérez, el «ente de ficción», va a Salamanca a platicar con su creador y se celebra el transcendental diálogo: las criaturas son independientes de su creador; el novelista es el pretexto para que la historia de los personajes «llegue al mundo»; la lógica interna de los entes de ficción exige de ellos una vida propia...[24]. Todo esto estaba presupuesto en la vida de *Don Quijote y Sancho* (1905), aunque no alcanzó granazón hasta las «nivolas»[25]. El entronque literario de estas cuestiones es —se ha dicho— calderoniano[26].

[21] San Pablo, *Corintios II*, 12, 9.

[22] La novela, escrita en Buenos Aires en 1946, se publicó en Madrid un año después. El título procede de una cita de Gracián aducida como lema.

[23] Lázaro Fonseca, de quien son estas palabras, es el novelista cuya vida ocupa la mayor parte de la narración.

[24] Conviene tener en cuenta, también, los Prólogo y Pos-prólogo de la misma novela.

[25] Véanse entre otros textos su prólogo a la *Tres novelas ejemplares* y la reelaboración (1928) de la *Vida de don Quijote y Sancho*. A mi modo de ver, es de gran significado la confesión que se hace en la pág. 20 de esta obra (ed. 1928; falta en la de 1905).

[26] Vid. *La tía Tula*, Madrid, 1921, págs. 8-9.

IV

Pero si en *Pabellón de reposo* el hombre —la mariposilla que es su espíritu— descansa en la inmovilidad de su dolencia, tipos vitalmente incontenidos e incontenibles van a ser los temas que reocupen al novelista de posguerra. Desde *Pascual Duarte* hasta *Lola, espejo oscuro*. Poco importa su forma de ser; interesa —tan sólo— su valor humano, y éste se ama tanto en el místico que nos alza hasta cumbres de radiante esplendor, como en el pobre hermano caído en el fangal más abyecto.

No es este hombre —frecuentemente vil— la única posibilidad novelable. Pero no deja de ser sintomática la predilección que el escritor siente por los ambientes menos limpios. El Baroja de *La lucha por la vida* es el punto de partida de toda la novelística posterior. Esta afición por gentes bajas y ambientes impuros la veo como un arrastre —otro más— de la época romántica, donde lo anormal, por el solo hecho de serlo, tenía ya categoría literaria. En definitiva, la justificación de estas posturas se encuentra en unas palabras que Ortega escribió hace ya bastantes años:

> Es un error representarse la novela —y me refiero sobre todo a la moderna— como un orbe infinito del cual pueden extraerse siempre nuevas formas. Mejor fuera imaginarla como una cantera de vientre enorme, pero finito. Existe en la novela un número definido de temas posibles. Los obreros de la hora prima encontraron con facilidad nuevos bloques, nuevas figuras, nuevos temas. Los obreros de hoy se encuentran, en cambio, con que sólo quedan pequeñas y profundas venas de piedra[27].

En efecto, a una tradición de narraciones idealizantes o ejemplares, la novelística de nuestra posguerra opuso la otra veta, la del realismo y las gentes sin moral. Ambas posturas son igualmente válidas e incluso es recomendable su coexistencia. De todas ellas se pueden obtener destellos de belleza y —he hablado de ello ya y aduzco a Cervantes y Gracián en mi ayuda— lo malo puede servir, también, como piedra de toque de lo bueno. No se trata de incitar al cultivo de lo malo como posibilidad mejor. No. Únicamente ser hombre y conocer todo lo que en nosotros hay del ángel o del barro. Adoptar posturas unilaterales es tanto como imitar al avestruz, cuyo destino —cabeza bajo el ala— es ser herido por

---

[27] *Ideas sobre la novela*, pág. 1013.

el cazador. Saber que en el mundo hay hombres que cada día luchan —alzándose en las caídas— por su perfección y hombres que se dejan arrastrar por sus bajas inclinaciones sin resistir ya, barcas desarboladas y con el aparejo perdido.

Esta doble consideración del hombre crea novelas en las que cada una de las vertientes domina sobre la otra. El color de rosa —dignamente trabajado— de *La vida nueva de Pedrito de Andía*, de Sánchez Mazas, o el color negro en *La Colmena*, de Cela, o en el *Tino Costa*, de Arbó.

Ahora bien, la descripción del hombre sobre la tierra lleva o a la felicidad o a la tragedia. Será lícito que el novelista se fije en aquellas historias cuyas vidas se salvan de la vulgar monotonía. Surgirá así la narración en que el desajuste venga a determinar una actuación condicionada por elementos imponderables. De la sumisión del hombre a estos factores o de su denuedo contra ellos, nacerá el claudicante o el luchador. Un camino llega a la conformidad y el otro a la tragedia. Esta senda es la que los dioses disponen para Tino Costa, en la violenta novela de Sebastián Juan Arbó. Desde el principio los hados juegan a enmarañar los hilos de su vida. Ni una sola vez la injusticia o la brutalidad del ambiente retroceden ante las ansias insatisfechas de perfección o ante el heroísmo reiterado. Ni una sola vez, el postigo que permitiera la luz sobre el alma que va a caer en la sombra. Ni una sola vez, la estrella que iluminara la vida —los altibajos— de Tino Costa: sin someterse al destino aciago y arrastrado siempre por él; hasta que, vencido, su caída precipita en el torbellino a las almas más limpias, a las que el pobre héroe más amó. Novela escueta, de sólo el alma, para cargar más las tintas de esta tragedia en la que no cabe el menor asomo de perdón para ningún horror, porque los dioses se lo negaron al que intentó luchar contra ellos. Como corriente serena para el lector, un lenguaje transparente, lleno de emoción lírica y de ternura, que endulza todo el negro destino de los héroes escogidos.

Si esta tragedia de Arbó como otra suya, *Tierras del Ebro; Nasa*, de Pedro Álvarez, o *Los hijos de Máximo Judas*, de Luis Landínez, nos llevan a violentas historias de tema rústico convendría no olvidar un buen antecedente: *Marcos Villarí*, de Bartolomé Soler. La tragedia urbana no ha tenido un cultivo semejante pues ni *El barco de la muerte*, de Zunzunegui, ni algún episodio de *Nada*, de Carmen Laforet, son comparables a ellas. Acaso lo más parecido a la tragedia rústica dentro de un ambiente no absolutamente ciudadano es *Los Abel*, la primera novela de Ana María Matute.

V

Hasta ahora he considerado al hombre ante los demás y ante la historia. Esto es, con relación al pequeño mundo que le circunda y en función de unos acontecimientos que condicionan su quehacer. Me voy a fijar ahora en su posición ante sí mismo. Es decir, el ente de ficción como criatura viva que tiene su actuar fuera de la mente de su creador. Aunque para muchas novelas con personajes sensibles a su mundo interior se puedan aducir títulos extranjeros bastante próximos, no hay que olvidar que entre nosotros fue Unamuno quien —hace muchos años— dotó a su ente de ficción de una vida fuera de la imaginación de su creador y —como en el caso de don Quijote— con vitalidad superior a la del propio autor. Creo que sin *Niebla* (1914) no se explicaría buena parte del arte de novelar más reciente; no tanto por una imitación más o menos próxima, que esto sería secundario, sino por la presencia activa del muñeco literario en la creación novelesca; en esa aparente separación entre el autor y personajes. Gracias a esto, el narrador es independiente de su criatura; la novela se convierte en un producto científico en el que el novelista no hace otra cosa que narrar objetivamente —todo lo objetivamente que puede— una vida ajena. Y —por ello— sin que sea paradoja, al ganar el género en objetividad, por la postura del artista, se enriquece con todo el mundo subjetivo —mucho más variado— de sus criaturas. No trato de intentar un juego de ingeniosidades, sino algo mucho más real. Habitualmente, las novelas nos ofrecían un mundo visto a través de los ojos del autor; con *Niebla* se lleva hasta las últimas consecuencias, un nuevo planteamiento: el mundo novelesco debe verse a través de los personajes que en él viven, no del novelista que lo inventa. Y aunque el narrador sea uno, el distinto enfoque de las cuestiones producirá efectos también variables. No es lo mismo ver las cosas —igualadas— desde la altura del Olimpo, que descender —acercándose— a la tierra y encontrar en ella que los objetos, ante los ojos, tienen relieve y tamaño. De este modo se logra aquel ideal de Ortega:

> La verdad del hombre estriba en la correspondencia exacta entre el gesto y el espíritu, en la perfecta adecuación entre lo externo y lo íntimo[28].

---

[28] *Ideas sobre Pío Baroja*, apud *Obras*, pág. 181.

No habrá mejor equilibrio entre la mano erguida y el alma que la alza, que introducirse en tal espíritu. Así cobra realidad el desdoblamiento del autor, según preconizaba Unamuno, no en una serie de personalidades iguales en las que si varía algo apenas es el collar o la tarjeta, sino en individuos independientes del autor, cada uno —desde su punto de enfoque— con una realidad diferente, puesto que ésta, en sí, es una y, en cuanto a los observadores, múltiple.

Lo que Unamuno había intentado en sus novelas era independizar de sí mismo a las criaturas que inventaba. En el atrevimiento iba implícito el riesgo. Porque no es difícil caer en el polo opuesto de lo que se pretende: que las criaturas —con su lenguaje personal— no digan otra cosa que lo que el demiurgo quiere. Algo de esto fue señalado por Juan Goytisolo[29] y no vamos a insistir; sin embargo, sí quiero decir que en la técnica de Unamuno, como en la de sus imitadores, hay un presupuesto inicial: el autor cree haber comprendido el proceso espiritual de los personajes y lo interpreta desde dentro. Se trata de una ruptura con una técnica tradicional: la psicología conduce al relato novelesco; en tanto que las novelas decursivas hacían brotar la psicología del caminar de su propio desarrollo. Son dos posibilidades distintas y que —antes de la guerra— estaban encarnadas por nuestros dos grandes novelistas. El riesgo de Baroja estaba en perderse en muchos motivos ajenos al relato, como de hecho ocurrió; el de Unamuno, en darnos unos tipos como en esquema, con una verdad revelada desde la segura comprensión del novelista, que viene a cortar la comunicación entre el lector y el personaje. En esencia, «hombres de acción» y «hombres de pasión», novelas y nivolas.

La novela de posguerra siguió este doble camino y aun emprendió otros, pero la presencia de las gentes del 98 resultó insoslayable, aunque ninguno de los novelistas se alistara bajo una bandera y tratara de cohonestar ambas posibilidades. De esta fórmula surgió una narrativa mezcla de psicologismo y teoría ambiental, retorno a unos procedimientos antiguos que ahora intentaban superarse con la interpretación del personaje a través de su propio pensamiento o, con otras palabras, la aparición de la técnica del monólogo interior y el *behaviorismo* de las criaturas, como arquetipos de conductas[30].

[29] *Problemas de la novela*, Barcelona, 1959, pág. 11.
[30] Presentar así al protagonista es hacérnoslo ver en imagen, esto es «a través del sentimiento que otro siente por él, captarlo como correlato de ese sentimiento»

Evidentemente, Unamuno tenía que perder en el cotejo. Una novela esquemática obliga al sacrificio de muchos elementos marginales para presentar la economía del relato, pero —y esto es fundamental— el lector ve a la criatura en su más parva desnudez, desde el principio hasta el fin. En un mundo racionalista no es fácil hacer creer que el narrador posea todos los elementos del relato y sólo aquellos que él utiliza. Es decir, el creador se arroga, frente al lector, la misma superioridad que el «viejo» novelista ante sus criaturas. Con una diferencia, el lector ejerce su crítica y reclama su propia independencia: es injusto que el lector pueda saber menos que el narrador, cuando de vidas ajenas se trata. O ahondando más, que ignore la psicología de una criatura que le es tan extraña como al narrador de las secuencias. Por eso, esta narrativa desde dentro —si no se maneja genialmente— se convierte en una especie de guiñol en el que el novelista juega como el maestro del retablo: dios de las criaturas que se mueven según unos hilos que alguien tensa o relaja desde el techo del teatrillo. Por mucho que concedamos a la objetividad del novelista, será en el mejor de los casos, el espectador que ya sabe lo que pasa, mientras sus vecinos viven en la incertidumbre. De ahí que las «novelas de pasión» denuncien demasiado la propia voluntad del narrador, su postura omnisciente o su compromiso íntimo con una psicología que denuncia a la suya propia. Entonces se intenta huir del callejón sin salida jugando a una técnica más compleja: justificar la existencia de un mundo en el cual la criatura se mueve libremente —lo que no quiere decir que se libre— y fraguar unos caracteres diferenciados de esa circunstancia en la que viven. Entonces, cada criatura está individualizada en su marco, pero la historia y el paisaje la recogen como la sombra que se proyecta sobre un telón blanco.

No es difícil —por ello— encontrar tradicionalidad al novelista de hoy, aunque ejemplos extraños se aduzcan, y aun sean válidos. Si no lo sabemos de muy buena tinta, será preferible ver con nuestra propia luz a fijarnos en candilejas remotas.

Influencias variadas —ajenas y propias— nos ayudarían a comprender el «monólogo interior» de *La Noria;* cada figura —cangilón que diariamente voltea para sacar unas gotas de agua— tiene su vida íntima, hecha a retazos, nerviosa o remansada, pero

---

(cfr. Jean Pouillon, *Tiempo y novela*, trad. de Irene Cousien, Buenos Aires, 1970, página 65).

allá, en lo más hondo de su conciencia, en coloquio, sólo, consigo misma. El acierto ha acompañado, casi siempre, al autor —pensamiento y léxico—, aunque no siempre mantenga una severa rigidez en su estilo: creo que se podrían señalar diferencias entre el arte de los primeros y los últimos capítulos, pero esto no hace al caso.

Es difícil separar muchas veces el llamado monólogo interior de la autobiografía. No es raro que este último modo de proceder no sea otra cosa que un íntimo coloquio reflejado en el papel.

Tratando de poner orden en un mundo que se nos presenta exuberante, he considerado aparte aquellas novelas que responden a la tradición picaresca de nuestra literatura. En ocasiones, la tal separación se basa —más que en el quehacer novelesco— en hechos externos: el estrato social al que pertenecen los personajes, su modo de vida, o el uso de un determinado lenguaje. Prescindiendo, pues, de las «novelas picarescas», he llamado la atención hacia las que sustentan su estructura sobre el monólogo interior. En seguida me fijaré en las autobiográficas. Sin embargo, antes de entrar en ellas, quisiera completar el panorama que aquí presento con la consideración de dos narraciones de tipo muy semejante.

Fernández de la Reguera nos dio en *Cuando voy a morir*[31] una de las novelas más logradas de la posguerra. Muy bellamente escrita, con emoción de lirismo adensado, con cuadros que podrían ser aguafuertes goyescos o hispánicas tragedias pueblerinas (Lucas, Zuloaga, Solana). El español en la pluma de Fernández de la Reguera es casi siempre terso, hasta convertirse en turgencia de fruta madura; utensilio dúctil para modelar barrocos bodegones o para entregarnos la sazón del campo[32]. Otras veces, esta lengua le sirve de instrumento a la emoción más adelgazada, hasta reducirla —tan tenue— a un levísimo cendal ya impalpable: no lirismo, poesía lírica con toda su emoción, su ternura, su desamparo[33].

---

[31] Barcelona, 1951.

[32] Véase, por ejemplo, la descripción de una vendimia en las págs. 145-146.

[33] Vid. págs. 50, 77, 118, *passim*. Nada de esto cae en otra vertiente distinta de lo que es la novela. Hay una exacta adecuación entre el tema y el utensilio: la autobiografía, mejor, la confesión sincerísima *(cuando voy a morir)*, necesita de estas evocaciones. Y el recuerdo se va deteniendo en esos pocos remansos de luz que salpicaron una vida mecida siempre en sombras. La técnica novelesca se ha valido de esas escapadas hacia un mundo de pureza (el recuerdo poetizado, la emoción enmudecedora y, como apoyo, un lenguaje de nitidez y de vibraciones) para darnos mejor el contraste de la vida llevada en el dolor. La sombra en la zozobra de cada día o en la congoja asfixiante de un pueblo achicharrado por el sol o por las malas heces. Entonces este médico que agoniza es, lo dice alguien, «un buen muchacho destrozado por el dolor».

Como tantas veces, el amor y el dolor se identifican en una feroz ansia de aniquilamiento; mientras la pobre criatura no es más que desgarros sangrantes que se van perdiendo en cada dentellada. Por eso el acierto en la luz cegadora de unos cuantos espíritus puros, y en la sombra espesa del cansado vivir. El acierto en esos fondos de tragedia donde la sangre puntúa con su espeso goterón la riña feroz o la capea pueblerina. Ante el telón embetunado (la escuela, el campo infantil, la galerna, la plaza) la vida pasó, y el recuerdo, esa limosna que Dios da a los pordioseros de eternidad, ennegrece la sombra y aviva la luz con la esperanza del definitivo descanso.

Muy parecida a ésta es la segunda novela de Luis Romero. Ambas son la despedida signada por dos hombres autocondenados a morir. Dos intelectuales fracasados en el mismo anhelo. Los dos parados a contemplar unos días de felicidad anegados en la mayor desilusión. Aquí, dos libros que nos confiesan el mismo pecado de amor.

Carta de ayer (1952) es la narración autobiográfica de unos pocos años de la vida de un joven escritor. La vinculación de esta novela a las que considero representativas de la tradición unamunesca me parece es evidente: estamos ante una descarnada historia de pasión. Ni un elemento secundario, ni una referencia discursiva, ni la presencia sedante del paisaje: únicamente, el proceso psicológico de dos almas desentrañado hasta sus últimos matices y hecho patente por los eficaces cortes del escalpelo. Volvemos —una vez más— a la novela de sólo el alma, como quería Unamuno y, para ello, el monólogo íntimo sirve de acuciante memento, ya que no de lustral confesión. La novela está narrada limpiamente, sin retórica, en un estilo sencillo, con algún desmayo, con ciertos giros vulgares o familiares; es decir, con los recursos que pueden reflejar mejor el humilde confiteor del protagonista. Igual que todas las narraciones de este tipo, *Carta de ayer* tiene su mucho de pública confesión e, igual que cualquier confesión, valdrá por la sinceridad con que el reo se acuse. Esta sinceridad en literatura es, no ya verosimilitud, sino desnuda verdad; en última instancia, saber observar para poder decir. Creo que mucho se ha logrado. Desde la actualización del recuerdo —unas veces remoto, cercanísimo otras— hasta el crimen consumado contra toda voluntad. Entre medio, la «historia de pasión» en dos almas que luchan: contra el tiempo, contra sí mismos, contra el previsto fracaso de su amor. Entonces, por miedo a escapar de la batalla que se libra, la aberración obsesiva que conduce a la más cobarde de las deserciones: a la muerte de la criatura amada. Destrucción nacida en la plenitud del amor, porque cada fosfeno del recuerdo, cada paso que pretende «escalar el monte en vano», va configurando el desenlace y llevando su haz de leña a la fogarada de la tragedia. En el texto —no se olvide que el protagonista es un escritor novel— aparece de cuando en cuando algún nombre literario. Aunque Sartre sea aducido, no hay que padecer espejismos. No se trata de una novela existencial, sino de una narración esencial. Las existencias aniquiladas en el *néant* —real o deseado— son esquemas de pasión y de fracaso.

VI

La tradición barojiana —en temas, en su especial pesimismo— aflora en Zunzunegui. En alguna de sus novelas, el escritor de hoy exalta el tipo humano —tan norteño— del indiano. Mezcla de hombre de presa y sentimentalismo que da a su arte de novelar una peculiaridad muy específica. Al tropezarnos con gentes dotadas de capacidades tan heterogéneas como son la codicia y la generosidad, se produce un desajuste en la soldadura espiritual de los personajes: un poco en el Alfredo Martínez de *El barco de la muerte;* un mucho en el don Lucas de *La úlcera.* El autor sabe sacar todo el provecho posible de estos desajustes, aunque —como el fondo de todo los ironistas— los amargos desenlaces vienen a acentuar más el pesimismo ante la vida y ante el juego de azar a que están sometidas sus criaturas, verdaderos monigotes traídos y llevados por el destino que acaba arrojándolos —guiñapos inservibles— a un vacío moral o a la nada material. No es necesario insistir mucho: en el fondo está Baroja. Tanto en historias tétricas, como la del barco holandés, cuyo antecedente más remoto son *Las Aventuras de Gordon Pyn*, de Poe; el *Barco fantasma*, de Wagner o *La isla perdida*, de Priestley, y cuyo antecedente próximo está en el *Shanti Andía* o en *El capitán Chimista* barojianos, como en un pesimismo que a veces se adensa en tragedia grotesca que deja el poso amargo de un carnaval de carátulas. Veamos el final de *El barco de la muerte:*

> Se movió como una fiera acorralada:
> ¡Morir, nunca, nunca!
> Abrió el balcón, y se arrojó al aire. Y huyendo de la muerte fue a la muerte.

Cayó sobre la muchedumbre enfurecida. Pasó de unas manos a otras; de unos pies a otros; de unas bocas a otras, como un pelele fúnebre.

—¡A tirarlo a la ría! —gritó alguien.

Pero conforme pasaba de unas garras a otras, de unos pies a otros, de unas bocas a otras, iba perdiendo volumen su rota y desgarrada figura... Fueron machacándole, triturándole, repartiéndoselo en pedazos...

Frente a la ría sólo se encontró un hombrecillo. Llevaba una boina en la mano; la boina de Martínez, que era lo único que había quedado con vida. Fue a tirarla al agua, pero antes se la probó, y viendo que le quedaba bien, se volvió contento con ella a su casa.

Más amargo todavía es el humor —y la realidad— de *La úlcera*. Ironía y tragedia van en ella sueltas, independientes, hasta que confluyen en el fin. Un final que puede tener, sí, «un lúgubre y pringoso aire goyesco», pero que tiene, también, toda la tristeza y el pesimismo del *Don Javier* de la *Vidas sombrías*:

> Y es que mientras el mundo sea mundo, serán negativos, brutales, desagradecidos, rencorosos y envidiosos los corazones de los hombres[34].

Darío Fernández Flórez, al reseñar *El barco de la muerte*[35], trata de desvincular las relaciones de Zunzunegui con Baroja. Insisto en algo ya dicho: el conectar dos novelistas escasamente separados en el tiempo, por el quehacer y por su propia responsabilidad de escritores, no menoscaba a nadie: creo que Zunzunegui tiene un puesto en la novelística española ganado por méritos propios, pero no se puede negar a Baroja una clara posibilidad de humor —con muy diversos grados y matices— y, en otros muchos casos, una honda ternura. No podemos ignorar que el propio Baroja nos legó una novela completa para tratar de glosar sus ideas sobre el humor. Es bien significativo que en la *Caverna del humorismo* sirva para plantear toda una doctrina de lo que don Pío entendía por él: poco importan los papeles del doctor Guezurtegui o el Museo de Humour-Point, lo importante es ver cómo Baroja ve esa trilogía que conforma el sentido moderno del humor: Inglaterra, España, Rusia, países cuyas literaturas no muestran

---

[34] Palabras finales de *La úlcera*.
[35] *Crítica al viento*, pág. 48.

unos géneros literarios precisamente definidos, sino, más bien, en estado de promiscuidad, y porque, con frecuencia, se independizan de los recursos retóricos, antítesis la más clara del humorismo. En la segunda parte de la novela, hay una serie de principios generales que no desdeñaría Zunzunegui: en la obra de arte, la técnica suele matar al espíritu, y sólo se salvan de ella los grandes creadores que dominan el oficio de manera desembarazada; por otra parte, Baroja rechaza la posibilidad de modificar el fondo por la forma (la amargura no se atempera por la visión grotesca de las cosas) y este planteamiento técnico le lleva a presupuestos muy lejanos de los iniciales. Nos interesan sólo unas palabras suyas sobre el estilo, que pueden servir de colofón a sus devaneos teóricos:

> Para mí, el ideal de un autor sería que su estilo fuera siempre inesperado; un estilo que no pudiera imitarse a fuerza de personal. No cabe duda que esto sería admirable. Admirable y también imposible.

La tercera parte de la novela tiene en Zunzunegui una buena aplicación: cuando Baroja indaga los resultados y sustentos del humor, los apoya en una serie de «casos prácticos», que lo vinculan con el rencor, la fantasía, la voluntad, la antropología, la etnografía, etc. Ni más ni menos que el impresionismo de lentes desorbitadas que, en *Las horas solitarias* (1918), nos llevaba al descubrimiento de la esencia de las cosas, aflorándola, en tanto empequeñecía o destruía lo subsidiario, y nos dejaba el testimonio de su pesimismo vital.

Incluso al pensar en Baroja, las lecturas de Zunzunegui nos llevan —también— a Galdós. Por ejemplo, en *El supremo bien* (1951), novela que es —a la vez— la historia de una familia y la exaltación de un ejemplar humano —don Pedro— dotado de singulares cualidades para la «acción». La venerable figura del gran maestro canario es evocada en la primera página y ello nos evita insistir en lo mucho de galdosiano que hay en esta narración, sobre todo en su primera mitad: tipos, tiendas, ambientes, por más que la amargura, el desencanto, el torbellino vital que es don Pedro, se pueden filiar mucho mejor como barojianos.

Esos tipos humanos, que en Baroja evocan siempre los pretendidos influjos de Nietzsche, son los que Bartolomé Soler hace vivir en sus novelas de gran aliento, como *Karú - Kinká*[36], *La vida encadenada*[37] o *La llanura muerta*. Descarnadas historias de pasión en que las almas son arquetipos de conductas o el pesimismo ante el hombre vuelve a ser el hilo que engarza —barojianamente— sus relatos. Si no tuviéramos el antecedente hispánico, pensaría en los hombres fuertes de la novela norteamericana: hombres dominadores del desierto, del hielo o del mar; novelas de Dreiser, de Norris o de Crane.

---

[36] Barcelona, s. a., terminada de escribir en enero de 1946. *Karú - Kinká* es la historia, riquísima en tipos y accidentes de la colonización de la Tierra del Fuego. Allí, acaballados siempre sobre dos fronteras (la del bien y la del mal, la de la generosidad y la de la codicia, la del amor y la del odio) viven buscadores o estancieros, comerciantes o marinos, blancos de todas las sangres o indios patagones. La novela responde al criterio clásico, con su argumento sin quiebra y con la unidad central a la que se someten todos los episodios. Sin embargo, la narración es el canto ambicioso de una empresa gigantesca en la que los hombres —como trigo en sembradura— van dejando su sangre en los eriazos o sus carnes entre los troncos de las araucarias. Canto épico en el que los colonizadores van ganando palmo a palmo la tierra de conquista y en el que los indios —a fuerza de sangre— hacen amar el terruño que adquieren. Como en una tragedia antigua, la voz de la estirpe resuena en los lamentos del coro, la india Yompsen, superviviente de un crimen atroz, cuyo destino es inculcar a Onson, su nietecillo, el odio a los ladrones de tierra. Y como en una tragedia antigua, en camino la venganza, la vida sobra a quien sólo vivió con la espera del tibio fulgor de la sangre. Estos son los dos elementos que componen la novela: la historia de Mackenzie y MacLennan, narrada en su plenitud humana, con enmarañamientos y vinculaciones; la codicia de la venganza, ensordinada la voz de una tragedia que bordonea el fondo de una abigarrada multitud de gentes. Todo ensartado por la maestría de narrador que —desde los tiempos de *Marcos Villarí*— acredita a Bartolomé Soler. En el fondo, pienso en Frank Norris *(The Wave)* o Jack London *(The Sea-Wolf*, entre muchas novelas).

[37] Barcelona, 1945. Con *La llanura muerta* volvemos a Sudamérica. Son ahora las salitreras de Chile. Y otra vez, sobre la dura tierra en que el hombre se aniquila

> (Yo vi el trabajo de los derripiadores,
> que dejan sumida, en el manejo
> de la madera de la pala,
> toda la huella de sus manos)

la presencia viva de unas gentes o el recuerdo actualizado de seres y tierras muy distantes. De nuevo aquí la energía de un héroe —George Walkins— pero, trágicamente, su vencimiento por pequeñas y grandes villanías. Toda la novela está ensartada por el amor o el odio a esta tierra que devora hombres, pero a la que el hombre domeña y, a zaga de este sentido telúrico —repetido siempre en nuestras novelas de ambiente americano—, el canto épico a la misión del hombre sobre la tierra:

Todo empieza y todo fenece. Lo mismo el hombre que la madera. Pero el individuo y el árbol no han hallado aún el elemento que los extermine... El hombre le da un empellón a otro, a otro que antes también había abierto

La vida encadenada nos adentra, de nuevo, como *Patapalo*, en Castilla. Hay sin embargo, una notable diferencia entre la Castilla literaria del 98 y esta otra descrita por el narrador catalán. Sus libros, unamunescas historias de pasión, no se deleitan en morosas descripciones de paisaje, sino que toman de él, únicamente, la nota ambientadora que caracteriza un modo de vivir o una estructura espiritual. La historia narrada en la novela es rica en tipos y en acontecimientos. Más de una vez se piensa, en cuanto a la estructura, en Baroja, pero un Baroja escasamente vertido hacia el mundo de la naturaleza o hacia divagaciones extrañas al tema. Sin embargo, creo que los dos novelistas están unidos por la grandeza de la obra que emprenden: en ambos, siempre, riquísima en tipos; en ambos, mucho fuego humano para caldear el alma de sus creaciones[38].

---

sepulturas. Una azada, un hoyo de siete pies y una brazada de huesos. Los huesos y las astillas proceden de una misma cuna. Sólo difieren al concluir. El hombre acaba en polvo y el palo en llamas. Pero árbol y hombre se revuelven, se crispan y reniegan inútilmente. Ni el uno ni el otro burlarán su destino. Ni el uno ni el otro evitarán que los vientos y los años los devasten. Lo que importa, lo fundamental, es que haya siempre material de repuesto, que es lo único que justifica la eterna rotación de la tierra, el disco solar y el incesante flujo y reflujo de los mares (5.ª ed., págs. 63-64).

Y de nuevo pienso en la novelística norteamericana: ese «místico amor y temor de la tierra», que —como un vendaval— pasa por las novelas que M. Roberts dedica a su Kentucky natal.

[38] *La vida encadenada* está narrada en primera persona. Guillermo Olivares cuenta su vida, pero ésta queda oscurecida por la luz vivísima que proyecta la presencia de su madre. En realidad, no es otra cosa que la vida —sostenida a golpes de rebenque contra todos los desmayos— de María Isabel de Alcaraz y Robledo. Más de seiscientas páginas nos narran su azacaneado vivir: desde el marido muerto en adulterio con la garganta segada por una hoz vengadora, hasta el día en que, acabadas todas las fuerzas, se abate la mano sobre la cabeza del hijo a quien quería bendecir. Entre los dos hitos, una vida de tensión continua y de vigilancia constante sin que la lograra vencer, ni una sola vez, la tempestad embrutecida o el huracán que contra ella hostigaba. Con dureza o con ternura, María Isabel defendió su honestidad y dejó rica siembra de abnegaciones; cuando el cerco se apretó con artes innobles y en el asedio podían hundirse su virtud o la honra de su hijo, María Isabel, la hembra brava, mató. Esta figura es paralela de aquella otra Ana Paz Olmedo que aparece en *Patapalo*, pero más acabada, más ambiciosamente vista, figura que, como clave de bóveda, sostiene y condiciona el vivir de los demás. El entronque clásico de María Isabel no sería difícil de buscar; es, igual que otros muchos casos del romancero o del teatro de nuestro siglo XVII, un caso egregio de algo que podríamos llamar «viragos espirituales»; ella, y no los hombres, encierra una serie de las nobles atribuciones y de la enérgica decisión que solemos llamar hombría. Sobre la línea inquebrantable de la vida de esta *Doña Urraca de Castilla* inciden las luces

La novela se adensa más —con tipos exóticos y acontecimientos históricos—: el atentado contra los reyes en mayo de 1906 da, por un momento, un nuevo sesgo y nuevas inquietudes a la novela. Sin embargo, esas páginas no se pueden comparar con las que Baroja dedica al mismo asunto en *La dama errante*: Bartolomé Soler ha visto las cosas desde fuera, con la belleza colorista de la fanfarria, con la alegría un poco frívola de tantas gentes. Su descripción completa la imagen —tan apasionante— que nos legó Baroja; entre las dos poseemos la visión íntegra de los hechos y ambas son legítimas y válidas como las caras de una misma moneda.

La grandeza del hombre y su miseria están condicionadas, en la obra de Bartolomé Soler, por la amargura de su Weltanschauung. La misma ambición que lleva a levantar los grandes ideales está sofrenada por las antivirtudes (la envidia, la oquedad, el vicio) que de antemano condenan al fracaso. Como en gran parte de su obra, en *La llanura muerta*, una concepción dual de corte barojiano suscita la lucha de las antinomias Bien-Mal y, como tantas veces, el mal se impone. Por eso esta novela, social en muchas de sus páginas, es un canto abortado a la libertad del hombre[39]. Uno de sus héroes, Bruno Massini, es linchado por creer demasiado en su propia libertad; otros Massinis innominados no serán nunca libres, porque aman demasiado la facilidad del grillete. La figura de Walkins está concebida quijotescamente: gracias a esto no necesito insistir en la sublevación de los galeotes, ni en la ruina del ensueño; hasta Olga Massini es una Dulcinea ideal que, en vez de entregarse vencida, se pierde en la noche sobre el mar, manteniendo puro su valor de símbolo. De aquí los dos planos en que se realiza la novela: el de Walkins-Olga y el de Ricci-Blanca. Ensueño y

---

que proyectan tantos seres —desdichados o felices, buenos o malos— y a los que María Isabel conforma por medio de su vivísimo resplandor. Con razón pudo decir Guillermo Olivar, el hijo medroso y sin voluntad que le cupo en suerte:

> Mi madre fue como una especie de fortaleza acechada siempre. Sin embargo, ninguno de sus adversarios halló su punto vulnerable. Resistió impasible toda suerte de ataques y de sitios. A cada asedio reaparecía más erguida, más segura de sí misma, aceptando como un acontecimiento lógico e inevitable el rodeo sensual de que era objeto. Si algo la envanecía, no era el rastro de admiración y de deseo que levantaba a su paso, sino su mismo triunfo sobre su propia carne (pág. 85).

[39] Vid. de modo especial la pág. 144.

burda realidad. De ahí los dos planos en que se desarrolla la vida de las salitreras: el de la pureza y el del lodazal. Un flujo de lamas turbias y viscosas va subiendo hasta lograr la distensión de las fuerzas en lucha; entonces, el fracaso de los arbitrismos y de los soñadores. La novela así planteada es de una gran sencillez. Sin embargo, tipos marginales, síntesis históricas o religiosas, quiebran la rigurosa marcha que exigiríamos a una novela planteada con grandeza de tragedia griega.

VII

Si de esta interpretación de cada singularidad individual intentamos pasar a la vida colectiva, veremos cómo también la presencia del 98 aparece tanto en unos planteamientos generales cuanto en unas relaciones concretas.

En Unamuno está esa intuición del ambiente como posibilidad protagonista. Al mismo tiempo que don Miguel adensaba la historia espiritual de sus personajes, veía cómo el paisaje se podía convertir, al independizarse, en realizador de dramas. En la etimología están la razón y la precisión: *ambiente* es 'lo que va alrededor', la circunstancia orteguiana, y el hombre no se ha podido desmarcar ni del lugar en que se mueve, ni de la cronología en que nace. Razones de todo tipo llevaron a unir la narrativa de posguerra con la de Baroja o Unamuno. La circunstancia del hombre español —por muy otra que sea— no se ha podido liberar de un pasado que sigue operante; por eso, el novelista tampoco ha podido zafarse de unas maneras técnicas que desde la tradición —por lugar, por tiempo— le venían condicionando.

Siguiendo esta trayectoria y las adquisiciones de la novelística extranjera, se ha planteado una inversión de términos: en vez de ser el ambiente un silencioso deambular mecido a la voluntad del héroe, éste sirve apenas de hilo que fija y limita una atmósfera cargada de vida. Algo de esto es el infierno en la pintura del Greco: gentes convulsas como en eterno descomponerse, que —en su desintegración— sugieren cuanto de voraz, de angustioso y de horrible hay en unas fauces cuya única misión es la de aniquilar al hombre. Así también en la pintura de Solana, donde las cabezas humanas —lo único allí en apariencia vivo— están fosilizadas en el nicho concreto que les deja una atmósfera de agobio. La aplicación íntima de estos planteamientos —y no olvidemos el noventayochismo del Greco y de Solana— tiene su desarrollo más brillante en *La colmena*, de Cela. Pero *La colmena* es mucho más que esto y, técnicamente, su complejidad nos llevaría fuera del 98. Sin embargo, Baroja no está ausente de ese mundo en el que pululan oprimidos, arribistas, acomodaticios, todos juntos, entremezclados, zumbando su canción de severidad, de engañifa, de comodidad, como en la trilogía de *La lucha por la vida* y, como en ella, vidas interferidas y encadenadas, visión en profundidad y no lineal; el ojo y no el tapiz. Madrid de por 1940, harto parecido al de 1905, criatura estética en la pretensión del novelista:

> *La Colmena* —dice el propio autor— es la novela de una ciudad, de una ciudad concreta y determinada, Madrid, en una época cierta y no imprecisa, 1942, y con casi todos sus personajes, sus muchos personajes, con nombres y dos apellidos, para que no haya dudas[40].

Bien que Cela —desde sus singulares propósitos— haya hecho una obra personal e incluso, literariamente, revolucionaria. Creo oportuno dejar constancia —con palabras del propio narrador— de cuáles han sido sus propósitos:

> En *La Colmena* salto a la tercera persona. *La Colmena* está escrita en lo que los gramáticos llaman presente histórico, que ya asomó, si bien tímidamente, en algún pasaje de mi obra anterior. *La Colmena* es una novela reloj, una novela hecha de múltiples ruedas y piececitas que se precisan las unas a las otras para que aquello marche. En *La Colmena* no presto atención sino a tres días de la vida de la ciudad, que es un poco la suma de todas las vidas que bullen en sus páginas, unas vidas grises, vulgares y cotidianas, sin demasiada grandeza, esa es la verdad. *La Colmena* es una novela sin héroe, en la que todos sus personajes, como el caracol, viven inmersos en su propia insignificancia[41].

Esta forma de aparecer los personajes y la discontinuidad de presencia, ha hecho pensar a Ynduráin[42], en Dos Passos *(Manhatan Transfer)* y en Sastre *(Le Sursis)*; por mi parte quisiera insistir en el carácter fundamental de la novela: los ciento sesenta tipos y

---

[40] *Mrs. Calwell habla con su hijo.* Barcelona, 1953, pág. 12.
[41] *Ibíd.*, pág. 14.
[42] «Novelas y novelistas españoles 1936-1952», en la *Revista di Letterature moderne*, X [1952], pág. 281.

tipejos que nos muestran sus buenas o malas cataduras forman una larga nómina para conocer ese Madrid de 1942. A pesar de su nombre y sus dos apellidos, se convierten en arquetipos, una especie de pobres símbolos de un vivir muy poco heroico. No temo insistir en lo que de símbolo veo en esa multitud de personajillos; en mi ayuda invocaría gloriosos antecedentes: barcas de locos que en el Renacimiento llevaban a la abigarrada multitud, o carretas de heno en la que cada cual actúa según sus humores con un resultado que frisa muy cerca de la enajenación. Teatro del mundo muy en tono menor este del Madrid de 1942, teatro sin grandes tragedias, porque, en cada minuto, vivir era ya un drama menudo y, también, una trapacería grotesca[43].

Cada uno de estos ciento sesenta personajes es un logrado aguafuerte. Su independencia no hace otra cosa que acentuar el carácter objetivo —histórico— de la narración. Por eso Cela ha podido desdeñar alguna definición demasiado teórica de novela[44]. Por fortuna en la vida hay huecos y vacíos: cada uno de nosotros tiene una invisible membrana que nos va aislando de los demás, creando, precisamente, el hueco y el vacío que nos permite seguir siendo nosotros mismos, sin ajena intromisión. Por mucho que amemos el cuerpo que late a nuestro lado, nunca será posible borrar las fronteras. El novelista no ha hecho otra cosa que señalar más, como Rouault, el contorno negro de sus figuras. Cada una es un retazo de vida; por tanto, un fragmento de historia. Este es el valor de *La Colmena*, ser historia, intra-historia, menudo quehacer cotidiano, y oscuras vidas. Como el historiador, el novelista puede proyectar su mirada sobre unos tipos determinados. Ofrecer la

---

[43] Las historias de tantos monigotes —y de algún hombre— están centradas por el café de Doña Rosa. Ella es —en la primera parte— como el gigantesco vástago de un tiovivo, a cuyo torno giran los caballitos. Después, la vida pasa a la calle, a la pequeña incertidumbre de cada quehacer, para volver sus pasos —un poco de Anteos— a tomar fuerza en el mismo o en otro cafetín para pasar la noche y esperar, de nuevo, la mañana, vieja ya, de cada día. Por allí —entre el bien y el mal; mucho más en el mal— pululan estas figurillas, tan auténticas, y casi, siempre, tan desgraciadas. Pobres gentes a las que la vida va arruinando poco a poco o al galope, pero sin esperanzas de que el tiempo deje algún día descansar sus dentelladas.

[44] Cuando F. Vela rechazaba la publicación de *Pascual Duarte*, decía en una carta: «Novela es la descripción de un círculo completo de vida, sin huecos ni vacíos, como es el que realmente rodea a cada uno de nosotros, el mundo propio de cada cual» (cit. en *Pascual Duarte*, 5.ª edición). En contra se puede argumentar con testimonios ajenos: «la grandeza de una novela está en la vida que se siente correr por ella, en lo profundo detallado y *justo* del retrato de sus personajes» (A. Mizener, *El porqué de las grandes obras*, apud Brown, *Lit. contemp.*, pág. 15). Y es lo cierto.

visión de un fragmento de mundo, colocado bajo su inspección[45]. No creo que Cela haya aspirado a dar en *La Colmena* las únicas posibilidades de vivir, ni creo que desdeñe todo lo que en ella no ha cabido. Acaso hubiera podido ofrecer un mundo menos limitado, pero ¿dónde entonces la coherencia?; es cierto que no es aquélla toda la vida del Madrid de 1942, pero es una buena parte de ella; la que ofrecía mejores posibilidades para el narrador. ¿Quién duda de que el bien existe? Y el mal, un mal mayor que el de estas páginas, ¿acaso no? Al novelista hay que exigirle por lo que ha hecho; no por lo que dejó de hacer[46]. Y, por esta vez, en la visión que nos ofrece, el acierto le ha acompañado: en el manejo de los personajes, en el lenguaje —vario y heterogéneo—, en el ambiente[47].

La Colmena es no sólo una determinada forma de hacer literatura, como pudiéramos creer si prendiéramos nuestra mirada tan sólo en los elementos externos. Es —sustancialmente— el testimonio de una época visto con ojos de novelista e interpretado de forma artística. En tal sentido, Baroja es el hilo interno que va dando sentido a tanta cuenta dispersa. Cada una de las tres partes de *La busca* no es otra cosa que un pequeño mundo cerrado en una pensión, una zapatería o un puesto de pan y verduras. Orbes en los que giran una serie de tipos en torno a los negocios de doña

---

[45] No puedo por menos que recordar el prólogo de Francis Brown a su compilación *Literatura contemporánea* (Buenos Aires, 1954).

[46] Creo oportuno recordar a Graham Greene, autor que se juzgará poco sospechoso. Con el tema *¿Por qué escribió?* se cruzó una correspondencia (publicada, luego, en Londres por Percival Marshall) entre G. Greene, Elisabeth Bowen y V. S. Pritchett. El creador de Scobie dijo: «La lealtad nos limita a las opiniones aceptadas; nos prohíbe entender con simpatía al prójimo que disiente; su cambio de deslealtad nos alienta a merodear con fines experimentales por toda mente humana y otorga a la novela la dimensión adicional de la simpatía.»

[47] Por inverosímil que parezca, ninguna novela actual está, técnicamente, tan cerca de *La Colmena* como *La frontera de Dios*, de José Luis Martín Descalzo. La manifestación formal de la narración son unos breves cuadros que por enlazadas superposiciones cobran sentido de hondura y de síntesis. También, como en *La Colmena*, el resultado último es la captación de un ambiente que, en definitiva, viene a ser el protagonista de la novela. Las relaciones se reducen a esta doble realización técnica; el contenido es en ambos casos muy distinto.

Ya me parece de menor importancia encontrar influjos más limitados y concretos en alguna otra obra. Tal sería el caso de *Las últimas horas*, de Suárez Carreño, novela conformada por el Baroja de *La lucha por la vida* y adobada con recuerdos de Hitchcock y Faulkner (el motivo del accidente final es una representación onírica muy semejante a algunas secuencias de *Recuerda*; el lento morir de Carmen y Aguado hace pensar en *Mientras yo agonizo*).

Casiana, del señor Ignacio o del tío Patas. Si la fórmula de tratamiento nos muestra el proceso de degradación social de cada uno
de esos ámbitos, Baroja va salvando la ternura de sus creaciones
gracias a unos paisajes que las liberan de un medio cruel, y en las
cosas —perdidas en la hondonada de las escombreras— la melancolía del hombre que las contempla. No creo que se pueda separar
la interpretación que los dos novelistas hacen del mundo a través
de sus propias criaturas: tipos tantas veces parecidos, idéntica
miseria, gentes hundidas en su congojosa necesidad de evasión.
Y en *Aurora roja*, la problemática existencia de cada personaje,
convertida —ya— en algo que pudiera ser un símbolo nacional
(el anarquismo, qué se entiende por burguesía, la teoría del socialismo); en el fondo, una hondísima tristeza y un amargo desencanto
ante todo y ante todos.

VIII

Al considerar una serie de novelas en las que el ambiente,
esto es, lo que no es personal e individualizador, vive con actuar
de protagonista, nos encaramos con el problema de la colectividad,
y a poco que pensemos nos daremos cuenta de que todo esto nos lleva
—o es ya— a un desarrollo más amplio todavía, a las narraciones
en que se funden todos los factores que he considerado hasta ahora
para obtener un tipo de descripción en la que el protagonista es
uno o múltiple, personal e impersonal, y todas estas cosas a la vez.
Novelas de tal ambición, desarrollan sus propósitos —como la
Comédie humaine, de Balzac; como los *Episodios Nacionales*, de Galdós; como la trilogía *U.S.A.*, de Dos Passos; como muchas de las
obras de Valle-Inclán o Baroja— en ciclos coherentes, dando a
la narración un sentido señaladamente histórico, pues la literatura
—aparte de su valor intrínseco— se convierte en testimonio para
la posteridad y al novelista se le exige la misma formal investigación de los hechos que al historiador.
Como novelas cíclicas se anunciaron *Zarabanda* (1944), de
Darío Fernández Flórez, que constituiría el primer tiempo de
El cauce logrado; La colmena, de Cela, es, también, la primera parte
de un presunto ciclo, los *Caminos inciertos;* forman ciclos las novelas
de *La ceniza fue árbol*, de Ignacio Agustí, o la serie que José María
Gironella inauguró con *Los cipreses creen en Dios*.
Quiero señalar cómo estas novelas-río vienen a entroncar

—también— con la tradición española, sin negar —claro— cuantos antecedentes extraños se quieran aducir. Pero lo que interesa —aquí y ahora— es cómo el Galdós de los *Episodios*, el Valle-Inclán de *La guerra carlista*, el Baroja de Aviraneta o la historia contemporánea, se trasvasan al quehacer novelístico de la posguerra. Necesaria —y faltalmente— al enfrentarse con relatos de vidas superpuestas, la historia ha nacido. Así ocurre en *Mariona Rebull* y *El viudo Ríus* (creo que *Desiderio* y *18 de julio* no mantienen la línea de las dos primeras novelas) que —pensadas dentro de un ciclo coherente de cuatro relatos— venían a ser sendos «fragmentos de la vida del personaje Joaquín Ríus», dentro de la «vida de la ciudad». De ahí esa multiplicidad de elementos: uno o varios protagonistas, personajes humanos e impersonales y, por añadidura, la historia de una ciudad. Las dos primeras partes —las más logradas, las más coherentes— son entre sí bastante dispares: *Mariona Rebull* es, más, la vida de unos personajes y con ellos el recuerdo poetizado de Barcelona. Son años felices en los que el trabajo era también una especie de felicidad. Sólo al final —en la tragedia última— sentimos que alguna rueda ha dejado de marchar en este perfecto engranaje, algo que el maquinismo ha traído y que los jefes de industria recién surgidos no han sabido evitar. *El viudo Ríus* es ya la historia social reflejada en el esfuerzo heroico de un hombre. Con el colapso económico de los primeros años del siglo, llegan las bombas, los atentados, el anarquismo... Todo aquello que se levantó con tanto amor va hundiéndose y anuncia su aniquilamiento: los telares enmudecen, el colectivismo laboral se desintegra... Cuando la crisis se salva a cambio de tantos sacrificios, el héroe cansado quiere huir. Entonces —otra vez— la sangre tan ávidamente deseada en un hijo, lanza su postrera llamada de fidelidad.

Esta segunda parte tiene muchos problemas que a la primera le faltaron. Incluso los tipos humanos son muy distintos y es que el tiempo exige ya una moral de combate y los hombres han de alistarse para comenzar la lucha. Faltan los Ernestos y las Marionas, y salen Llobet o Pamias; el único que sigue fiel a sí mismo es Ríus, más desencantado, pero, por ello, más obsesivamente vital. Y como fondo —una vez más— los problemas de España: hacienda y gobernación[48], y a vueltas con ellos los arbitristas, los políticos,

---

[48] *El viudo Ríus*, pág. 29. A las obras de Baroja llegan las mismas pretensiones sobre nuestra patria. Recordamos —por no citar novelas ya aludidas o a las que tendré que aludir— *César o nada* (O.C., II, 636a, 640a, 680, 707b, etc.), *La ciudad*

los pensadores: Morral, Lerroux, Cambó, Prat de la Riva, D'Ors, Maragall. Algo que hace pensar en Galdós y a la vez en el 98. Justamente esos años —definitivos— cuyas horas laten vivas aún hoy en nuestros pulsos.

Se ha dicho alguna vez que Agustí y Arbó son los novelistas de Barcelona. En ellos tendría la gran ciudad el Galdós que la convirtiera en literatura perdurable. Bien es verdad que entre los tres escritores hay grandes diferencias (en el tiempo, en la preocupación, en los tipos, en el estilo); pero bien es verdad que en la novelística de Agustí, como en algunas obras de Arbó, tenemos historiados diversos momentos de la vida de la ciudad. *Sobre las piedras grises* y *María Molinari* son, hoy, las dos narraciones que Sebastián Juan Arbó ha centrado en Barcelona. La primera de ellas obtuvo en 1948 el premio «Nadal». Es una novela de anchas pretensiones. La anécdota —bellísima, llena de humanas ternuras— nunca es rebasada por la historia dentro de la que aparece inserta. Como en el caso de Agustí, estamos ahora ante una peripecia humana que es la trama de la narración y, como fondo, una concreta realidad histórica que, mantenida en una suave lejanía, avanza en ocasiones como el redoble de un tambor, suave en lontananza, estridente cuando es cercano[49]. Las figuras centrales de esta narración son gentes de carne y hueso, semejantes a tantas otras como la vida ofrece; pero su particular destino está condicionado por la historia grande. Sin embargo, no estamos ante una novela histórica ni siquiera ante una historia reflejada: disponemos de unos cuantos datos, menudos con frecuencia, que inscriben todo lo que va a ocurrir. Esta «intrahistoria» surge en unos motivos de trivial apariencia pero decisivos y captados con cuidadoso estudio: desarrollo de la burguesía, zarzuelas, cupletistas de moda, comienzos de fútbol, faenas del *Gallo*..., cosas que se han convertido —tan por desgracia nuestra— en historia grande, desembocada más de una vez en tragedia[50]. Al lado de este incesante fluir del tiempo, unos paisajes urbanos, apenas si anotados, pero fuertemente recogidos en unas notas de color[51].

de la niebla (*ibíd.*, 360a, 365b, 366b, etc.), *La dama errante* (*ibíd.*, 231a, 236b, 238b, etcétera).

[49] Compárense estos procedimientos con el de Gironella, de alcance y pretensiones muy diferentes.

[50] Son ilustrativas las págs. 15-17, 46 (de una singular agudeza), 47-48, 156-157, etc.

[51] Arbó, que había escrito espléndidas narraciones de ambiente rural, vuelve ahora hacia una tragedia acaso más honda que las que narra de su bajo Ebro;

Mariona Rebull y los Bausá viven en un mismo barrio barcelonés. Podría creerse en su proximidad literaria. Nada más lejos. Agustí lo describe en su período de opulencia, de buen vivir; Arbó, en su declive, en su envilecimiento. En unos pocos años, se ha perdido el sentido histórico de las gentes. Y mejor que en los hermosos portales convertidos en carbonerías o almacenes de papel, mejor que en los palacios degradados en casas de vecinos, mejor que en las amplias entradas recortadas en cuchitriles de menestrales, la narración de estos dos novelistas nos ha permitido captar el hondo sentido del proceso. Desde el colegio caro de Mariona hasta el cartelito («Planchadora en el 2.º») de Arbó hay una sima que ha engullido toda una estructura social. Creo que no es preciso insistir: he aquí en qué se acercan y en qué se alejan las narraciones de los dos novelistas. En ambos, una clara personalidad diferenciadora y en ambos el mismo servicio a una ciudad, convertida ya en sustancia literaria[52]. Y, a lo lejos, la sombra de Baroja aducido por Arbó en una bellísima referencia[53].

Si Agustí nos hace vivir la historia acaballada entre dos siglos, Gironella en *Los cipreses creen en Dios* nos trae la vida de otra ciudad catalana, Gerona, en el lustro que va de 1931 a 1936:

más honda, porque el ensañamiento del hombre se ceba en pobres gentes inofensivas o porque la monstruosidad de los niños da una imagen mucho más agria del vivir de los hombres. Posiblemente la ternura que emana esta novela procede del deliberado desajuste que Arbó ha hecho existir entre la desalmada realidad y la bondad de unos cuantos seres humildes; de cómo ha logrado su propósito podrían hablarnos las últimas páginas de su novela.

[52] *María Molinari* es una novela de grandes pretensiones. Los personajes que en ella aparecen pertenecen a un mundo (burguesía, artistas, críticos) en el que es fácil la especulación intelectual o a través del cual nos podemos asomar, objetivamente, a miasmas sociales. Estos dos polos tan distantes permiten una rica gama de circunstancias y de tipos; gracias a ello, la vida de Barcelona queda prendida en sus variadas manifestaciones: exposiciones, representaciones teatrales, espectáculos, reuniones, cenáculos. Sin embargo, el procedimiento literario tiene su riesgo y coloca al autor en situaciones comprometidas, que, por otra parte, sirven para situar, indirectamente, el relato: críticas contra el existencialismo, referencias a películas. Naturalmente, todos estos elementos y otros que puedo aducir (censura de nuestra organización social, la evolución del maquinismo, la novela —una vez más— como espejo callejero, págs. 84, 144-150), ayudan a dar el íntimo retrato de la ciudad, finamente captada en su apariencia y en su paisaje. Es obvio decir que la novela no sería tal si en ella no encontráramos otras referencias que las señaladas. Hay una trama que vitaliza los cuadros; un argumento que mantiene tenso nuestro interés a lo largo de las páginas y que lleva —como siempre en Arbó— a trágicos desenlaces.

[53] *María Molinari*, pág. 317.

La empresa en que ando metido consiste en escribir una novela sobre España que abrace los últimos veinticinco años de su historia. Dividida en tres partes: anteguerra civil, guerra civil en los dos bandos, posguerra. En la posguerra incluyendo la odisea de los exiliados, odisea de altísimo interés humano (pág. 9).

Esto, poco más o menos, es lo que Baroja se propuso en buena parte de su obra:

El que lea mis libros y esté enterado de la vida española actual, notará que casi todos los acontecimientos importantes de hace quince o veinte años a esta parte aparecen en mis novelas[54].

Y, todavía más, hechos políticos actuales (intentona de Vera, sublevación de Jaca, segunda república), aparecen descritos en la trilogía de *La selva oscura*.

Como en el caso de Agustí, la historia familiar de los Alvear, o la más concreta de Ignacio el primogénito, es lo menos importante. Lo que vale es la pugna entre dos *tempos*, totalmente distintos: el lento, moroso, que pasa por las personas; el galopante que azota a la vida total. Creo que esto no se ha señalado en la obra de Gironella y, a mi ver, es el hallazgo, oculto, que más interesa en ella: el haber sabido encontrar el distinto valor que la misma circunstancia tiene para categorías diferentes[55].

Dominados por sus pasiones —buenas o malas— verbenean por esas novecientas páginas toda clase de tipos, y, entre ellos, el novelista acierta unas veces y otras no. Lo mejor es la novela, la ciudad, Gerona —casual azar el Gironella del apellido—, varia, rica, en tipos y paisajes. Amorosamente descrita. Circunstancias

---

[54] *La dama errante*, apud O. C., II, pág. 231*a*.

[55] También, como ocurría con Joaquín Ríus, la historia grande está en nosotros mismos. La guerra civil lo era —antes de las armas— en el espíritu de muchas gentes (el mismo paralelismo entre nación e individuo está en su novela *La marea*). Por eso, Ignacio Alvear ve y está ciego, camina y no sabe a dónde van sus pasos, cuando tiende la mano no encuentra sino humo. Una carta de Santiago, aducida por el autor, podría sernos clave:

¿Dónde nacen las riñas y pleitos entre vosotros? ¿No es de vuestras pasiones, las cuales hacen la guerra en vuestros miembros?

En la trilogía *Adventures of a Young Man, Number One, The Grand Design*, Dos Passos había utilizado procedimientos semejantes a los de Agustí y Gironella: una familia —la Spotwood— centra el desarrollo de una evolución social y política.

que traen *La familia de Errotacho* (1932) hasta los gavilanes de la pluma. Baroja pretendía captar y acentuar el color y el sabor de una época impregnándose «lo más posible de la esencia del tiempo». Creo que ambos novelistas no tratan de hacer obra histórica, sino más bien la biografía de gentes oscuras, modeladas e inmoladas, por las circunstancias y el ambiente. El sabor y el color de la época están más verazmente logrados por el trasfondo histórico que poseen estas narraciones y que, a veces, se impone como un primer plano. El propio Baroja justificó esta mezcla de elementos —y quede su juicio por cuanto tenga de generalizable— por su afición a la crónica que «quizá dependa de una gran curiosidad por los hechos y cierta indiferencia por las palabras». Si la primera parte de *La familia de Errotacho* es el reflejo de las sacudidas de la guerra mundial en el sur de Francia (algún hilo suelto termina en *El cabo de las tormentas*), la segunda es otro nuevo «documento del tiempo»: actividad de exiliados y prófugos al otro lado del Pirineo, sus proyectos de revolución y sus intentos armados. Pretendiendo la comprensión de estas novelas —las de Baroja, las de Gironella— encuentro muchas líneas en común, por más que el escritor vasco adopte posturas más radicales ante los hechos que narra y se demore en unas largas y tétricas páginas sobre la muerte de los cabecillas. (Cierto es que no producen menos espanto que las del comienzo de *Un millón de muertos*. Si Mina sirve a Baroja como antecedente de la historia cumplida cien años después, las novelas de don Pío son anticipo de las que Gironella escribió un cuarto de siglo más tarde.)

Queda una última, decisiva, cuestión: el acierto de narrar hechos polémicos ante los cuales hay que decidirse. Es el mismo problema que nos suscita Baroja, porque las dificultades de estas novelas, son harto comprometedoras y no permite zafarse de ellas. No hablo de posturas «comprometidas», sino de una creación que, por su naturaleza, suele fallar. Y así se ha visto en sitios donde el albur juega monedas menos sangrantes que entre nosotros. Un Sperber podía preguntar a los norteamericanos: «¿Será mejor describir a la naturaleza humana mediante la crónica del hecho real y verdadero o mediante la obra de imaginación?» [56] Y Hoffman, bien que con muy otras intenciones:

---

[56] *El mundo escondido del que escribe su propia biografía*, pág. 202. Cfr. también I. Brown, *¿Y por qué no escribir sobre los narcisos?*, pág. 46. Ambas referencias en la *op. cit.* de Brown, *Literatura contemporánea*.

¿Cómo puede un novelista tratar el presente inmediato honestamente, realísticamente, y, sin embargo, conservar poderes discrecionarios sobre el juicio final que hay que pronunciar acerca de dicho presente?[57]

Cierto que hay que emitir un juicio sobre todo y la sociedad nos compele al compromiso, pero, no menos cierto también, difiere bastante la fórmula cuando lo que se valora es una manera de ver nuestra circunstancia y no de tasar la sangre derramada. En el primero de los supuestos, el juicio se hace desde fuera; en el segundo, desde dentro. Y esto nos obliga a cambiar mucho la perspectiva. Lo que en la crítica social es objetividad saludable, sería frivolidad —o algo peor— cuando se cuentan los muertos o las lágrimas de los vivos. Y ésta es la diferencia fundamental que veo entre los planteamientos de Baroja y de Gironella: todo lo que Baroja narra —triste, amargo, premonitivo— no había llegado aún a la gran tragedia; la historia de Gironella es el espejo de cada uno. Para quienes vivieron la guerra, sus relatos son la imagen real o deformada —uno a uno elegirá según sus compromisos— de lo que fue o pudo haber sido; para quienes no fuimos sino oyentes de retazos discontinuos o contempladores de jirones al aire, el sentido de lo que carece de sentido. Pero es difícil que de ello pueda nacer el sentimiento generoso de contemplar una obra de arte. Baroja diría «que en una época cercana se puede suponer, imaginar o inventar la manera de ser psicológica de los hombres que vivieron en ella»[58], lo que es cierto. Pero no menos cierto que Aviraneta o Zalacaín tienen muy otros abalorios que los personajes de Gironella.

IX

He tratado de acercarme a la novela española de los años inmediatos a la posguerra. Y he querido ver en ella el motivo fundamental, casi único que la mueve, el hombre. Nos encontramos con una vuelta apasionada hacia el hombre. Bainville había dicho que

---

[57] *La novela moderna en Norteamérica (1900-1950)*, Barcelona, 1955, pág. 36.
[58] *Divagaciones apasionadas* (O.C., V, 499b).

El error principal del estúpido siglo XIX, en literatura, es el haber hecho de la novela una obra de arte; es más: simplemente, el haber visto en ella obra de arte[59].

A estas alturas no podemos empezar a discutir —una vez más— esto. Pero la afirmación de Bainville es excesivamente arriesgada. Acaso sin pensar en ella, se escriben demasiadas novelas que no son obras de arte. La novela no es —disiento de Zunzunegui— un género fácil, hacen falta demasiadas cosas para que la maquinaria funcione sin roces y sin atascos. El propio Zunzunegui ha dicho:

El artista, cuando no es más que artista, no sabe dialogar. En cambio, el verdadero novelista se le ve en esto, en que deviene su personaje y habla como el personaje debe hablar[60].

Porque la novela —como la epopeya— es un quehacer de elaboración colectiva, el novelista no puede sustraerse a su propia tradición; ni a su tiempo, ni a su pueblo. Entonces vemos cómo fielmente hay una continuidad —de técnica y, sobre todo, de espíritu— que vino a salvar los años difíciles de la posguerra. Esa fue la misión heroica de los novelistas —de tantos y tantos españoles—: salvar lo que el vendaval no había podido arrasar y asegurar la continuidad hacia el futuro.

En una conversación con Cela, Melchor Fernández Almagro dijo que «nuestra novela contemporánea se ha saltado una generación: tras la novela del 98, la novela dijérase que salta sobre el vacío hasta los novelistas actuales»[61]. Sí, le falta una generación nuestra —la que se perdió en la guerra— y, probablemente, le faltan otras generaciones ajenas. Pero es el fruto que tuvieron que pagar aquellos hombres que dieron continuidad a la vida de España. Así les pasó a los demás: Vázquez Díaz gustaba de *Azorín*, de Baroja o de Unamuno, y Eduardo Vicente leía a Baroja o a Machado[62]. Pintores de distinta generación que tuvieron que vivir la misma circunstancia histórica que los novelistas, y para quienes

---

[59] Citado por Zunzunegui en una reseña de *Zarabanda* de Darío Fernández Flórez (vid. *Crítica al viento*, pág. 451).

[60] En la obra de la nota anterior, pág. 455.

[61] *La rueda de los ocios*. Barcelona, 1962, pág. 233.

[62] Los testimonios se encuentran en diversos apuntes que se recogen en la obra citada en la nota anterior.

lo próximo, lo que movía su sensibilidad era —precisamente— la literatura del 98. Hay unas sabias palabras de Ciro Alegría que conviene no olvidar: «La vida del hombre no es independiente de la tierra»[63], o, si se prefiere, «¡Aquí la naturaleza es el destino!»[64]. La vida del hombre y su destino: no la de un hombre, sino la de la colectividad, la de todos. Novelistas y pintores como reflejo sutil de esa llamada ardiente que es la vida, la de cada uno y la del propio pueblo. Y es que la novela, por mucho que refleje el tiempo en que va siendo escrita, no se puede entender sin las referencias al pasado; en última instancia, no se entenderá si no sabe dar sentido a los movimientos que han hecho tomar la pluma, algo que sólo puede vislumbrarse desde la continuidad de cada creación y de cada creador. Cuando la vida de un pueblo se detiene, hay que darle bríos para que continúe y no muera, aunque se conserve en hibernación. Y no hay más vida que la individual, ni más sangre que la que oímos en nuestros pulsos o la que sentimos en nuestras venas, cuando queremos oír y sentir.

No sería difícil que se me adujeran testimonios ajenos, porque en cada parte las cosas han sufrido procesos semejantes. El hastío por los esteticismos, la angustia de la guerra, la desazón de la paz, hicieron sentir en todas partes de manera afín. En Norteamérica, Frank Norris diría con desprecio: «¡Qué importa el buen estilo!... ¡No queremos literatura, queremos vida!», y con ello sugería que el «grado de valor de un novelista podría ser medido por la cantidad de 'vida en bruto' presente, y por la cantidad de 'buen estilo' ausente»[65]. Pero esta postura es sustancialmente literaria, en tanto la de los novelistas españoles lleva implícita una problemática nacional (continuidad del quehacer sobre contingencias políticas), la persistencia de unas fórmulas retóricas (nivolas, independencia del ambiente, hombres de acción, ciclos históricos) y la afinidad espiritual con gentes que nos enseñaron a ver y sentir de unas determinadas maneras.

Entonces, lo ajeno a nosotros apenas si puede aducirse. Es el interior nuestro lo que trata de explicarse y en nosotros mismos la solución a los problemas que sólo nosotros nos hemos creado. Por eso, la presencia del 98 en la novela de la posguerra era como una calina difusa que se tendía sobre toda clase de quehaceres,

---

[63] *El mundo es ancho y ajeno*, VIII, 169.

[64] *Los perros hambrientos*, XVI, 149.

[65] Apud F. J. Hoffman, *Henry James, W. D. Howells y el arte de la narración*, en *La novela moderna en Norteamérica 1900-1950*, Barcelona, 1955, pág. 15.

y era —también— como una luz fulgurante que hería a cada hombre con sus destellos. Presencia sentida e impalpable o referencia concreta para asir la tarea emprendida[66]. Tanto los hombres del 98 como los de la posguerra se enfrentaron con una serie de realidades —históricas y literarias— a las que dieron sentido. Naturalmente, con muchas y grandes diferencias, pues de otro modo no hubiera habido otra cosa que vacua repetición de las primeras experiencias, y lo que cada uno trató de entender fue la relación entre la postura artística y, como diría Gertrudis Stein, la «cosa vista».

Y, de nuevo, la vuelta al punto de partida. Ser hombres —cualquiera que sea su condición— y hablar como tales. En principio fue la palabra y por ella conocimos y acertamos a conocer. Por eso, cuando hablamos de novela actual hemos de pensar en Baroja o en Unamuno, los novelistas que hablaron como hombres en sus libros y cuyos entes de ficción, antes de ser fábula libresca, fueron, sobre todo, personajes de carne y hueso.

Se ha cumplido en esta proyección del 98 sobre los novelistas de posguerra aquella aspiración que formuló un escritor de hoy, y en la que se han hermanado las pretensiones de unos hombres que acertaron a salvar su propia contingencia:

> Mostrar que el destino del hombre es el hombre; transformar el destino en conciencia; tal es la misión del artista[67].

---

[66] No deja de ser sintomático que Arbó escriba un libro sobre Baroja, ni que Cela manifieste una contínua y fervorosa devoción hacia el gran novelista vasco.

[67] J. Goytisolo, *Problemas de la novela*, pág. 106.

*Dos temas sin acompañamiento
en la novela de posguerra*

I*

Enfrentarse con la creación novelesca es una pretensión muy vieja, pero tratar de entenderla en toda su amplitud es una aventura que da siempre excelentes frutos. Saber qué piensa un escritor de su obra —logros e insatisfacciones— es llevarnos por el camino de la comprensión; saber por qué hizo aquello que tenemos bajo nuestros ojos es entregarnos la teoría de un entendimiento; saber cómo lo hizo es tender al sol los más ocultos recovecos de su conciencia. Entonces, la intuición de quien juzga tiene unos asideros reales mucho más firmes que los puramente especulativos, lo que puede ser eficaz para evitar el yerro. Pero —de modo recíproco— al oír a su censor, el novelista va a saber por qué su obra tiene un valor perdurable, por qué es un canal de comunicación con sus lectores y no un eco vacío, por qué hay cosas que él ve o no ve: misión de la crítica. Enfrentar estos dos mundos resulta provechoso. Son dos orbes independientes en cuanto a su quehacer; pero solidarios en cuanto al objeto de su comprensión. Novelistas y críticos unos frente a otros para hacer más complejos los planteamientos de Guido Guglielmi:

> Un estudio de los problemas de la novela puede centrarse en la relación entre aquellas figuras de significado que son los personajes y la llamada conciencia del escritor. Y, naturalmente, esto último no es una cosa externa a la obra, sino que está determinada y medida por la misma obra[1].

Desde estos presupuestos, nosotros tenemos planteadas unas posibilidades casi ilimitadas. En cuanto a su mundo de realizaciones, el novelista elige motivos y técnicas de acuerdo con esa

---

* Vid. lo que digo sobre este ensayo en las págs. 2-3.
[1] *Apuntes sobre la novela*, en el libro *La literatura como sistema y como función* (traductor F. Serra), Barcelona, 1972, pág. 47.

conciencia a la que sirve libremente, pero —sin embargo— hay zonas a las que no se acerca o maneras que le repelen. Así y todo, el universo de su interés difícilmente está exhausto. El crítico —a remolque de lo que el creador hace— tiene un campo de trabajo mucho más limitado: debe aceptar lo que ya le dan elaborado. Pero —por su propia condición— debe rebasar la contingencia del *aquí* y del *ahora* para obtener unos universales válidos más allá de cualquier limitación. Etimológicamente, *kritikós* es el 'capaz de juzgar o decidir'; *kritiké*, el 'arte de juzgar'; *kritikón*, la 'facultad de pensar o discernir'. Juicio y decisión no son situaciones unidimensionales, sino que exigen la comparación. El novelista *piensa*, el crítico *juzga*. Pensar no es sino valorar para elegir, *pesar* en la evolución histórica de nuestra lengua: pero elegir dentro de una libertad no condicionada; elegir bien o mal. Mientras que juzgar exige separar el trigo de la cebada, lo bueno de lo malo. Postura enriquecida por cuanto al crítico se le obliga a emitir un juicio de valor: decir cuándo acertó y cuándo marró quien eligió en libertad. Discernimiento amparado en muchas lecturas, en un saber técnico y en un equilibrio interior.

De ahí, también, la diferencia de quehacer por cuanto el novelista se encierra en sí mismo para autopensarse y para interpretar, a través de sí mismo, el mundo que le rodea. El resultado de pasar y pasarse por el propio tamiz es lo que dará realidad a cuanto hiera la sensibilidad del escritor, con todas las repercusiones que señala Enzo Paci:

> Este ensayo de encerrarse en su propia individualidad es dialéctico en sí mismo. En su vida individual y subjetiva es justamente donde el hombre descubre a los otros sujetos, aun cuando quiera negarlos. Partiendo de sí mismo y reflexionando sobre sí, el hombre se da cuenta de que su vida sólo tiene un sentido en la medida en que se encuentra en relación con los demás, en acuerdo o desacuerdo con ellos[2].

La crítica toma los resultados de estos análisis en cuanto son objeto de transmisión; trata, pues, de descubrir el espíritu del narrador y de su obra a través de unos elementos que le dan elaborados, consciente o inconscientemente deformados. Pero la crítica no se detiene a la consideración del eje de las abscisas, sino que,

---

[2] *Kierkegaard vivo y la significación genuina de la Historia*, apud *Kierkegaard vivo* (trad. A.-P. Sánchez), Madrid, 1970, pág. 96.

para el cabal entendimiento de los hechos, traza un eje vertical de ordenanzas por el que ve discurrir a la historia. Entonces la misión del crítico será explicar —también— el por qué de la preferencia o desdén por ciertos motivos o la proyección —bajo tantas cuantas capas camine subyacente— de una determinada ideología. Motivo sociológico que importa denunciar por cuanto muchas veces la literatura servirá de cobijo a posturas que de otro modo quedarían latentes. No creo que haya en ello ni cobardía ni fracaso, sino la necesidad de objetivar algo que por íntimo repudian los demás. El novelista da entonces —como en clave— una serie de elementos que no son sino la idea insuficiente que él tiene de los hombres y de las cosas; el crítico ordena esas ideas y, al proyectarlas sobre la historia, les hace vivir su vida auténtica. Porque, necesariamente, el creador acota su campo y el crítico ve la historia como un todo para cuya comprensión los demás le dan los mensajes parciales.

II

Sírvanos un ejemplo. Hechos cargados de sustancia novelesca —la guerra civil, la segunda guerra mundial— apenas si cuentan en el quehacer literario de nuestros escritores[3]. Al menos, poquísimos contaron hasta los años sesenta, y a ellos me referiré para intentar explicar el hecho.

Ante unos años cargados de angustias y zozobras colectivas, queda —un poco muñón aislado— la individualidad del hombre. Por eso el dolor ante ese vórtice que engulle mares de humanidad que es la guerra. Pero hace falta lejanía, para no morir en el fuego, como la mariposa en la llama. Tal vez así se explique el fracaso de muchas de nuestras novelas de guerra y nuestra dependencia, por aquellas calendas, de Hemingway y Malraux. Ni Benítez de Castro con *Se ha conquistado el kilómetro 6...*[4], ni García Serrano con *La fiel infantería*[5] consiguen darnos otra cosa que la visión próxima de unos hechos; sólo —si acaso— el dato para la historia literaria,

---

[3] Vid. José Luis S. Ponce de León, *La novela española de la guerra civil (1936-1939)*, Madrid, 1971.

[4] En 1948 había publicado *La señora* y *Cuando los ángeles duermen*, y, antes, en 1940, *La rebelión de los personajes*.

[5] Otros libros suyos anteriores a 1945: *Eugenio o proclamación de la primavera*, *Plaza del Castillo*, *Los toros de Iberia*.

y sólo él[6]. Más vigor tienen las páginas que Mercedes Fórmica dedica a los primeros días de guerra en Málaga, aunque buena parte de su *Monte de Sancha* (1950) se resienta de un exceso de literatura o de poca elaboración. Si quisiéramos encontrar novelas con más sustancia literaria, otros temas vendrían a enriquecer un panorama excesivamente simplista. Así, la propia Mercedes Fórmica se acercó en *La ciudad perdida* (1951) a un tema de honda emoción humana y de grandes posibilidades novelescas: el problema de los exiliados y su vuelta como terroristas (algo muy parecido a lo que en el teatro de Giménez Arnáu representó *Murió hace quince años)*[7]. La novela está escrita con nervio, y algunos tipos, como los que coinciden —alta la madrugada— en la comisaría son difícilmente olvidables; el tema es, sin duda, un acierto, pero *Larga es la noche* de F.-L. Green[8] está demasiado presente: veinticuatro horas para condensar el desarrollo de la tragedia, motivos políticos, abnegación del amor o de cierto sentimiento erótico, la plasticidad de la pareja acorralada, las posibilidades cinematográficas de la narración.

En cierto modo, consecuencia de nuestra guerra son los acontecimientos que sirven de fondo a *Dios va con ellos*, de Ricardo Vázquez-Prada, aunque en la novela constan —ya— los engarces previos y las consecuencias extrañas. El narrador ha intentado —noblemente— buscar razones y justificar conductas («que Dios nos perdone a todos»), aunque —es previsible— nadie se encuentre justificado. En las amargas reflexiones que hacen el contrapunto de la novela, los personajes no aciertan a justificar ni su conducta, ni las fuerzas que la obligan. El final, con su mucho del viejo *Deus ex machina*, no acierta a resolver los

---

[6] Me parece muy acertado el diagnóstico de Santos Sanz Villanueva en *Tendencias de la novela española actual*, Madrid, 1972, págs. 42-43.

[7] Al terminar la guerra civil, queda fuera de la patria, como tantos otros, Rafa, mozalbete que hecho hombre cruza de nuevo las fronteras alistado en una escuadra de saboteadores. En el primer encuentro con fuerzas armadas, queda él como único superviviente y se dirige a Madrid. Allí encuentra a María, que representa una situación y una ideología totalmente opuestas a la suya; sin embargo, a la violencia, sucede la curiosidad, y a ésta, el interés. Una serie de cabos sueltos permite a la policía urdir una finísima malla en torno a la pareja. Al fin, María, para salvar a Rafa de sus perseguidores e impedir el suicidio, lo mata cuando ya los perros habían descubierto la senda exacta a los agentes.

[8] En la solapa de la cubierta se habla de Graham Greene, pero creo que es un error; no se pueden referir al creador de Scobie, sino a F. L. Green, cuya novela se tradujo al español, y llevada al cine con grandes fidelidad y acierto, se proyectó en nuestras pantallas en 1948.

problemas que la tesis suscita ni se atreve a dejarlos brutalmente insolubles[9].

El más conseguido de los relatos de nuestra guerra civil es *Cuerpo a tierra* (1954), de R. Fernández de la Reguera. Novela dignamente elaborada en la que estilísticamente dos planos sabiamente engarzados adecúan el pretérito a la realidad actual. De este modo, el pasado histórico es un presente con eficacia[10]; historia —todo— *in fieri*, galopando sin reposo hacia un futuro de zozobras.

> (Sacó de los bolsillos un pequeño «bloc» de papel y un lápiz de anilina. Miró indeciso la hoja en blanco. Les escribía diariamente. Hasta entonces había sido fácil. ¿Y ahora? Augusto duda unos instantes. Deja el «bloc» en el suelo y saca maquinalmente la petaca. Está vacía. La vuelve a guardar[11].)

La transcripción de las breves líneas anteriores nos permite ver otras peculiaridades estilísticas del autor. Su lengua va adaptándose con precisión a las secuencias narrativas: escuetamente, sin retoricismos, con una austera exactitud. Reflejo preciso de una realidad brutal, ante la cual, la vaguedad o la imprecisión serían intolerables adulteraciones. Con esto no afirmo el crudo realismo de la novela. En ella, la agudeza psicológica penetra sutilmente en los breves, pero acabados retratos[12], en unas gentes de muy variadas reacciones y, penetra, sobre todo, en una prodigiosa riqueza en metáforas, en la más impalpable ternura y/o en el desnudo sentimiento del hombre en soledad. Valorando estos elementos tan diversos —y tan agudamente casados— comprendemos ya la técnica de claroscuro sorprendida al comparar cuadros heterogéneos, como aquél —espléndido— del fusilamiento de Campos

---

[9] Más de una vez el compromiso salta por la necesidad de justificar, comprender y perdonar el mal hecho. Pero no es fácil que la luz ilumine, y es que el hombre no puede alumbrarse de sus propias sombras: bandazos inciertos de las naciones y de las gentes, de las generaciones y de los individuos, siempre con la amargura de la verdad incierta o la limitación de los logros.

[10] No se me oculta el carácter fílmico que pueda tener en este caso el empleo del presente de indicativo (cfr. J. Bloch-Michel, *La «nueva novela»*, traducción G. Torrente Ballester, Madrid, 1967, pág. 80).

[11] Página 35. Muchas veces el mismo procedimiento: la relación del novelista, en pasado; la acción de los personajes, en presente. Véanse las págs. 71, 82, 88, 91, 93, *passim*.

[12] Sirvan de ejemplo las págs. 16, 17, 67, entre muchas.

(tan otro, de las matanzas —mayal en ristre— de Hemingway, pero de la misma brutal grandeza), con los cuadros líricos —tan leves— que van punteando la narración o con la cauda de ternura con que se cierran muchos capítulos.

La novela no pertenece a la llamada literatura comprometida. O, acaso más exacto, políticamente comprometida[13]. Podría estar escrita, asépticamente, por cualquier novelista extraño: hace pensar un tanto en la literatura pacifista de Remarque. Lo que gana por un lado, lo pierde por otro. Si *Por quién doblan las campanas* evoca una especie de folklore del espíritu —versión americana de *Carmen* en el siglo XX—, esta novela de Reguera nos lleva a latitudes extrahispánicas. Lo que fue la guerra civil (su vesánico heroísmo, su turbulenta pasión) no aparece en estas páginas. La guerra es, para estos pobres soldados, una molesta experiencia[14]. Como tantas veces, carneros a la matanza, sin ninguna razón, sin justificaciones, sin causas. Tan sólo el pavoroso paso de la muerte. La sinrazón del destino.

Llama la atención el hecho: para Hemingway, la guerra de España tiene una apocalíptica grandeza. Gentes llenas —como las de Merimée— de temperamento. Campamentos de guerrilleros que en otro tiempo pudieron haber sido aduares de nómadas. Generosidad hasta el heroísmo, que puede degenerar en pequeña cicatería. Paroxismos de brutalidad y suaves caricias. En *Cuerpo a tierra*, la historia minimizada de gentes humildes, sin deseos de ningún heroísmo, con el simple anhelo de llegar a supervivientes de una tragedia que carece de sentido para ellas[15].

*

Tampoco la guerra mundial dio entre nosotros demasiados motivos: Giménez Arnáu escribió su *Línea Sigfried* (1940), mientras

---

[13] Vid. la valoración —justa— que hace Juan Luis Alborg en la *Hora actual de la novela española*, I, Madrid, 1958, pág. 218.

[14] Al releer estas líneas veo que coinciden con lo que Hoffman cuenta de los novelistas americanos de la segunda guerra mundial: «La impresión de conjunto que dan [...] es que su vida de preguerra ha sido interrumpida por un incidente molesto y poco elegante» *(op. cit.,* pág. 201). La fidelidad que el crítico encuentra en estos relatos es la indiferencia ante el desertor, que tanto preocupó en la generación de Hemingway, y ante el heroísmo.

[15] Cronológicamente quedan fuera de esta proximidad a los hechos —que es el motivo que trato de explicar— las novelas de Soler, Lera y Bartra. No me ocupo ahora de Gironella, porque de él he hablado en otra ocasión.

los avatares de una Alemania triunfante y vertiginosamente caída están narrados por Gironella en *La marea*..., siguiendo un claro paralelismo entre la evolución del país y la línea —quebrada— de unas gentes que mueren faltas de fe. Acaso sea, de entre nuestros novelistas, Manuel Pombo Angulo quien mostró mayor interés por la guerra mundial como tema literario. En 1945, *La juventud no vuelve* [16] ofrecía la dramática liquidación de una época que pudiera estar representada en un idílico Heidelberg (Berghaus en la novela). De luchas entre estudiantes y mineros se pasó a unos días en los que las voces embronquecieron o los corazones se enquistaron; con ellos la voz de la ciencia, capaz de convocar a gentes de toda la rosa de los vientos, se apagó. Y la ciudad eglógica fue mudada por un Berlín donde podían vivir todas las sordideces. La tesis de la novela se resume con palabras de Moeller referidas a Camus:

> El pecado de las naciones es también el pecado de los individuos. Nuestros malos pensamientos envenenan el aire. La cadena de nuestros actos se prolonga hasta el infinito. Nosotros mismos somos víctimas antes de convertirnos en verdugos, en apestados[17].

Cinco años después (1950), Pombo publicó *Sin Patria*. Merece la pena tener en cuenta unas palabras del autor:

> Esta es la historia de unos hombres a los que reunieron sucesos fuera de lo vulgar. No me acuso de haberla ideado; si acaso, de no haberla sabido transcribir.

Estas·líneas nos sitúan ante la novela como espejo de su tiempo. Y en cierto modo, la obra, lo mismo que la anterior, recoge la experiencia europea de unos años, que no quedarán —precisamente— como muestra de comprensión o civismo. El escenario vuelve a ser Alemania. Una Alemania en la que el desenfreno de la guerra levanta todos los espectros de la dureza, la crueldad o la barbarie, pero los personajes que verbenean por la narración proyectan los hechos hacia variados antecedentes: Asturias, la

---

[16] La novela se imprimió sin ningún cuidado: hay faltas de ortografía, léxico mal usado y ningún respeto por el francés y, desde luego, por el alemán, habitualmente mal citado.

[17] *Albert Camus o la honradez desdesperada*, apud *Literatura del siglo XX y Cristianismo* (traductor V. García Yebra), I, Madrid, 1955, págs. 105-106.

Alemania de la guerra del 14, la guerra de España... Y ya, dentro de la segunda parte de la novela, Alemania en guerra. Allí están los sin patria. Gentes que voluntariamente la perdieron, gentes huidas a un exilio de zozobras, gentes arrojadas de la comunidad aunque muriendo poco a poco sobre el suelo de su tierra, gentes para quienes no hay otra patria que su vientre, según las palabras del *Evangelio*. Lo menos, pues, son las peripecias de Jürgen, Juan, Hermine, los Schneider, etc. Lo principal es el mundo al que cada uno pertenece. Mundos varios cuya superposición daría la imagen de un país sometido a las más altas presiones, y éstas producían terribles explosiones de ferocidad o de vesania. Y, en el río revuelto, mezclados el cieno con las aguas limpias. Como en el caso de *La juventud no vuelve*, cierto lirismo, tiernas nostalgias, amargo truncamiento de muchas vidas, y, siempre, unas gotas de invariable pesimismo. La novela gana con respecto a la anterior en finura y en delicadeza en los detalles; la semejanza de temas —y de tipos— permite fácilmente el cotejo. Literariamente, el progreso también ha sido notorio, aunque haya demasiados restos de la anterior torpeza. A un novelista —esto es, a un hombre que tiene por oficio el de escribir— hay que exigirle el conocimiento del instrumento que usa, su propia lengua[18].

*

Insisto en la cercanía de nuestra guerra. Habrá que reconocer el asombro —todo el asombro que se quiera— que produjeron su motivación y sus hechos[19], pero nos tocaron demasiado de cerca y nos dolieron con demasía. Por eso quedaron fuera del interés literario, porque habían calado mucho más hondo[20]. Pienso en las guerras carlistas; tampoco ellas tuvieron, hasta mucho más

---

[18] Estas novelas, estilísticamente no son un progreso, sino que en su desajuste caótico de muchas cuestiones de lengua dan testimonio contrario de lo que es el quehacer de un novelista. No se olvide que las reglas y preceptos no están hechos para fastidiar al escritor, sino para beneficio de los lectores, según se le ha dicho alguna vez a Henry Green.

[19] Vid. Gironella, *El novelista ante el mundo*, pág. 24.

[20] Esto en España; la situación de los hombres que fueron al destierro fue parecida. Válganos el testimonio de Max Aub: «Nuestra guerra espera todavía su novelista» (*Discurso de la novela española contemporánea*, México, 1945, pág. 104). Claro que las cosas cambiaron con el tiempo; quien se interese por el problema, vea la bien informada *Narrativa española fuera de España (1939-1961)*, de José R. Marra López (Madrid, 1963).

tarde, las grandes novelas a que se hicieron acreedoras. Hasta Galdós, o más bien, hasta Valle-Inclán y, menos intensamente, hasta Miró. Acaso al hombre hispano le falta capacidad para asimilar esta grandeza próxima y necesita —siempre— una remota lejanía. Acaso por ello, en vez de acercarse al bosque se dirige a la flor o al árbol.

Y esto me pone en camino de aceptar plenamente unas palabras de Gironella:

> No voy a cometer la insensatez de meterme a crítico, ni de personalizar. Sólo el tiempo clasificará, como en el Juicio, a los buenos y a los malos. Lo único que querría decir es que el momento es a propósito para los hombres de mi generación, porque en el 36 vivimos aquella guerra, porque fuimos, luego, con esta experiencia en la espalda, espectadores de la otra, y porque ahora, con los años, la vida está quedando al desnudo en nuestra patria, todo está quedando perfectamente claro, las causas de aquel combate y el itinerario que ha seguido y sigue nuestra evolución. Y porque, sobre ese fondo o línea temporal y dramática, disponemos de lo que siempre, de lo eterno, que son el detalle inmediato, el sentimiento humano, el paisaje, el alma individual y la de la patria; es decir, el hombre, la mujer, el hijo y el árbol[21].

Insisto, también, en el alejamiento de la guerra mundial. No por falta de interés nuestro, sino por demasiado interés en lo nuestro. Ahora no es cierto lo de que un clavo viene a sacar a otro clavo. No. Sangre extraña no podía ahogar a nuestra propia sangre. Dolor ajeno no podía mitigar dolores nuestros. Toda la pena y toda la angustia de fuera sirvió como sumando a la tragedia de casa, pero —sobre lejanías— se afirmó gigantescamente la ruina de nuestros pueblos y de nuestros hombres. Ya no como masa doliente, sino como heridas que hay que atender, una a una, porque no hay bálsamo que cure todas las llagas de una vez, porque hace falta la mano —la suave mano— que vaya cuidando amorosamente la singularidad de cada mangla. Entonces —ya— nos explicamos el nuevo proceso del novelista actual: descubrir cada herida y aplicar su amor, no a la indiferenciación colectiva, sino a cada uno de los hombres que siguieron sufriendo. Sólo así se entienden resultados tan distintos como los que una guerra

---

[21] *El novelista*, etc., págs. 27-28.

—la civil nuestra— y otra —la primera mundial— tuvieron para las literaturas de España y Estados Unidos, pongo por caso. Para nosotros el compromiso llevaba a una oposición mucho más que íntima, lo que no ocurría con *One Man'n Initiation: 1917* (1920), de John dos Passos; *The Enormous Room* (1922), de E. E. Cummings, o *Trough the·Wheat* (1923), de Thomas Boyd. El que estas novelas se opongan a una idea de «cruzada por la civilización»[22] no escindía la historia de Norteamérica, por más que el «tratamiento definitivo y agudamente efectivo» de la guerra no apareciera hasta más tarde, cuando Hemingway escribe *Adiós a las armas* (1929). Válganos una última explicación, no válida para nuestro caso:

> El horror y el cansancio de la guerra es lo que la generación posbélica quiso que fuera su tema propio [...]. Por todo el curso de esta obra [*Adiós a las armas*] transparece la reacción contra las «sagradas abstracciones» de la civilización occidental que, en plena guerra de trincheras y desde los melancólicos refugios del soldado, parecían llevar al colmo la profanación de la dignidad humana[23].

III

La reunión de novelistas y críticos de Málaga (1972) ha venido a mostrar muchas cosas: la vitalidad de unos escritores y el silencio tendido sobre otros; la fortuna de éstos y el tener información de aquéllos. Ha servido de índice para que nuestros críticos muestren su estar *à la dernière* y el valor que se derrocha —por parte de todos— al enfrentarse con un público. Pero nos ha hecho ver bien cuán distinto ha sido lo que allí pudo oírse de lo que se dijo —pongo por caso— en las reuniones de Santander[24] o lo que se escuchó en Méjico[25].

Enfrentándonos con la novela española de la posguerra vemos

[22] Que también tuvo sus partidarios: *The Marne* (1918), de Edith Warton, *One of Ours* (1922), de Willa Cather.

[23] Vid. *La novela americana entre dos guerras*, apud Frederick J. Hoffman, *La novela moderna en Norteamérica* (trad. José M.ª Castellet), Barcelona, 1955, págs. 112-113.

[24] Me refiero a las que organizó Francisco Ynduráin y que ahora pueden leerse como *Prosa novelesca actual* (I, Madrid, 1968; II, Madrid, 1969).

[25] *Los narradores ante el público*, edit. Joaquín Moritz (I, México, 1966; II, México, 1969).

aplicar a ella unos principios teóricos que han dado lugar a muy largos comentos. Sólo quiero apuntar aquí algo que me parece inesquivable: las narraciones en primera persona. De ahí que no puedan aislarse tres tipos de relato que muchas veces se interfieren: la tradición picaresca, reavivada por Cela, Arbó, Darío Fernández-Flórez, Soler, etc.; la autobiografía que liga —no en cuanto al género de vida, sí en cuanto a la técnica— las creaciones del grupo anterior con las que voy a comentar seguidamente, y, por último, el monólogo interior.

Pienso volver algún día a explicar el porqué del resurgir de la novela picaresca. Que a los críticos les parezca bien o les parezca mal no es resolver ningún problema. Las razones son otras que las puramente subjetivas, subjetivas —claro— para el historiador que no para los novelistas que han seguido ése y no otro camino. Pero, al detenerme ahora en los relatos autobiográficos, quiero hacer una salvedad: voy a prescindir de los que tienen que ver con la tradición nivolesca de Unamuno, tan sólo para evitarme repeticiones[26].

Miguel Delibes, en el *Diario de un cazador* (1955) o, en su continuación, *Diario de un emigrante*, ha trazado las memorias de un hombre sin historia, pero que, en la diminuta vulgaridad de su quehacer, encuentra emoción ante la naturaleza o las criaturas, que sabe apropiarse con garbo y veracidad de un léxico próximo —el venatorio— o remoto —la incorporación paulatina de chilenismos—[27].

Mrs. Calwell habla con su hijo, la novela de Cela, es un continuado monólogo interior. Una madre escribe sobre Eliacim, su hijo, «tierno como la hoja del culantrillo, muerto en las procelosas aguas del mar Egeo, Mediterráneo oriental». La segunda persona de que habla el narrador es, precisamente, este Eliacim, del que sabemos unas cuantas cosas menudas y alguna frivolidad[28]. Pero lo más importante es un mundo delicado, concreto en las cosas más pequeñas o en las ternuras más dulces, al que Mrs. Calwell nos presenta y al que ella está asomada como espectadora en balcón. Pero, poco a poco, todo el mundo recoleto de Mrs.

---

[26] Vid. mi *Noventayocho y novela de posguerra* en este mismo volumen.

[27] Bien merecen ser leídas páginas como las 67, 135 y 182 de la primera novela, en las que hay descripciones amorosamente hechas y captadas con finura de observación.

[28] Cfr. F. Ynduráin, *La novela desde la segunda persona. Análisis estructural (Prosa novelesca*, I, págs. 157-182).

Calwell se ha puesto en marcha y, poco a poco, va anegando su pobre razón, definitivamente perdida —con la vida— en el Hospital de Lunáticos de Londres. La maestría —aparte la precisión del lenguaje— han sido los escalones que hemos ido ascendiendo, insensiblemente, por el borrascoso mundo de la escritora, mundo encenagado por fracasos sexuales o por apetitos inconfesables, hasta acabar en la enajenación.

Autobiográficas son las páginas de *La moneda en el suelo*[29] y buena parte de ellas podrían ser un coloquio interno. Por eso incluyo aquí una narración que, salvados cuatrocientos años, podría tener su mucho de picaresca: por el mundo, las gentes o las pasiones que más de una vez se describen. Partiendo de un tema viejo —el músico joven, cuyas manos se destrozan en un accidente— se traza un fino análisis psicológico del hombre a quien cada tropiezo con la vida le degrada espiritualmente hasta el hundimiento. La obra produce la impresión de tener mucho de experiencia vivida[30]; al menos logra con eficacia aquel ideal de Ortega según el cual en la novela es preciso «*que* se vea bien algo humano, sea lo que quiera», y aquí hay dos tipos acabados (Carlos Serón, Julia Máiquez) cuya hondura humana palpita sin reposo en el amor, el odio, las riñas o la venganza. La novela está escrita en buena prosa; alguna vez, ramalazos de poesía

---

[29] Ildefonso Manuel Gil, su autor, es un gran poeta: son representativos dentro de su obra los *Poemas de dolor antiguo* (1945), *El corazón en los labios*, (1947), *El tiempo recobrado* (1950) y, posteriormente, una *Antología* (1953), donde hay muestras de toda su obra poética. Nacido en Paniza (Zaragoza), en 1912; vivió en Madrid y Zaragoza. Ahora reside en Estados Unidos, donde es profesor universitario. La novela que me ocupa fue premio internacional de primera novela (1950); a ella siguieron otras, *Juan Pedro, el Dallador* (1953) y *Pueblonuevo* (1960). Esta última analizada por el autor *(Prosa novelesca*, I, págs. 71-82).

[30] Naturalmente, no quiero decir que el novelista haya sido actor de los hechos que aquí se narran. Tan sólo indicar la posibilidad de que en ocasiones no sea demasiado gruesa la sutura que une vida y fantasía. O, si de otro modo se quiere, diré que el mundo novelesco aquí narrado depende de la realidad mucho más directamente que en otras novelas más librescas y menos asentadas sobre la vida del hombre. Bien claro lo dejó dicho Wolfe en *La historia de una novela* (1936):

Toda obra creadora responsable debe tener un fondo autobiográfico [...]. A pesar de todo, es imposible que quien tenga una auténtica fuerza creadora se limite a transcribir literalmente su propia experiencia. En una obra de arte, todo es transfondo y transfigurado por la personalidad del artista. Por lo que a mi libro atañe, puedo declarar con toda sinceridad que no creo se encuentre en él ni una sola página que consigne los hechos con veracidad (apud Hoffman, *op. cit.*, págs. 194-195).

cruzan estas páginas, que evocan en su técnica la dureza del grabado. Rayas espesas que el buril incide sobre el cobre; pintura negra que apenas si deja resquicio a una esquirla de blancura. Almas al desnudo, como pretendía Unamuno, historia de pasión —y de pasiones— en las que (en la primera parte) se entremezclan el gusto amargo de la realidad con el poso dulce del recuerdo; algo que es técnica cinematográfica y que, por su engaste, hace pensar en ciertos procedimientos del teatro actual. Novela en la que sin desmayo palpita el hombre. No los más nobles sentimientos, pero sí la carne y la sangre del hombre[31].

Proceso personal, de Suárez Carreño (1955), es ante todo el íntimo soliloquio de Tomás Ozores. Él, su propio acusador y su propio juez. Una vida irregular (contrabandos, sucios negocios) que aflora ante el temor de una denuncia. Y el dedo impasible de la conciencia acusa, hasta acorralar, la vida de fullerías del, hoy, honorable don Tomás. Si éste es el tema capital de la novela, hay otras muchas cosas en ella que le dan una compleja personalidad. Técnicamente importa ver la sutileza que ha venido a resolver la antinomia presente-pasado, aquí en función de una sola persona en la que convergen, haces de luz, las peripecias de los demás. En vez de descomponer el presente para conocer, por descomposición, el pasado, Suárez Carreño toma los siete rayos que le dan la luz blanca y ésta se desliza, unida, a lo largo de un Madrid de posguerra, pero sin olvidar nunca que la blancura es fruto de pluralidades preexistentes[32].

---

[31] Una novela de este tipo no admite réplicas ni variantes. El cauce de la experiencia vivida tampoco puede repetirse sin graves peligros. Por eso *Juan Pedro, el Dallador* no añade nada a los logros de *La moneda en el suelo*; pienso que es más bien un retroceso.

[32] Junto al monólogo hay —como en *Las últimas horas*— un sentido plástico de las cosas que hace pensar en el cine. Ventana alta, calle madrileña abajo, mientras el escorzo obliga a las cosas —los coches, la gente en la espera— a perder sus proporciones. Pero no son sólo imágenes plásticas las llamadas que atraen nuestros sentidos; es ejemplar la valoración que se da al empleo de las voces, a su expresividad como recurso narrativo; algo sabido de siempre, pero pocas veces usado con exactitud. Pienso si ésta no será otra influencia —una más— del cine, ahora «sonoro». El mundo que da fondo a la narración, es un Madrid de «snobs», aprendices de existencialistas, gentes sin moral y con el alma encenagada. Ambiente acertadamente visto, más en el interior de sus componentes que en la superficie de las cosas. Por eso los resultados interesan no sólo desde la eficacia de la narración, sino también desde la vida de unas gentes y de un pueblo en el que la irresponsabilidad y la codicia se habían dado cita. Otras cosas son discutibles, pero la posibilidad de discusión ya es un motivo para aceptar su verosimilitud y su armonía en el conjunto.

Al final de estas novelas debo situar otras que si se apartan del soliloquio íntimo por no estar narradas en primera persona, son, sin embargo, narraciones en las que unos papeles autobiográficos caen en manos del novelista que les da aire de versión más impersonal. Es el mismo recurso técnico que tantas veces repite nuestra novela de hoy.

La hija de Jano (1946), de J. A. Giménez Arnáu, envuelve su relato en una breve cobertura policíaca: dos mundos opuestos a los que la protagonista debe entregarse y, en torno a un proceso de adaptación espiritual, el aflorar del complejo de Electra, aunque las situaciones aparecen demasiado en esquema y con unos resultados fácilmente previsibles.

Santiago Lorén se estrenó como novelista con *Una casa con goteras* (1954)[33]. Técnicamente la novela participa un tanto de la visión más o menos frontal y otro poco de la autobiografía. Se finge la correspondencia de un marido con su esposa muerta, y antes de llegar a este monólogo epistolar el novelista nos pone en antecedentes de una serie de hechos entre los que figuran la trivialidad del motivo que justifica el título, un humor demasiado rebuscado, abundantes granos de sal gorda y ciertas situaciones poco nuevas. Otra novela de Lorén, *Las cuatro vidas del doctor Cucalón* (1954) ofrece motivos para idénticas consideraciones: la mitad del relato está dañada por elementos extraños a esas cuatro vidas —cada uno de los hijos del protagonista—, la gracia es un tanto burda, hay excesivo tecnicismo médico y sobra retórica en las cartas intercaladas. En cambio, casi todos los personajes tienen humanidad y ternura. Humanidad y ternura que, en el pedante y orgulloso doctor Cucalón, silencian la presencia entrañable de la esposa.

*

Autobiografía —Pascual Duarte, Lola, Carlos Serón, Pedrito Andía, Marta Camino, Valba Abel, etc.— y monólogo interior son

---

[33] La novela consta de tres partes totalmente distintas, cada una de ellas con independencia de las otras: Sebastián Viladegut, el viajante que ha de legar su correspondencia; Fortunato Corrales, el pobre maniático autor del crimen, y una tercera parte —la casa y las goteras—, en la que aparecen nuevos tipos y a la que llegan, gracias al pretexto del hotel, nuestros dos conocidos. Esta parte disuena del resto de la novela. Cada una de las anteriores tuvo una coherencia que a ésta le falta y no es que la descripción del hotel y sus gentes no fuera necesaria, sino que, con ella, tan diversa de lo anterior, se quiebra la arquitectura de la obra, y viene a hundirse una trabazón cuidadosamente elaborada.

manifestaciones de un mismo proceso: el relato en primera persona. Pero desde el momento mismo en que los personajes hablan de sí, sea para contarnos su vida, sea para autodeterminarse, nos enfrentamos con un mundo que viene a negar el sentido tradicional de la novela —épica— para entrar en la dramática o en la lírica. No me refiero únicamente a la especial concepción de una novela determinada, tal y como ocurre en *Pabellón de reposo*, sino a una específica, concretísima manera de intercalar elementos poemáticos dentro de las narraciones. Estos elementos se incrustan directamente en las conversaciones de los personajes como explosión cordial de cada alma y no como motivo externo creado por el novelista. Así, la delicada página de *Pabellón de reposo* en la que unas ramas traen el dulce recuerdo de la amada, hace pensar en el poema de Dámaso Alonso, *El alma era lo mismo que una ranita verde*[34]; así, en la misma novela, la incertidumbre de nuestro «fatal destino» trae a las mientes recuerdos de Rubén, de Unamuno o de Jeremías; así, la presencia de la sangre en *Las últimas horas* evoca inmediatamente el recuerdo de Lorca en las canciones trágicas del *Poema del cante jondo* o de *Bodas de sangre*. Y queda aparte el mundo de ternura al que me he referido incluso al hablar de las novelas más broncas.

IV

Hay aquí apuntadas unas consideraciones en torno a un determinado quehacer novelesco: el de nuestros narradores de la posguerra. Por 1955 las cosas cambiaron mucho y la novela española se enfrentó con una problemática muy diversa a la que aquí se historia[35]. Era necesario este distanciamiento para poder ver las cosas con cierta claridad e intentar ordenarlas. Pero todo ha quedado condicionado por un hecho concreto: reunidos novelistas y críticos —con libertad— han hablado de su quehacer y han elegido unos temas. Estas páginas mías quisieran ser como un contrapunto que acompañara a las otras voces. Con todo el ensordinamiento que se quiera, y sólo como acompañamiento. Al fijar la cronología, quedan fuera muchas cosas que cuentan ya con su

---

[34] *Hijos de la ira*, Col. Austral, núm. 595, págs. 111-114.
[35] Precisamente de esas fechas parte Santos Sanz Villanueva en sus recientes —y bien pensadas— *Tendencias de la novela española actual* (Madrid, 1972).

peso específico. Ahora he pretendido —únicamente— fijarme en la antesala de los días que estamos viviendo. Resulta entonces que de los dos aspectos considerados, uno —novelas de guerra— venía a pertenecer al mundo que podemos llamar tradicional; el otro, la autobiografía, acompasada —tantas veces— de monólogo interior, miraba hacia el futuro —ahí están las *Cinco horas con Mario* y el *San Camilo, 1936*. En este simplicísimo planteamiento hay un hecho general:

> Una novela no es la historia de la aventura acontecida a uno o varios personajes, sino la aventura misma de la novela que se está haciendo, y, para el lector, de la novela que se lee. Como consecuencia de esas varias prohibiciones, el arte novelesco se convertirá, pues, en un arte de la mirada, en la descripción atenta, pero limitada, de lo que veo, bien entendido que me prohíbe interpretar en nombre de la psicología, aunque ésta se reduzca al *behaviorismo*, los movimientos o las palabras de aquellos a quienes miro[36].

No sé si se ha cerrado un ciclo histórico. Pero no deja de ser harto significativo que un filósofo —Gustavo Bueno— considere *behaviorista* a *La Colmena*, la gran novela de nuestra posguerra[37]. El «nouveau roman», con todas sus implicaciones, aún no se anunciaba, y el tiempo —en el quehacer de nuestros novelistas— contaba como obsesión lacerante. Era el resultado de una historia vivida y de la que la sociedad no acertaba a desprenderse, pero no deja de ser sintomático —y la intuición camina hacia el futuro— que la poesía se haya incrustado en muchos de estos relatos; no en el lirismo de los seres, sino en la referencia concreta a evocaciones que han tenido existencia poemática. Ortega hablaba de la muerte de la novela como género literario y el carácter sincrético que —por sus días— iba cobrando; Michel Butor ha dicho que el único género literario capaz de sobrevivir es la poesía y, consciente de ello, intenta «integrar la poesía, que se supone todavía viva, en el interior de un género que se supone muerto: la novela»[38].

La situación que he descrito es ya historia, pero una historia

---

[36] J. Bloch-Michel, *La «nueva novela»* (trad. G. Torrente Ballester), Madrid, 1967, pág. 22.

[37] *Clavileño*, núm. 17, págs. 55-58. Santos Sanz Villanueva *(op. cit.,* pág. 55) aparta a Cela del *behaviorismo* e introduce en él a Sánchez Ferlosio y García Hortelano, que ahora quedan fuera de mi análisis.

[38] Bloch-Michel, *op. cit.,* págs. 47-48.

que resultó comprometida al menos en uno de los casos considerados. Faltó, pues, la decisión —por muchas razones— que llevó a un Upton Sinclair a tratar de temas actuales como *Oil* (1927) o *Boston* (1928) o a un Baroja a trazar la historia contemporánea de España. Difícil acaso hacer literatura con todo ello sin una depuración serena: el éxito de relatos de este tipo —aquí y fuera de aquí— no ha sido tanto por el valor intrínseco de las obras, sino por el escándalo o el compromiso. En el fondo, la razón está con Gertrude Stein: «Lo único que cambia de un tiempo a otro es lo visto, y lo visto depende del modo como cada cual hace cada cosa.» Sabio principio que nos precave contra la relatividad, implacable enemiga de lo que llamamos historia.

Historia es —también— la técnica del relato desde nuestra perspectiva de hoy. Aduciendo un testimonio ajeno quisiera cohonestar los dos planteamientos en que me he movido al considerar algo que me dieron hecho unos novelistas y unos críticos:

> Sólo la elección del asunto dice con elocuencia de las inquietudes literarias de nuestra generación, pero la elección del asunto es apenas el principio. La revelación surge al tratarlo: por lo que dice un autor nos enteramos no solamente de las fuerzas y los factores que operan en la literatura de nuestros días, sino también de cómo fue afectado él en su condición de escritor [...] por esas mismas fuerzas y factores[39].

Al tratar de entenderlos —a novelistas y críticos— he tenido que comprender unos días que para muchos de nosotros apenas si son algo más que un recuerdo neblinoso. Los necesitamos para entendernos: son la «entrada», etimológica, el aquí y al hoy. Lo que está y va «delante del camino», nuestro *proemio*.

---

[39] Francis Brown, *Literatura contemporánea*, Buenos Aires, 1954, pág. 10.

De varia lección

Historia y olvido de la Zaragoza *galdosiana*

(Comentarios y documentos sobre la ópera)

I

De las seis novelas que Galdós llevó al teatro, una, *Zaragoza*, arropada por la música del maestro Lapuerta, se representó como ópera. Los fondos que conserva la Casa Museo de Las Palmas y la prensa de la época pueden ilustrarnos muy variadamente sobre su génesis. Si no se llega con ello a soluciones de grandes problemas, creo que se ilustran numerosos motivos tanto biográficos cuanto literarios, y se podrán puntualizar cosas que no estaban demasiado claras.

II

Lapuerta fue un músico de poco relieve. Continuamente se le llama «joven» y «modesto», lo que a falta de mejores títulos no es mucho[1]. Era navarro y había nacido en 1871; pasó no pocas necesidades y llegó a escribir música para el cine. Su apogeo como compositor coincidió —precisamente— con la *Zaragoza* galdosiana. Después todo se fue apagando, y aquí tenemos los testimonios. Son más o menos los de su correspondencia con don Benito, empezada en junio de 1899 y terminada —en los materiales de que disponemos— en febrero de 1914[2].

Las relaciones de Lapuerta con Galdós comenzaron de una forma harto directa: el músico —a la sazón de veintiocho años— escribió una carta (18 de junio de 1899) de autopresentación al novelista, famoso desde mucho antes: quería darle a conocer

---

[1] Algún crítico habló del *joven y ya aventajado maestro*, palabras que a Lapuerta le parecían escritas por un imbécil (tarjeta a Hurtado de Mendoza en el legajo que describo en la nota siguiente). Lo cierto es que hoy su nombre está totalmente ignorado en los repetorios de historia musical y hasta en los inventarios de los géneros que él cultivó.

[2] El legajo que conserva esta correspondencia es el número 10, carpeta número 11. El total son 31 piezas entre cartas y tarjetas.

diversos fragmentos musicales inspirados en *Marianela*, obra que debería convertirse en pieza teatral, aunque no en ópera, género poco propicio a los gustos españoles (doc. 1). Sin embargo, la respuesta de Galdós no fue concorde con los deseos del músico: a través de Carlos Fernández Shaw[3] le propuso cambiar *Marianela* por *Zaragoza* y la posibilidad de representarla en el Teatro Español; esto al menos queda claro por la segunda carta de Lapuerta, que tuvo que resignarse por el momento —y para siempre— de componer su «gran *Marianela*». Las cosas se iban a forzar mucho: el músico escribía el 11 de agosto de 1900 y, siempre a través de Fernández Shaw, sabía que para diciembre de ese año debería tener dispuesta la obra; la urgencia no admitía dilaciones, aunque el estreno se retrasara mucho. Corto anda García Mercadal al hablar de siete años de retraso[4], pero motivados por causas que no tienen que ver con nada de lo que él cree, pues ni Lapuerta ni Galdós anduvieron tan diligentes como para acabar la ópera antes de diciembre de 1900. Lapuerta había conseguido autorización de Galdós para musicar *Marianela*, y trabajó —a la vez— en *Zaragoza*, aunque su quehacer se iba retrasando: penurias económicas, que siempre cuentan en sus cartas, y problemas con la Sociedad de Autores le impedían seguir a buen ritmo su trabajo (doc. 3). La impaciencia de Galdós le llevó a abandonar la ópera, y Lapuerta aceptó la decisión (doc. 4)[5].

---

[3] Guillermo Fernández Shaw ha contado cómo don Benito confió al librero Baldomero Portillo sus deseos de que el poeta convirtiera *Marianela* en zarzuela u ópera (1905), como también se pensó en que él mismo hiciera la escenificación de *Zaragoza* (vid. *Un poeta de transición. Vida y obra de Guillermo Fernández Shaw (1865-1911)*, Madrid, 1969, págs. 130 y 132). Puedo confirmar la información concerniente a *Marianela* con nuevos datos: el interés de Galdós estaba amparado en un fracaso que había tenido con Valle-Inclán. En 1905 debía haberse acabado un intento de colaboración, ya que sabemos que Valle pretendió llevar la novela a las tablas y, si hemos de hacerle caso, trabajó en ello. Por 1904 decía tener algo hecho, pero nunca terminó (cfr. la carta de don Ramón a Galdós en Sebastián de la Nuez y José Schraibam, *Cartas del archivo de Galdós*, Madrid, 1967, pág. 28). Sólo al tercer intento fue la vencida: los Álvarez Quintero —ya por 1914— pensaron en hacer una versión de la novela para desagraviar al gran novelista de las mezquindades que padeció en su candidatura al Premio Nobel. La *Marianela* de los dramaturgos sevillanos se estrenó en 1916 (vid. *Cartas del archivo de Galdós*, ya citadas, págs. 238 y 240-244).

[4] El periodista aragonés hace referencia al artículo «Género chico, ópera nacional» que el propio Lapuerta publicó en el número 5 de *Juventud* (se empezó a editar en octubre de 1905); vid. sus páginas de recuerdo «Galdós, Aragón y la ópera *Zaragoza*» (*Cuadernos hispanoamericanos*, 250-252, 1970-71, pág. 730).

[5] Carta del 4 de agosto de 1900.

Hay una laguna en el epistolario, si es que tales cartas existieron. Desde ese 4 de septiembre de 1900, en que todo parece acabarse, hasta agosto de 1901, en que el mayor optimismo campea en la pluma del músico (doc. 5). Durante un año no volvemos a saber nada de la ópera, pero evidentemente se trabajó en ella. Tras la palinodia de Lapuerta, Galdós debió aceptar la continuación de la obra. Ahora, un año después, las referencias son explícitas: la música del acto segundo iba a ser modificada (señal de que se había trabajado en él) (doc. 6), había motivos para el preludio del acto tercero y la esperanza de no descansar hasta el final. Don Benito volvía a sugerir ideas[6]. Pero otra vez las cosas se interrumpieron y, otra vez, sin duda, por culpa del músico[7]. Cinco años después, *Zaragoza* volvía al atril, y no era por mucho tiempo: en julio, Lapuerta prometía trabajar hasta octubre (doc. 9), pero —de nuevo— pespuntean sus líneas las penurias económicas (urgencias del género chico, dificultades de estrenar, amagos de cesantía). Y Galdós, armado de paciencia, enviaba las cuartillas del segundo cuadro del acto tercero, soportaba nuevos lamentos económicos del maestro, sus urgencias para disponer de nuevo material... (docs. 10-13). Hasta que hubo nueva demora: otro año —de agosto a agosto— la música no debió adelantar mucho; más bien, estuvo estancada de nuevo, según se desprende de una carta de 1907, con referencia a otra perdida (doc. 14).

Así acaba la historia musical de *Zaragoza*. Después, Lapuerta envió a Galdós dos cartas sin fecha: una de ellas inmediata a su estreno (doc. 15)[8], otra, posterior a él, y con relación a la crítica

---

[6] Carta número 7.

[7] Aunque se conserva una carta de cierto interés [la número 8], pero no referida al tema que tratamos de historiar.

[8] Galdós estuvo en la ciudad poco antes de estrenar la ópera y, según contó Francos Rodríguez (vid. nota 14) hizo bocetos para el decorado. Zaragoza le era conocida desde mucho antes: en 1869 la visitó con ocasión de acontecimientos narrados en las *Memorias de un desmemoriado* (O. C., VI, págs. 1858-1859):

De Zaragoza recibieron nuestros gloriosos generales una invitación para asistir a un certamen de artes e industrias [...]. Varios amigos me colocaron a mí, que en aquellos días escribía en no sé qué semanario... Al día siguiente, tempranito, me eché a la calle, ansioso de conocer ciudad tan interesante, renombrada por su grandeza histórica y singularmente por el valor de sus hijos. En pocas horas recorría sin guía el Coso, el Mercado, el Pilar y la Seo; vi la Torre Nueva; después la Escuela Pía, la parroquia de San Pablo, la Puerta del Carmen, acribillada por los balazos de los dos famosos sitios; la Trinidad, la Aljafería, el Torrero y, por último, las ruinas (doc. 16). Después, el epistolario de Lapuerta acaba con otras dos esquelas, ya de 1914, en las que el músico trata de colocar algunos fragmentos de su obra en el repertorio de la banda municipal de Madrid (doc. 17 y 18) y hace referencia a sus trabajos sobre el *Alceste* galdosiano[9]. Una carta sin fecha creo que debe ser la última de su serie.

III

Hemos llegado —y no se culpe sino a la lentitud de Lapuerta, unas veces; otras, a demoras de Galdós— al año de 1908. Zaragoza iba a conmemorar el centenario de los Sitios, y el estreno de la ópera se anunció con toda clase de alardes[10]. La prensa del tiempo nos ayuda a conocer nuevas dilaciones. El *Diario de Avisos de Zaragoza*, publicó el 3 de junio un anticipo en «vísperas del estreno»: Luis Arnedo pasó revista a cada parte de la ópera y no escatimó elogios, a pesar de que la obra estuviera inédita. Pero el 3 de junio la obra no se estrenó: Miguel Moya anunció la enfermedad de Galdós[11], los ensayos iban muy retrasados (buena parte por

---

de San Agustín. No puedo decir que todo esto lo viera en una sola caminata, sino en varias aquel día o en los siguientes; ello fue que por un misterioso móvil de observación me fui apoderando de todos los aspectos característicos de la capital aragonesa (pág. 1659 *a*).

En *La Esfera* (24-1-1920), Rafael de Mora publicó un artículo, *Pérez Galdós, dibujante*, ilustrado con un bellísimo dibujo del Pilar, hecho por don Benito.

[9] El 21 de abril de 1914, estrenó Galdós (teatro de la Princesa de Madrid) su *Alceste*, protagonizado por los grandes de la escena española (la Guerrero, Díaz de Mendoza, Thuillier). El escritor puso una nota *A los espectadores y lectores de «Alceste»* (O. C., VI, 1298-1327) en la que no habló de colaboración, pero —carta del 24-II-14— Lapuerta había escrito, cuando menos, la partitura del funeral que podría ir en la escena IV del acto tercero, cuando el dramaturgo ha apostillado el «óyese [...] música funeraria de flautas y liras» (pág. 1276 *a*).

[10] Los amigos zaragozanos de Galdós le tuvieron al corriente de la situación teatral de la ciudad y la asignación del Teatro Principal, donde la ópera acabaría estrenándose. En la Casa Museo de Las Palmas se conserva una carta muy explícita de Mariano Gracia a don Benito (9 de enero de 1908).

[11] El texto de su telegrama —dirigido a Luis Morote— se publicó en la prensa local. El *Diario de Avisos* del día 3 lo reprodujo de la manera siguiente:

Galdós sigue enfermo. No puede asistir al estreno de *Zaragoza*. Espera mejorar y cree seguro ir jueves. En este caso le acompañaremos muchos amigos y admiradores. MOYA.

culpa de las disparatadas copias que había mandado la Sociedad de Autores) y todo aconsejó el aplazamiento, aunque don Benito se enteró y se anticipó con este telegrama, dirigido al empresario del Teatro Principal, de Zaragoza:

> Procure que los entreactos sean lo más breve posible. Tenga el escenario despejado de intrusos y curiosos. Evitar tiros en el escenario; deben oírse sólo tiros lejanos, producidos por la caja de descargas. Cuide de que me comuniquen por teléfono impresiones estreno acto por acto; estoy muy intranquilo. Dios nos tenga de su mano. GALDÓS[12]

El alcalde de la ciudad aceptó la suspensión. El Ayuntamiento —reunido aquel día— pidió a Galdós que anunciara su llegada a Zaragoza para ser dignamente recibido[13]. El empresario viajó a Madrid, y a Madrid fue un político republicano. Todos de acuerdo, hubo una pequeña dilación: la ópera se estrenaría el 5 de junio (no el 5 de octubre, como dice García Mercadal). El día 4, Arturo Lapuerta publicó la autocrítica de su obra[14], en la que

---

[12] Copia del *Diario de Avisos de Zaragoza* (3 de junio de 1908).

[13] El *Heraldo de Aragón* (30 de mayo) había publicado la noticia de que ese día se reuniría el Ayuntamiento en «sesión confidencial». Merece la pena recoger la nota:

> La reunión ha sido convocada con urgencia por el alcalde a ruego de la sección municipal de Beneficencia e Instrucción y tiene por único objeto recordar el homenaje que tributará a D. Benito Pérez Galdós, con motivo del estreno de su ópera *Zaragoza*.
> Existe en la casa consistorial el criterio unánime de hacer excelente recibimiento al ilustre literato a su llegada a Zaragoza y de verificar en su obsequio un acto de afectuosa gratitud por haber concedido a Zaragoza las primicias de su privilegiado talento al escribir una obra relacionada con los Sitios.
> Desde luego puede afirmarse que el recibimiento a Galdós será tan cariñoso como el que se hizo a Sarasate.
> A la estación saldrá a esperarle nutrida comisión de concejales y la sección montada de la guardia municipal.
> La noche del estreno de *Zaragoza*, el Ayuntamiento obsequiará con un lunch en el salón verde del coliseo de la calle del Coso y hay el propósito de llevar a cabo otros actos, los cuales quedarán planeados en la sesión de esta tarde.

Por eso los acuerdos del día 3 fueron más protocolarios y atendían al próximo viaje de miembros de la familia real.

[14] Vid. *Heraldo de Aragón* y mi apéndice documental. Con las impresiones de Lapuerta coincide Francos Rodríguez: «Los derechos que puede dar una ópera son irrisorios, mientras que una zarzuela de un acto puede producir —1908— hasta treinta mil duros.» (*El teatro de España 1908*, pág. 102.)

vierte cosas por él harto repetidas y ofrece testimonios de su invariable devoción a Galdós (doc. 20)[15]. Pero si don Benito no tenía buenos informes el día 3, el músico no los tuvo el 4. Contra lo que él creía, Galdós fue al estreno de *Zaragoza*, y llegó ese mismo día, víspera del acontecimiento[16]. García Mercadal, en un reciente artículo, ha contado cómo don Benito, con Ortega y Munilla (director de *El Imparcial*) y Miguel Moya (representante de *El Liberal*), llegaron en un mercancías: en Casetas cambiaron de tren para que los infantes Fernando de Baviera y María Teresa de Borbón llegaran antes a la ciudad. Tal y como ocurrieron las cosas, la medida fue cauta, pues la acogida a Galdós se hizo en olor de república: lo recibió una comisión del Ayuntamiento con maceros, y «numeroso público», y de cuanto fue pasando dio puntual noticia el *Diario de Avisos*[17]:

> Al descender del tren el ilustre autor de *Zaragoza* la banda de música del Hospicio tocó el Himno de Riego.
> Oyéronse entusiastas aplausos y vivas al autor de los *Episodios Nacionales* y de «España sin Rey».
> Desde la estación dirigiéronse el señor Galdós y la comitiva que le acompañaba al Hotel Europa, viéndose aquél obligado a salir al balcón, donde volvió a escuchar una afectuosa ovación.
> La música tocó entonces *La Marsellesa*.

Y *Zaragoza* se entrenó. La prensa local (el *Heraldo* [doc. 22], el *Diario de Avisos* [doc. 21]) dio cumplida cuenta[18] y —nobleza obliga— expresó su gratitud. Días después, alguna revista especializada, *El Arte del Teatro*, ensordinaría los entusiasmos [doc. 24][19].

---

[15] Alguna de sus especies está en la última carta que aquel mismo día debió escribir a Galdós (nuestro número 15).

[16] Lapuerta llevaba diez días en Zaragoza y con él algún prohombre republicano —como el político Luis Morote— que regresaría a Madrid para ver a Galdós *(Diario de Avisos,* 3 de junio). Para el retraso del estreno tuvieron que ponerse de acuerdo los empresarios del Lara (Eduardo Yáñez) y del Principal (Gascón), pues la compañía en verso de aquél tenía que haber debutado el 5. Su actuación se retrasó al 9.

[17] Ejemplar correspondiente al 3 de junio. Su información es mucho más completa que la de García Mercadal.

[18] Los otros periódicos locales están faltos de números en las bibliotecas de la ciudad. Me atengo a los que he logrado ver y a los que ha visto por mí don Javier Lucea, a quien agradezco públicamente su gentileza.

[19] Me refiero al tomo III, número 54, pág. 16, correspondiente al 15 de junio de 1908.

Pero Galdós vivió en Zaragoza entre los entusiasmos de todos: el día 5, el alcalde y una comisión de concejales fue al Hotel Europa para cumplimentarle; el 6 se le rindió un homenaje en la Quinta Julieta [doc. 23][20], Tomás Bretón envió un telegrama, que la prensa difundió; los periódicos no regatearon elogios a las sucesivas representaciones de la ópera[21]; el día 7, en las funciones de tarde y noche, los autores se despidieron de la ciudad, aunque don Benito permaneció varios días más en ella... La presencia de Galdós había sido —además— un acto de afirmación republicana: el 6 de junio, Marceliano Isábal convocó a sus correligionarios para lograr que el teatro se llenara [doc. 25] y Galdós le guardó gratitud, según puede leerse en una carta que el 2 de agosto le escribió el abogado zaragozano. Como fruto de tantas satisfacciones, quedaron unas líneas emocionadas con las que el novelista evocó sus anteriores visitas. No han sido reproducidas y merece la pena salvarlas del olvido [doc. 23].

Por último, *Zaragoza* fue adquirida por el Ayuntamiento de la ciudad, que pagó por ella algo más de dos mil pesetas [doc. 26].

IV

Esta es la historia menuda de la ópera *Zaragoza*. A la grande, no llegó. La obra tenía una fisonomía literaria como novela que la hacía imposible de repetir. Como tal había servido de canto épico a la gloria de una ciudad inmortal. Galdós supo —sin duda— el acierto de lo que había logrado. Y, por ello, acaso, tentó llevarla al teatro convertida en ópera. Algo así como un ensueño wagneriano[22] adaptado a la mística nacional que culminó en el heroísmo de la ciudad, pero hubo desajuste entre lo que se soñó y los medios que se utilizaron para lograrlo. Arturo Lapuerta era un músico

---

[20] El *Heraldo* de ese día facilitó una información que es bastante explícita. Me ahorro el comentario y transcribo —sólo— unas líneas:

El homenaje que rinde el Ayuntamiento al Sr. Pérez Galdós no tiene más objeto ni otro alcance que expresar su gratitud por haber escrito su ópera basada en los sitios memorables que sostuvo Zaragoza los años 1808 y 1809, concediendo a la ciudad las primicias del estreno de la obra.

[21] Vid., por ejemplo, el *Heraldo de Aragón* del día 6: «La interpretación fue más segura, sin las vacilaciones que impone el temor en las solemnes noches de estreno.»

[22] Vid. José Pérez Vidal, *Galdós crítico musical*, Las Palmas, 1956, págs. 35-37, y algunos ensayos de los que F. Sopeña incluye en *Arte y sociedad en Galdós*. Madrid, 1970.

de pocos alcances y con muchas necesidades que atender. La obra empezó a hacer agua por donde no debiera: tal vez hubo —además— culpa de todos. Lapuerta quería musicar *Marianela*, y Galdós le propuso *Zaragoza*. Ciento ochenta grados tuvo que girar el compás de la inspiración: de un análisis psicológico se pasó a la grandeza colectiva, de la historia sutil y delicada de un alma al planteamiento de la voluntad de todo un pueblo. Lo que era lírica se convirtió en épica. Y los resultados no pudieron mejorar su calidad. Galdós se equivocó, por más que sólo generosidad tuviera su conducta con Lapuerta, pero tal vez ni músico ni escritor se encontraron a gusto en la tarea que los hermanaba. Lentitud, demoras, retrasos. Y, en definitiva, la obra lo pagó. La ópera apenas si es aducida por nadie dentro del monumental conjunto galdosiano[23] y, salvo los entusiasmos locales, apenas si trascendió[24]. Lo que debió ser criatura artística se convirtió en una obra de circunstancias. No en 1900, sino en 1908 se acabó la ópera. Y para una ocasión harto concreta, para una conmemoración oficial, para algo que vino a mediatizar su propia independencia estética. Y éste fue otro fallo más que unir a una serie de errores (planteamiento, intermitencias, abandono, reanudación, final apresurado). Y es instructivo ver cómo se equivocan los hombres de excepción. La ópera, destinada al Teatro Español, de Madrid, acabó —y de él no salió— en el Principal, de Zaragoza. Ni la ocasión pudo hacerle superar la limitación. Galdós no iba a asistir al estreno, pero terminó yendo. La dolencia del 3 de junio estaba curada para emprender un viaje el día 4 y asistir a la inauguración del día 5. Me cuesta creer en tan rápidas soluciones de las enfermedades. Me cuesta porque sabemos que hubo por medio presiones de todo tipo: las políticas de Luis Morote[25], las económicas del empresario. Y don Benito marchó a Zaragoza

---

[23] No deja de ser sintomático que no se cite ni una sola vez en los tres volúmenes —sapientísimos, sagaces— de Montesinos *(Galdós,* edit. Castalia, 1968-1973), ni conste en la biografía lineal de Saínz de Robles al frente del tomo I de las *Obras Completas,* capítulo IX.

[24] Una excepción es José Francos Rodríguez que en *El teatro en España 1908* (Madrid, 1908), se ocupó de la ópera. Sus palabras son un amontonamiento de vaciedades cuando no de inexactitudes. El crítico cuenta que Galdós trazó «los croquis de las decoraciones que han de servir en su ópera» (pág. 35) en un viaje a Zaragoza antes del que he tenido que comentar.

[25] En 1906, Galdós, se metió —o le metieron— en política y acompañando a Luis Morote figuró en la candidatura republicana que triunfó. Para el viaje de Morote, cfr. nota 16.

forzado por muchas circunstancias, hasta llegar en aquel mercancías que tanto ha sorprendido. Pero era la única manera de estar en el estreno. Y, otra vez, el nombre glorioso fue utilizado para fines de partido: los republicanos se habían movido (colocaron localidades, organizaron actos) y *Zaragoza* les sirvió de bandera de facción[26]. Frente a los infantes que llegaban, el nombre de Galdós era el pabellón de un triunfo seguro y sin comparación posible; en el Ayuntamiento su homenaje figuraba junto a los agasajos que se iban a tributar al rey; en el hotel de la plaza más céntrica e importante de la ciudad, y ante una multitud, sonaba —y no deja de haber sarcasmo en ello— *La Marsellesa*. La revolución cuyo fruto sazonado vino a llamarse Napoleón daba las notas para conmemorar el heroísmo de la ciudad inmolada por la francesada. El motivo nacional se orientó hacia la política y así lo vieron los munícipes de la ocasión. Pero Galdós en Zaragoza no podía ser nunca bandería: era la gloria imperecedera de la ciudad, era el Homero —y evoco palabras suyas— que la ciudad necesitó para inmortalizar su heroísmo. Galdós por encima de anécdotas y circunstancias. Después, un final mezquino, cicatería de la Administración, tenacidad de sus amigos, y, parvo consuelo para un fracaso, las dos mil pesetas con que el Ayuntamiento compró la *Zaragoza*.

Ésta es la historia chica de una obra que debió ser grande, pero muerta antes de nacer. Todo se concitó para empequeñecer lo

---

[26] A veces se llegó a cartas de una ridícula exageración. Véase ésta —sin fecha— de Mariano Gracia:

Querido Don Benito:
¿Por qué no habré tenido yo, mi esposa o cualquiera de mis hijos ese traidor reuma? No necesito decirle cuánto siento y con usted la contrariedad de este entorpecimiento.
Supongo que viene usted el jueves, hace falta usted y lo esperamos.
Todo Zaragoza me pregunta constantemente por Don Benito y yo ya no sé qué contestar a los vivísimos deseos de estos buenos amigos que quieren conocer el HOMBRE que escribió «Zaragoza».
Suyo que le abraza *Mariano Gracia*

Este corresponsal es el don Mariano a que se refiere Lapuerta en la carta número 15 y de quien dijo Galdós *(Memorias de un desmomoriado*, O. C., VI, pág. 1659 *a)*:

Mucho aprendía en aquel primer viaje [a Zaragoza]; pero hasta mi segunda o tercera visita no conocí al famoso Mariano de Gracia, el hombre más salado, más simpático, más ameno que ha nacido a orillas del Ebro. La jota y los dos Marianos, Cavia y Gracia, son las mejores flores de Aragón.

que, por el heroísmo que narraba, por la gloria literaria de Galdós, debió ser una de las creaciones gigantescas del gran escritor. Nunca segundas partes fueron buenas. Y la ópera, equivocada en su planteamiento, limitada por la circunstancia, mediatizada por toda clase de compromisos, se quedó reducida al conjunto de datos que he podido hilvanar. Pero —y esto acaso sea una lección— no fue la única vez que Galdós —generoso de sí mismo— vino a caer en la minucia ocasional.

Balneario de Betelu   18-6-1899
Navarra

Sr. D. B. Pérez Galdós
Santander

Muy señor mío: ruégole conceda a este intruso dos minutos
de atención, ya que tiene el atrevimiento, o la osadía, de molestarle.

Por la adjunta noticia, tomada del periódico *El Español*, comprenderá usted quien soy.

Haré un poco de historia. El año pasado tuve el gusto de hacer
amistad en este balneario con su amigo don Manuel Marañón[27],
gran aficionado a la música, y hablando, hablando, uno de los
días, de arte y literatura, salió su ilustre apellido, diciéndome
don Manuel era amigo de usted. Aproveché esta oportunidad
para decirle me tenía yo por uno de los más apasionados de las
obras todas de usted y sobre todo de *Marianela*, pues desde la primera vez que la leí (hará unos cuatro años, tengo veintiocho)
comprendí que la antedicha novela se prestaba muchísimo para
hacerla teatral.

En todo el tiempo que vengo leyéndola, más y más crece mi
entusiasmo por el monumental *idilio* de Nela y Pablo y, por con-
siguiente, también más y más se aferra la idea de transportarla a
la escena.

Díjome don Manuel que sería fácil, al descansar de sus trabajos
literarios, fuera usted a Madrid, sirviéndome esto de acicate para

---

[27] Manuel Marañón defendió a Galdós en el pleito sobre la propiedad de las
obras del novelista.

que yo, al retornar a la corte (donde resido) me pusiera en seguida a estudiar con más fe que nunca la susodicha obra.

Al poco tiempo le llevé al señor Marañón el plan de la obra, a fin de que me diera su parecer.

Le satisfizo, diciéndome había estado muy oportuno para encontrar las situaciones musicales sin quitar ni poner nada que no estuviera en la novela.

Consta dicho plan de tres actos y seis cuadros, a dos por acto, y catorce números musicales. No le relato ni le mando el plan; lo primero por no hacer ésta muy extensa; lo segundo, por tenerlo en Madrid.

Después de algún tiempo (¡y con las ilusiones que usted, gran maestro, puede imaginarse!, pues siempre me figuraba que al fin había llegado a Madrid) me dijo que por entonces habría que desistir de presentaciones y de obras teatrales, pues usted no volvía a la corte hasta principios de invierno para bien de las artes patrias, aunque mal para este pobre artista.

Una vez que empecé el plan, empecé a buscar ideas musicales de «fondo», digámoslo así, o bien estudios psicológicos de los personajes, pues no comprendo otra manera de hacer obras teatrales.

Tengo encontradas (me parece) para la muerte de Nela (donde termina la obra) dúo de ésta y Pablo y el preludio descriptivo (en la forma que usted tan magistralmente lo hace) que va en el segundo acto, cuando los mineros al romper el día van a sus tareas. También tengo hechas varias canciones (con el fin de elegir la que más convenga) para Nela, para cuando el doctor, perdido, oye un cántico. He procurado darles sabor popular. Son cortas.

Todos estos trabajos los he tocado varias veces a presencia de amigos de confianza, unos músicos y otros literatos. De mi boca jamás salió el decir estaba haciendo con usted la obra; sí, únicamente, que emplearía los medios a fin de conseguirlo, porque sería uno de los días más grandes de mi vida si al fin llegara a realizar.

Ya puede, pues, comprender el malísimo efecto que me habrá hecho la tal noticia periodística, siendo éste el móvil que me ha impulsado a tener el honor de dirigirme a usted.

Soy la piedrecilla que una mano osada ha lanzado del valle a la cúspide de la montaña y que Dios quiera no sea usted lastimado.

Para terminar, le diré, ya que tengo la ocasión, que todos mis afanes, mis desvelos, mis mayores energías se encierran en un gran amor al arte, al cual, repito, consagro toda mi existencia.

Su *Marianela* creo que la he vivido, pues encarna admirablemente a mi temperamento. Mi mayor gusto sería el darle a conocer lo que tengo hecho de la obra.

Las dos zarzuelas que también salen anunciadas las hago, se lo confieso, sin otras miras que el dinero, pues este género no se amolda a mi modo de sentir el arte.

Respecto de la «ópera» *Marianela*, jamás he pensado en tal cosa, pues este público en su mayoría no admite la ópera en español.

Si supiera no le iba a molestar, le suplicaría dijéseme su opinión sobre *Marianela* teatral, y de si acaso algún día podría llegar a realizarse lo que hoy para mí no es más que un sueño.

Y pidiéndoles mil perdones por la distracción que le he causado, se despide de usted su más ferviente admirador q. b. s. m.

Arturo Lapuerta

Aquí me tendrá a su disposición hasta fines de septiembre.

Aunque fuera del lugar, le diré que don Antonio Pirala[28], que se halla tomando estas aguas, me da sus recuerdos.

2

Sr. D. B. Pérez Galdós
Santander

Mi más distinguido e inapreciable amigo: en mi poder su muy grata, con la que mi ánimo se rehízo.

El otro día me llamó Shaw, acudí a su casa, me leyó la carta de usted; y en seguida me comunicó el pensamiento de *Zaragoza*, diciéndome que ya a usted se lo había manifestado en dos cartas.

Carlos demuestra gran entusiasmo por la obra, y a decir verdad, aunque no conozco el plan, también me gusta muchísimo, pues se sale de lo trillado y con la gran novedad de ponerse en «El Español».

---

[28] Antonio Pirala, Madrid (1829-1903). Político e historiador. Son conocidas sus obras *Anales de la guerra civil* (1853), *Historia contemporánea* (1875), *Anales contemporáneos* (1894).

Mire usted, maestro; por mí no hay inconveniente (aunque siempre dispuesto a acceder a los deseos de usted) en abandonar por ahora (sólo *por ahora)* mi *Marianela* por *Zaragoza,* pues se trata de otra obra de usted no menos famosa, aunque de distinto ambiente.

Usted como nadie, sabe mis afanes por *Marianela* y viendo que la dejo, aunque temporalmente, por otra obra, comprenderá las ansias que tengo por trabajar por el arte... ¡y por el bolsillo! Ya sabe usted que todos mis bienes están en el teatro. No tengo otra hacienda.

Si a usted no le parece que debo abandonar *Marianela,* dígamelo sin reparo, pues el entusiasmo que demuestro por *Zaragoza* en nada le ha perjudicado a la otra obra, que sigo y seguiré siempre pensando en ella.

Dice Shaw que de hacerla había de ser para mediados de diciembre. De tener, como espera Carlos, éxito, me preparaba muy bien el terreno para la gran *Marianela.*

Aunque comprendo lo muy ocupado que está usted, permítame le ruegue me conteste pronto, pues estoy muy impaciente por saber qué opina de esto.

Salud, maestro. Dé mis recuerdos a sus sobrinos, pues en la casa me han dicho que se halla a su lado Hermenegildo[29], y usted disponga de éste su más ferviente admirador, q. b. s. m.

11-8-1900   A. Lapuerta

3

Sr. D. B. Pérez Galdós
Santander

Mi querido maestro: con grandes temores y no menos zozobras sobre el resultado que ésta pueda tener, tomo la pluma para contestar a la suya del 13 del corriente.

Dos grandes cuestiones encontradas motivan ésta: la ideal o puramente artística y la material o indispensable para la vida. Las dos son poderosas. ¿Cuál vencerá?

---

[29] José Hermenegildo Hurtado de Mendoza y Pérez Galdós, al que Lapuerta escribió en alguna ocasión, cfr. nota 1.

Para mayor claridad le hablaré primero de aquélla. Desde luego, mi querido don Benito, que seguiré su sano consejo, y que procuraré no se aparte de mi memoria, pero antes deseo, y para ello acudo a su habitual cortesía, que me oiga.

Permítame ante todo que le hable con la misma franqueza que pudiera hacerlo con mi padre, más aún, a solas con mi conciencia. Y basta de exordio.

Gran día fue para mí aquel en que tuve la dicha de estrechar su mano y luego la honra muy grande de tratarle, cosas ambas que las anhelaba con toda mi alma. (Podría darle algunos detalles que atestiguaran esta mi admiración por el gran novelista, pero no...; algún día los sabrá usted. Hoy no me atrevo.)

Pero aunque nada de lo dicho arriba del paréntesis hubiera pasado bastaba solamente para estarle reconocido toda la vida la a[u]torización que me concedió a fin de que pusiera música a una de las joyas de nuestra literatura: a su *Marianela*.

Lo que para mí era un sueño casi irrealizable hace un año, hoy es un hecho real y positivo.

¡Qué cambio tan inmenso en tan poco tiempo! ¡Qué gran acicate para un artista que empieza!

¡Qué de ilusiones, qué de planes al leer y releer la sugestiva obra, o bien componiendo trozos que en el momento y, sin previo plan, se me ocurrían! Yo dejaba a mi vehemente imaginación que volase, remontarse todo lo que quisiera y así mi alma, tristona por temperamento, se dilataba, arrancándome de este mundo de pequeñeces y miserias, haciéndome sentir un bienestar hasta entonces, para mí, desconocido.

Ha tiempo que no me ocupaba de otra cosa que poder poseer una obra de arte. Al fin encontré a *Marianela*. Usted me autorizó hacerla musicable. Aquel día fue feliz. Me parece no debo extenderme más sobre este punto. Dejemos, pues, la parte ideal; cortémonos las alas y descendamos más que aprisa a la vida real.

Como ya al principio digo que deseo hablarle con toda franqueza, no quiero dejarme en el tintero la exclamación que me salió de muy adentro al terminar de leer la suya. ¡Por qué no seré rico! Sí, don Benito; ¡quién fuera rico! Vería usted entonces cómo no hubiera dado lugar a esto; vería también cómo echaba a paseo a todos estos poetas y poetastros, que no hacen más que atormentarme, para dedicarme única y exclusivamente con alma y vida a *Marianela*.

Por lo que a mí atañe, le diré que este nuevo derrotero (aunque nos condene al mismo punto) no ha sido por inconstancia en el método de trabajo y sí por la dura necesidad de la lucha por la vida.

La casualidad, puesto que yo nada puse de mi parte, venía a ofrecerme un medio (y que yo creyendo acertar lo acepté como bueno) por el cual, y en *breve*, satisfacía si no los dos por lo menos uno de los grandes factores para todo artista, que son: nombre y dinero. Si de lo primero carezco..., ¡nada digo de lo segundo!

Oígame usted bien, don Benito. Excluyendo a usted, me encuentro solo, completamente solo. Aquí no hacen más que prometer y prometer..., pero el libro no parece. De Zapata[30] y de Perrín[31] espero sacar lo que el negro del sermón, solamente tengo para estrenar una quisicosa de Zúñiga[32], que creo no me dará ni honra ni provecho.

De la cuestión de dinero, el mes que viene es el último que Fiscowich[33] me adelanta; para el otro no tendré, de no hacer *Zaragoza*, ni obras (me refiero, claro es, a esta temporada) ni dinero.

Casado, aunque sin familia, también tengo que atender a mi madre, pues no tiene otro hijo.

---

[30] Marcos Zapata (Zaragoza 1845-Madrid 1914). *La capilla de Lanuza* fue su obra de más éxito. De sus zarzuelas se recuerdan *El anillo de hierro* y *El reloj de Lucerna* (ambas con música de Marqués).

[31] Guillermo Perrín, malagueño, como su tío Antonio Vico. Autor de más de cien piezas del género chico; colaboró casi siempre con Miguel de Palacios. Obras: *La esquina del Suizo, Cambio de habitación, La cuna.*

[32] Juan Pérez Zúñiga, colaborador del *Madrid Cómico* (1880), periodista de *Blanco y Negro, ABC, El Liberal* y *Heraldo de Madrid*. Sus obras más conocidas son los *Viajes morrocotudos* y, en el teatro, *La lucha por la existencia, La gente de patio* y *Exposición permanente.*

[33] En el ruidoso asunto de los derechos de autor, vemos que Lapuerta estuvo con los que claudicaron a las exigencias de Florencio Fiscowich. En pocas líneas el asunto era éste: para que las zarzuelas se pudieran representar hacía falta el «material de orquesta» (la parte de cada instrumento), cuya copia es cara y sin ningún valor económico en caso de que la obra no tenga éxito. Estas copias eran hechas por los «archiveros». Como los músicos no daban importancia a estos derechos, harto problemáticos, Fiscowich fue comprando a precio muy bajo los derechos de copia. Cuando el editor se encontró dueño de un gran número de contratos, amenazó a las empresas con retirarles el repertorio de que era dueño. Chapí se opuso a la explotación, aunque le ofrecieron un millón de pesetas; rompió con el teatro de Apolo, fue eliminado del de la Zarzuela y se quedó sólo en Eslava. Con una enorme energía, se enfrentó a todos, sin libretistas, sin teatros y con la escasa ayuda de Sinesio Delgado y Fernández Shaw logró vencer y rescatar el archivo que pasó a la Sociedad de Autores, según cuenta Lapuerta en la carta 5 (cfr. A. Martínez Olmedilla, *Los teatros de Madrid*, Madrid, 1947, págs. 263-267).

Esta es la verdad, lisa y llana. Sólo a usted, por ser quien es, y por la confianza que me inspira, se lo digo.

Algo ya sabe usted de la lucha brutal que hay planteada entre las dos Sociedades de Autores, y que por no ser ésta (la lucha) una excepción de las demás, morirán los débiles, y entre éstos espero, pues carezco de medios de defensa, encontrarme yo!...

No vea usted, por Dios, en este cambio el más ligero enfriamiento hacia *Marianela*. Únicamente el poder poseer un arma poderosa para el combate, y ya de morir, hagámoslo con honor.

Además, nuestro amigo Shaw puede cumplir con usted y conmigo, dándome dos actos de *Marianela*, y mientras yo los musiqueo, puedo hacer *Zaragoza* y dársela a otro músico, cosa que a la verdad (y perdóneme este egoísmo por mi mejor deseo) lo sentiría.

No, mi querido maestro. Mis intenciones no son para abandonar a *Marianela* en el sentido de relegada al olvido. Eso jamás; si me pusieran a elegir entre una y otra obra, desde luego dejaba *Zaragoza*, y no porque aquélla me guste más, sino por ser la que me ha servido de *puente* para *llegar* a usted y también la primogénita, como usted dice muy bien.

Voy a terminar; ésta me va resultando muy larga y temo molestarle.

¿Cuál es más fácil de estrenarla inmediatamente, *Marianela* o *Zaragoza*? He aquí mis luchas interiores y mis cavilaciones.

Una dudilla anda haciéndome cosquillas, y que no sé si decírsela. En fin, allá voy. ¿Teme usted no se amolde bien *Zaragoza* a mi temperamento musical, o al menos no tan bien como *Marianela*? Si así lo creyera, entonces sin vacilaciones e inmediatamente ponía manos a la obra.

Como puede suponer, Shaw y yo hemos hablado muy largo, y créame, que si entusiasmo demuestra por *Zaragoza*, no es menos por *Marianela*.

Quedamos en escribirle, yo primero, y él lo hará cuando reciba la suya.

Por fin viene la Guerrero hasta enero e inmediatamente empezará la compañía de «El Español» a hacer la temporada oficial de seis meses propuestos en el contrato.

Para que usted no se moleste, pensando en el mucho trabajo que tendrá, opino que de no contestar en unos ocho días lo interpretaremos como ratificación a su última, y ya entonces (al menos por mi parte) sin acordarme para nada de *Zaragoza* haré por activar a Shaw y con bravura y empuje emprender el trabajo con *Marianela*.

Sepa usted que por encima de todo está el que usted no se disguste, pues más necesaria y útil es su tranquilidad que la mía.

Salud, maestro.

Sabe lo mucho que le admira y quiere su afmo. s. s., q. b. s. m.

18-8-1900   A. Lapuerta

4

Sr. D. B. Pérez Galdós
Santander

Mi muy querido maestro: supongo que Shaw le habrá escrito, pues así me dijo.

Sí, don Benito, sí; tiene usted muchísima razón, y por ahora debemos desistir de hacer *Zaragoza*. Lo principal es que usted no se haya disgustado al ver mi decisión por *Zaragoza*, y que siga como hasta aquí, honrándome con su inapreciable amistad. Esto vale para mí más que todo.

Claro es que algo me ha contrariado; pero, qué diablo, tal vez por aquello de que *no hay mal*, etc.

No sé que habrá dicho respecto de *Marianela;* a mí me dice que teniendo otras obras inmediatas no podrá ocuparse solamente de la ópera, lo cual que yo entiendo que la cosa irá para largo.

La verdad es que no entiendo a qué llaman trabajar estos poetas de agora. No me tengo por muy trabajador (y con rubor lo confieso), pero no tengo inconveniente en comprometerme el hacer *Marianela* mientras haga dos o tres del género pequeño.

Un año va a hacer desde la primera visita que hice a Shaw... ¡Y estamos como el primer día!... No sé qué pensar. Ruégole no le diga nada de esto. De palabra seré explícito.

Ayer, usando (y no sé si abusando) de los generosos ofrecimientos tanto de usted como de su simpático sobrino Hermenegildo, tomé *Zaragoza*, *El doctor Centeno* y *La desheredada*, las últimas novelas que me faltaban para completar la serie.

No es muy numerosa mi biblioteca, incluyendo la música, pero no la cambio por ninguna.

En mi poder el tarjetón de Pepe. ¿Vendrá usted con él? Mire que ya el calor hase fugado; si preciso fuera, haremos que nieve.

Salud, maestro.

Disponga de su ardiente admirador, q. s. m. b.

4-9-1900   A. Lapuerta

Queridísimo maestro: ¿Recibió mi anterior? La obra de Benavente la he dejado para la temporada de invierno; la actual va muy avanzada, además de que la compañía de Eldorado es muy mala. Benavente opina como yo. Será de las primeras que se estrenen en la Zarzuela, pues iremos trabajándola despacio.

Heme ya aquí, don Benito, dispuesto a no dejar la pluma hasta no poner fecha y firma en la gran obra, en la enorme *Zaragoza*.

Voy a reformar bastante (la parte musical) del segundo acto, no quiero dejarlo para después. No me ha salido con la sencillez poética que deseaba y pedía la situación.

Ya tengo los motivos para el preludio del acto tercero. Quiero pintar la lucha grande, hermosa de aquellos titanes unidos por la idea Patria (¡y que hoy desconocemos «gracias» a nuestros desgobiernos!). Y defendiendo el sagrado suelo palmo a palmo. En el *momento crítico* y dominando el rudo combate se oirá la *Jota*, pero nada más que un destello, sin desarrollo, para no quitar el efecto en el final del acto que sigue.

Aunque sobre esto hay tiempo, dígame su parecer, pues a decir verdad, no sé por qué decidirme, pues sería también de gran efecto se oyera desarrollada, resultando como Himno de Paz, a la vez que como símbolo de la idea que no muere. ¿Qué le parece?

Supongo sabrá que Berriatúa[34] se ha quedado con la Zarzuela; los chicos de Hermenegildo están de enhorabuena.

En la temporada que viene no quisiera estrenar más que lo de Benavente, y si al final otra cosa con Paco Navarro, la que yo le indiqué. Menos género «chico» quisiera, pero me hace falta dinero. Con *Torquemada*[35] tengo un saldo regular.

Fiscowich *ha muerto* después de vender su archivo a la Sociedad de Autores en 65.000 duros. Torquemada sigue siendo lo que era.

Un abrazo, maestro, por la toma de esa jesuística y difícil trinchera.

Ansío ver letra suya. Recuerdos.

Siempre suyo affmo, q. b. s. m.　　　　　A. Lapuerta

[34] Luciano Berriatúa tenía un negocio de frontones en Madrid (Euskal Jai, Frontón Central); animado por sus éxitos, se hizo empresario del teatro Español y luego del de la Comedia; tras ellos, regentó el de la Zarzuela. Quiso aclimatar la ópera en España, y para ello construyó el Teatro Lírico, pero fracasó (Chapí estrenó entonces su *Circe*); cfr. Martínez Olmedilla, *op. cit.*, págs. 224-225.

[35] Pienso que es Fiscowich, que con sus maniobras se había convertido en árbitro de la producción teatral.

Sr. D. B. Pérez Galdós   [Agosto 1901]
Santander

Insigne maestro: aunque ya tuve el gusto de presentarle al
amigo Llanas en la memorable noche del estreno de *Electra* y
teniendo en cuenta su amabilidad y buena acogida que siempre
hace a la juventud que trabaja, hoy repito la presentación, aunque
ya creo se han hablado ustedes, permitiéndome el rogarle —muy
de veras— haga cuanto pueda a fin de que mi amigo consiga lo
que desea.

Y ahora... a otra cosa. Casi terminado el arreglo del acto segundo. Me queda mucho mejor; como yo quería.

Haga los posibles por mandarme material, pues el *Preludio*
del acto tercero lo tengo planeado y deseo ya meterme con este
acto. Recuerdos a la familia. Salud maestro.

Siempre suyo affmo., s. s. q. b. s. m.

                                                    A. Lapuerta

7

Sagasta-9-3.º   Madrid, 2 de Sepbre. 1901

Maestro: en mi poder cuartillas monumentales. Sí, creo no
habrá más remedio que meter la tigera, pues opino como usted
que este acto es el decisivo y por lo mismo hay que tratarlo con
más cuidado que los demás. Muchas cosas se me ocurren, pero
lo dejo para cuando venga, y pueda ver otras que he hecho en el
segundo, en la idea de que este acto será el del público. Allá veremos.

Siempre admirador y aff⁰.

                                                    A. Lapuerta

---

[36] Aunque la carta no tiene fecha creo que es de agosto de 1901 por las siguientes
razones: 1) hace referencia al estreno de *Electra* (20-I-1901) como cosa próxima y,
sobre todo, como algo aún operante al escribir la carta. 2) se habla del arreglo del
acto segundo de *Zaragoza*, estableciendo relación con nuestros doc. 5, y 3) las palabras sobre el *Preludio* no hace, sino reincidir en lo que escribió en agosto de 1901.

Sr. D. B. Pérez Galdós   [1903]

Queridísimo maestro: sin preguntarle, me imagino muy bien como le encontraré.

El público acogerá la obra como quiera, no lo sé, aunque le podría asegurar (según va el *tiro*) que entrará en ella, pero, sea como sea, usted siempre saldrá vencedor. Tengo mucha pena no estar al estreno, pues hasta ahora he presenciado todos los suyos.

El equipaje ha tenido este público el mal gusto de verlo con indiferencia. Peor para él.

A mí me gusta mucho, me interesa, y me conmueve. A nuestro publiquito le ha debido parecer muy rápida la acción, demasiado rápida.

Sigo en mi opinión de que hacían falta los tres actos, pero también opino que este medio es más fácil que los tres actos para popularizar sus *Episodios*.

Puede usted estar satisfecho completamente de la labor de Chapí. Hacía muchos años no trabajaba así. Está aquí rejuvenecido.

¡Así, así, es como se ennoblece el Arte! Por ahí sí que se llegaría pronto a la ópera.

Adiós, maestro. Vaya un abrazo muy fuerte por adelantado.

A. Lapuerta

Sr. D. B. Pérez Galdós
Santander

Insigne amigo y maestro:

Ya está sobre el atril *Zaragoza*. Ahora sólo deseo no tener que dejar la labor hasta lo menos octubre.

Aunque no hiciera más que planear los dos cuadros del acto tercero, me daría por satisfecho, pues créame que son inmensos (me refiero a su importancia), el drama está ahí en todo su des-

---

[37] Aunque la carta no está fechada, es de 1903, año en que se llevó al teatro, con música de Chapí, *El equipaje del rey*. Novela que pertenece a la 2.ª serie de los *Episodios Nacionales;* vid. la carta del 15 de julio de 1903 que Tolosa Latour envió a Galdós (apud. Ruth Schmidt, *Cartas entre dos amigos del teatro*, Las Palmas, 1968, págs. 151-152).

[38] La carta es muy de los primeros días de julio, según se desprende del comienzo de la siguiente.

arrollo; todos los personajes grandes y chicos en acción, y el músico...
el músico pasando las de Caín para musiquear todo éso; eso sí,
con la esperanza de que terminando gallardamente este acto,
¡nuestra es la victoria! ¡Aurrerá! —que dirían mis «parientes»
los vascongados— ¡*Adelante!*

Los motivos que había apuntado anteriormente para este
acto, no me sirven.

La selección que voy haciendo de las ideas o motivos responde
a la idea general que ya sabe tengo para esta obra: popular sin
populachería de organillo, según los *cánones* que nos han dejado
primero Beethoven y luego Wagner. Verdi, el más popular de todos,
para *ir* con el público tuvo que ir modificando de manera. Ahí
están *Aida, Otello* y *Falstaff.* ¿Acertaré?

¡Un año más sin estrenar! ¡Cómo voy perdiendo las ilusiones
por mi amado arte! ¿Estrenaré en la temporada próxima? ¿Lle-
garé al fin a conseguir el bienestar que me creo lo tengo bien
ganado? —¡Paciencia! Paciencia —me dicen todos—. Ya la tengo;
pero ¿hasta cuándo?

Mire, D. Benito; en la casi seguridad de que no estaré de
maestro en teatro de *varietées* (pues, no habrá abierto más que uno)
y también en que Maura suba y yo baje, ¿tendría usted inconveniente en escribir al empresario de la Comedia o a Thuiller[39]
(que viene a la Princesa) a fin de que yo dirija el sexteto? De
conseguir esto para nada me acordaría del género chico, quedán-
dome las tardes libres (y en caso de cesantía, las mañanas también)
para dedicarme por entero a *Zaragoza,* que bien sabe Dios que
si no está terminada no es mía toda la culpa; exigencias de la vida
me han obligado a torcer mis propósitos mil veces.

No olvide mi petición, e influya cuanto pueda con el empresario
y actor a fin de conseguir mis deseos.

Dígale al simpático don José[40] que mi segunda carta será para él.

Saludos maestro.

Con un fuerte apretón de manos se despide su buen amigo

Madrid, julio, 1906   A. Lapuerta

---

[39] Emilio Thuiller, malagueño, tras una rápida carrera, perteneció a la compañía del teatro de la Comedia, con Emilio Mario, y estrenó una serie de dramas galdosianos: *Realidad, Doña Perfecta, La de San Quintín, Los condenados.* En el Español
dio a conocer *Alma y vida,* la obra que tantos sinsabores dio a don Benito.

[40] José Hermenegildo, el sobrino de Galdós al que ya se ha hecho referencia
(nota 29).

Sr. D. B. Pérez Galdós
Santander

Mi siempre querido y admirado D. Benito: Sí, señor; así termina el primer cuadro del acto tercero, oyéndose la marcha de la *Ronda* después del incendio del caserón.

La muerte de la Sancho, no sólo está hecha, sino que creo será uno de los números que más impresión causará (y perdóneme este *rasgo*).

Mire cómo he visto la escena: inmediatamente después del feliz encuentro de María con Agustín, que quiero sea como un rayo de sol que ilumine aquellas tenebrosidades, súbitamente se interrumpe por quejumbrosos acordes *metálicos* que preceden a la aparición de la heroína... Y aquí sí que pediría una gran actriz, pues de expresión tal vez sea la más difícil de la obra (hasta ahora) por haberla sentido más sobriamente y alejándome a mil leguas de toda aria y romance, y con esto ya comprenderá que la veo *casi* hablada sin que pueda precisar dónde tiene que cantar y dónde recitar. ¡Qué desgracia! ¡Son tan torpes nuestras cantatrices! En fin, allá veremos.

A su muerte y después que las *cosas* han dicho lo que tienen que decir, y con el profundo respeto que merece la muerte de un héroe, la acción de tomarla en hombros (todo muy solemne) para llevársela [tachadura ilegible] a todo esto acompaña la orquesta con una marcha fúnebre, parafraseando el *motivo* que simboliza a la Sancho, hasta el momento de prender fuego al caserón, que retornan los motivos belicosos, terminando el acto con gran *estrépito* orquestal. ¿Qué le parece?

Y ahora vengan pronto, pronto esas cuartillas.

Salude a D. José y familia, sin olvidar al gran Victorino y usted sabe lo que lo quiere y admira su amigo.

A. Lapuerta
9 julio

Sr. D. B. Pérez Galdós
Santander

Mi muy querido D. Benito:
Recibidas carta y cuartillas correspondientes al segundo cuadro del acto tercero.

No he hecho un estudio detenido de ellas. A primera vista me ha parecido el cuadro enorme, muy grande y muy teatral. Conforme en todo lo que me dice de la *jota*. No pondré guitarras en escena, esté tranquilo. Me habían de asegurar el éxito los *conspicuos* en lides teatrales si ponía eso en escena, y aun así no las pondría. Nunca pienso en ello. No puedo hacer más, D. Benito, que emplear tarde y noche en la obra, y cada vez con más ahínco con más fe cada día. Hace mucho tiempo que mi ánimo no decae tan fácilmente como antes. ¿Qué será?

Tal vez a principios de agosto me vea en la precisión (y digo precisión porque mis obligaciones me obligan a ello) de tener que aceptar la plaza de maestro de sexteto de cinematógrafo que se va a abrir en la plaza S. Marcial.

Estoy muy atrasado, D. Benito, y ahora no saco ni para las trampas...

¡Qué contrastes! He empezado la carta con mi volandera fantasía allá, donde debía estar siempre y termino de la manera más prosaica. Perdóneme.

No se moleste en escribir. Ya lo haré yo.

Salude a su familia, y sabe lo mucho que le admira su buen amigo,

A. Lapuerta
Julio-20

12

Sr. D. B. Pérez Galdós
Santander

Mi muy querido amigo D. Benito: el primer cuadro ya va bueno, espero terminarlo la semana que viene. Trabajo cuatro horas diarias, por las tardes. ¿Cuándo podré recibir el segundo? No demore el envío, puesto que la fragua está bien preparada.

He hecho algunos cortes, poca cosa. Los diálogos entre el Capitán y Montoria (padre) van hablados, pero con música; he temido ponerlos en *recitado* por miedo a que nos pusieran un fortísimo que por mal que lo hagan hablando, mil veces peor lo harían cantando. Son terribles. Los diálogos son de alguna importancia, y precisan se entienda bien todo.

Le repito no demore el mandarme el segundo cuadro. Tengo verdadera ansiedad y miedo a la vez de llegar a la escena de la *jota*, este vigoroso canto, *jamás* llevado a la escena con tan justificada razón, ni con tal alarde de originalidad. ¡Beethoven me ilumine!

Ahora le digo que me costó gran trabajo empezar el cuadro. Me encontraba desorientado, casi nulo, seco, diría mejor. ¡La máquina se había enfriado demasiado! Para las quisicosas musicales que he estado haciendo tanto tiempo, se conoce empleé la *maquinilla*. Aquello pasó, y ahora, mi querido D. Benito, estoy como el primer día que empecé la obra, o, mejor, creo que sí.

Salud, y hasta otra. Siempre muy suyo,

A. Lapuerta
Madrid-agosto-1906

13

Sr. D. B. Pérez Galdós

12 agosto 1906

Insigne D. Benito: ¿ha recibido mis dos anteriores?

Está terminado el primer cuadro. Lo que más me satisface es el ambiente de guerra y tristeza grande —¡tristeza de héroe!— que rodea todo el cuadro. Me parece he acertado con la muerte de Manuela Sancho... ¡Y qué miedo tenía a este cuadro!... Mientras llega el segundo voy a rectificar dos estrofas de Montoria, padre.

A ser posible, procure no sea muy largo el cuadro segundo, pues esto dura cuarenta minutos.

¡Cuánto tiempo que mi espíritu no sentía impresión alguna artística! ¡Si casi, casi me había olvidado a que sabía *éso!*...

Y le advierto que no dejo de pasar mis malos ratos, pero son los menos; y siempre, siempre que atajarme quiere la idea —¡idea mala!— del trabajo perdido, con dos manotazos que doy al piano, desaparecen y ya rehecho y tranquilo prosigo mi trabajo. Pase lo que pase, jamás olvidaré las horas tan felices que he disfrutado musiqueando *Zaragoza*.

Con que... venga pronto el cuadro segundo.

Hasta otra; suyo,

A. Lapuerta

Sr. D. B. Pérez Galdós
Santander

Mi muy querido D. Benito: En mi anterior decíale tenía paralizado el trabajo; hoy le comunico he entrado nuevamente en raíles yendo a una marcha regular, pues de mi anterior a hoy he hecho la introducción del cuadro y las dos primeras escenas.

He estudiado detenidamente todo el cuadro segundo y estoy completamente de acuerdo con todo lo que usted me expone. De dimensiones no me parece largo.

Su primera escena (la XII) la he hecho hablada. La XIII (cantada) y en forma de *scherzo* por amoldarse perfectamente este ritmo al carácter joco-serio de la situación.

La entrada de Candiola no me ha salido mal; triste, pero sin grandeza.

El pequeño contraste que quiero aparezca entre Montoria padre y Candiola, ¿llegará al público? La música sin palabras, ¿podrá expresar los sentimientos de simpatía y antipatía? Yo creo firmemente que sí.

La jota... ¡ay, D. Benito!, todavía la siento allí, muy lejana. No puedo dar con la forma, pero al fin será mía. No tenga miedo.

Recuerdos a D. José.

¿Ha escrito a Gracia?[41].

Muy suyo,

A. Lapuerta
Agosto, 13-1907

15

Grand Hôtel de l'Europe.
Saragosse.

Queridísimo D. Benito:

¿Podré tener la suerte, la dicha de que esté a mi lado la noche del estreno? Supongo le habrá dado alguna anchura la visita de

---

[41] Gracia, vid., nota 26.

Gascón[42]. Hoy han llegado Miquis[43] y Pablillos. Han presencia[do] el ensayo de la obra. La parte musical les ha gustado, encontrándola muy ajustada al libro.

D. Benito, que estoy huérfano. Mañana nos vamos a ocupar sólo de la parte escénica.

D. Mariano quería ponerle dos letras. Yo contento.

Hasta mañana, y... ¡al tren!

A. Lapuerta

16

Sr. D. B. Pérez Galdós

D. Benito: Supongo habrá leído en *El País* lo que el buen Arnedo dice de *Zaragoza;* poco, pero substancioso. Haga porque *Pablillos* lo comente lo antes posible. En *El Heraldo*, ¿no podría decir algo también Pinillos? No creo sea gran obstáculo el que no sea amigo (ni enemigo) de él para defender una causa justa.

Hoy escribo a Arnedo y le encargo pida las señas a Baccario.

No voy por su casa por estar muy ocupado en una quisicosa para «La Latina», que quiero acabar enseguida.

Siempre suyo,

A. Lapuerta

No se le olvide el palco para mi familia.

17

Madrid, 24 fbro. 1914

Sr. D. Benito Pérez Galdós

Don Benito: Hoy he estado dos veces en su casa.

Ya tengo hecha la música para el funeral de *Alceste*. El domingo a la *una* iré para que lo oiga. Podría acercarme por la «Prin-

---

[42] Empresario del teatro «Principal» de Zaragoza, que marchó a Madrid para lograr que Galdós asistiera al estreno (vid. nota 16). Según esta referencia y la despedida, la carta es del 3 de junio de 1908, día en que Gascón salió para Madrid «en el rápido de esta tarde» *(Diario de Avisos* del 3-VI-1908).

[43] Miquis es el doctor Manuel Tolosa Latour, amigo entrañable de Galdós. Solía usar este seudónimo que no era sino el nombre de un médico (Augusto Miquis) de *La desheredada*.

cesa» a las horas que estará usted de ensayo, pero antes quiero que usted la oiga particularmente. Creo le gustará.

¿Qué hay de la Banda? Piense que ahora es oportuno; hasta este momento, desde el estreno, nada le había dicho. He visto *Las golondrinas*[44] y... de usted para mí, no han achicado por ningún lado a *Zaragoza*. Al tiempo.

¿Sería tan difícil conseguir que algún amigo de usted en *El Liberal*, u otro diario, pidiera tocase la Banda algo de nuestro *Zaragoza*? Si no tuviera gran confianza en mi labor, jamás saldría de mis labios tal petición.

Siempre suyo,

Lapuerta

18

Madrid, 9 marzo 1914

Don Benito: ya me avisté con el director Villa[45]. Quedamos en que yo le daría un croquis de lo que quisiera se tocase, y en esto estoy. No le he pedido terminar por tener que ocuparme en hacer música para una cinta cinematográfica de la Zarzuela.

Los momentos que he pasado son los siguientes:

1.º Escena épica del tercer acto.
2.º Raconto tenor («una tarde...») y llegada de Montoria (acto primero).
3.º Dúo de amor (acto segundo).
Final.—Copla de jota.
¿Qué le parece?
Todo esto vendrá a durar de unos veinte a veinticinco minutos.
Siempre suyo,

Lapuerta

¿Y, qué hay de *Alceste?*

---

[44] Usandizaga (San Sebastián, 1887-1915) recogió la lírica popular vasca y la enalteció en sus obras *(Mendi Mendiyan*, 1910); *Las golondrinas*, letra de Martínez Sierra, estrenadas en 1914, fueron acogidas con enorme éxito. Un año después Usandizaga dio a conocer *La llama.*

[45] Ricardo Villa (Madrid, 1873): *Cantos regionales asturianos* (1899), *Raimundo Lulio* (1902, ópera con libro de J. Dicenta), *La visión de Fray Martín* (poema sinfónico sobre texto de Núñez de Arce) y zarzuelas. Director de la orquesta del «Teatro Real» (1905) y de la banda municipal de Madrid (1909).

19

Sr. D. B. Pérez Galdós

Queridísimo maestro: nada le digo de su gran *Marianela* puesto que ya tuvo noticias de cómo y dónde pasé la noche del estreno. Del proceder de Bueno, Laserna y otros «conspicuos», sólo le diré me ha perecido sencillamente necio. No, casi, casi culpo más a los directores (de cómplices no escapan) que a sus críticos literarios. Y ahora, a otra cosa.

Acabo de leer en el *Heraldo* va a poner música Morera[46] a *Marianela*. No puedo menos de apresurarme a decirle me diga qué hay de cierto. En verdad me ha disgustado dicha noticia.

Usted ya sabe las grandes ilusiones que siempre he tenido (y sigo con ellas) por dicha obra. Ella fue la que me *presentó* a usted (¡una de las satisfacciones más grandes de mi vida!); en ella he pensado muchas, muchísimas veces como en la *única* obra para darme a conocer del *todo* a este público. En fin, por esta obra adelanté mi boda, creyendo podría hacerla inmediatamente como así pudo ser, a no haber pasado lo de F. Shaw.

Sé que me dirá usted que yo también podré hacerla, pero también sé aquello de que «Segundas partes...»

Si la obra resultara un éxito grande sería ya inútil mi labor. Si por desgracia (para usted) no fuera así, también sería, si no inútil, por lo menos muy peligroso el que yo saliera victorioso, pues ya sabe, querido don Benito, que este es el país de los precedentes.

De ser verdad dicha noticia, se me ocurre un medio con el fin de que él y yo la hagamos: la colaboración. Por mí no hay ningún inconveniente, y si a usted no le parece mal, puede desde luego el proponérselo a Morera poniéndole en antecedentes sobre la prioridad mía y que él, si quiere, puede verlos justificados por F. Shaw.

Precisamente la misma noche del estreno de *Marianela* estuve hablando con Jurado de la Parra, y me decía tenía muchísimos deseos de hacer libreto musical *Marianela*, para lo cual pensaba

---

[46] Que a Galdós le animara estar en relación artística con Enrique Morera es incuestionable. El fundador del *Teatre Liric Català* (1901) había escrito poemas sinfónicos *(L'Atlántida)* y música para obras de los grandes escritores de su época. Sumamente prolífico, dio vida a textos de Guimerá, Apeles Mestres, Adrià Gual, Rusiñol, Arniches, etc.

pedirme autorización muy pronto, así que terminara una obra que tiene para Chapí.

Ahora, usted tiene la palabra. Estaré impaciente hasta saber lo que usted me dice. —Salud maestro. Mañana viernes, ¡por fin!, salen los valses en el *Heraldo*—. Reciba un apretado abrazo de su muy suyo,

A. Lapuerta

20

IMPRESIONES DE UN AUTOR:

La ópera de Zaragoza

Sr. Director del *Heraldo de Aragón*.

Distinguido señor y amigo: Me invita usted cariñosamente a escribir cuatro palabras sobre la *partitura* de la ópera *Zaragoza*, que se estrena definitivamente hoy jueves en el teatro «Principal».

La situación de ánimo en que se encuentra todo autor en las proximidades del estreno, no es la más a propósito para hilvanar alegatos de *defensa* que son en el fondo las ideas palpitantes en las autocríticas que se solicitan de los autores en casos tan *extremos* como en el que yo me hallo.

Prescindiendo de retóricas y formulismos, a los que no me encuentro bien dispuesto por mi rudo carácter navarro, que tan bien hermana con el franco y noble aragonés, declaro aquí, en trance tan inminente, que mi mayor preocupación es la de mostrarme en mi trabajo modesto a la altura de la gloriosa epopeya que commemoramos y a la altura también del varón insigne, del gran escritor D. Benito Pérez Galdós, que me ha honrado de manera espléndida con una colaboración tan valiosa.

Quiero ser digno de una y otra y a ello he encaminado principalmente mis esfuerzos: todo lo he puesto a su servicio y si me he equivocado mía será exclusivamente la culpa.

Poco propicio es en España el ambiente artístico para la ópera nacional: la transición de géneros resulta brusca y necesita una delicada preparación, por parte de todos, para que tan hermosa planta se aclimate.

Al escribir la música de la ópera *Zaragoza*, he procurado inspirarme en los modernos cánones, corrientes y sancionados en

260

el mundo artístico: he querido tomar puesto en las avanzadas del progreso musical, pensando en la alteza del asunto, digno de todos los esplendores de la moderna escuela.

La cultura del público, su fino instinto, pronto a la asimilación de procedimientos racionales que traen aparejados los nuevos moldes, permiten al autor moderno confiar en la eficacia del espíritu innovador que agita los espacios infinitos del arte.

Descender a detalles sobre la música de *Zaragoza*, faltando tan pocas horas para que el ilustrado público zaragozano la conozca y pronuncie su fallo, podría parecer pretencioso e inoportuno.

Sólo creo necesario en este momento, señor director, señalar como queda expuesto, la *tendencia* de la obra y lamentar con toda mi alma la ausencia, por enfermedad lamentable de mi ilustre protector y colaborador animoso D. Benito; al que corresponderán la mayor parte de las satisfacciones, si las hubiere.

La orfandad en que involuntariamente me ha sumido D. Benito, se ha contrarrestado en lo posible con los buenos oficios y cariñosos desvelos del maestro Baratta, artistas y amigos, todos los que han ensayado y me han ayudado en la tremenda tarea con interés y *amore*.

Sin olvidar a los que, como usted mi buen amigo Motos, entienden el noble sacerdocio de la prensa, en el sentido de animar al pobre autor en los azarosos preliminares del estreno.

Y deseando le hayan satisfecho estas líneas para el fin que desee, queda de usted su muy afectísimo que le estrecha la mano.

Arturo Lapuerta.
(*Heraldo de Aragón*, 4-VI-1908.)

21

EN VÍSPERAS DEL ESTRENO *ZARAGOZA*

Con objeto de que nuestros lectores conozcan por anticipado lo que es la obra, a continuación publicamos la siguiente impresión escrita por el ilustrado crítico musical D. Luis Arnedo, cuya competencia en la materia es bien conocida de todos.

EL PRELUDIO

Es corto; sin las proporciones ni patrón obligado de las antiguas oberturas, mandado retirar, los compases que se oyen antes de *sorprender* la acción, en los comienzos de la ópera, sirven acertadamente al objeto que se propone el compositor, inspirado en modernos cánones: dar una idea del tono épico imperante en casi todos los momentos de la partitura, preparando el ambiente y barajando inicialmente los elementos religioso y popular.

El motivo de la jota llamada de los Sitios corre como un lamento entre fragores de lucha y pequeños oasis de calma mística: la labor contrapuntística del órgano, tranquila, grave, reposada, contrastan con los efectos de instrumentación tumultuosa, violenta, que pinta con sus ritmos atropellados los horrores de la titánica lucha.

PRIMER ACTO

Tiene lugar en la histórica plaza del Pilar (Cuadro primero).

Perora un fraile (bajo) animado a la lucha, mientras desfila un triste cortejo de camillas, conduciendo heridos. Interviene en esta escena el coro de mujeres y niños.

Montoria (hijo; el tenor de la ópera), seminarista, manifiesta no tener vocación religiosa, pues además de estar enamorado de Pilar, según expresa en un magnífico *raconto*, reconoce que la patria en tales momentos necesita guerreros, decidiendo arrojar los hábitos.

Montoria (padre, barítono, de gran importancia, como se verá), arrastra tras de sí al pueblo, inflamándole en amor patrio. Este momento da lugar a un *coral* de extraordinario vigor, levantado y sonoro, en el que se jura morir luchando sin tregua ni descanso.

Manuela Sancho (contralto), el tipo de mujer del pueblo, valerosa y denodada irrumpe la escena seguida del coro de mujeres, igualmente heroicas.

Es página culminante de este mismo acto el *dúo*, o más propiamente dicho, escena amorosa entre la hija del usurero Candiola y el hijo del héroe popular Montoria. El compositor ha tenido el acierto delicado de combinar en tal momento dos motivos de jota, contrapuntísticamente enlazados, que al oírse simultáneamente, expresan, a la vez, con otras vigorosas pinceladas del bellísimo fragmento, la amalgama de pasión y patriotismo, afectos y deberes que embargan el ánimo de los amantes.

Candiola, el repugnante usurero, (otro barítono de importancia), sorprende la escena y termina el cuadro primero.

Brillante y originalísimo preludio prepara el acceso al cuadro segundo; de carácter marcial prestante carácter el isócrono ritmo de los tambores y el brillante relampaguear de los agudos pífanos.

Los niños marchan al frente del marcial desfile, por una calle en la que se supone habita Candiola.

Llaman a su puerta y como se niegue a facilitar lo que se le pide, dispónense a castigarle duramente.

Montoria lucha entre el amor, el deber y la consideración de ser aquel traidor padre de la que ama. Interviene Pilar, en favor de Candiola; éste se retuerce bajunamente obteniendo por fin el perdón y el dinero, que recoge su insaciable codicia.

Acto segundo

Huerta de Candiola, destacándose en el horizonte la famosa Torre Nueva. María del Pilar, la hija del usurero, espera a su novio, el bizarro Montoria. La llegada de éste da lugar a una nueva escena amorosa, de mayor fuerza aún que la del primer cuadro: anhelos por la futura suerte de aquel amor nacido entre lágrimas y sangre, juramentos que aprietan inrrompibles lazos, dan lugar a un verdadero derroche de ideas musicales llenas de poesía y firmeza. Una bomba atraviesa el espacio; su estallido determina la aparición de Candiola, sorprendiendo a los amantes. Violenta escena en la que el iracundo padre llega a maldecir a Pilar.

Montoria ofrece volver a recoger la palabra empeñada uniéndose a la mujer que idolatra. El motivo de jota convertido en suave plegaria, es originalísimo y sentido.

Este acto es de los más claros y asequibles a la masa general del público; está bien entendido y mejor expresado.

Acto tercero

Un hospital de sangre. El rezo continuado de las monjas de Santa Mónica da un ambiente de doloroso misticismo a la escena. Los lamentos lejanos de los heridos se mezclan a los rezos de las religiosas y a las frases de desesperada amargura de las mujeres del pueblo.

La entrada de los Montoria reanima los abatidos ánimos, con un brioso *marcial*.

Anúnciase nuevos peligros: los invasores se preparan a asaltar la casa, óyese el coro de hombres dividido en dos grupos y cantando en distintos planos.

Efecto nuevo de sorprendente resultado a no dudar: los defensores ocupan el tejado y azoteas, los invasores llegan por sótanos y pisos interiores. Final de gran confusión.

Acto cuarto

Tiene lugar en el templo de San Agustín, convertido en ruinas. El abatimiento, producido por el cansancio y el aniquilamiento de la lucha, ha llegado a su grado máximo. Candiola, al que los acontecimientos separaron de su hija solicita ahora la protección de los patriotas. Una bomba destruyó su casa e ignora el paradero de Pilar. Increpa a Montoria, el que desprecia sus amenazas, prosiguiendo siempre en su tarea de animar constantemente a los anónimos héroes.

Es notable en el acto de *raconto* elegíaco del barítono. Convergen todos los pensonajes para preparar el final brillante de la obra. Montoria se sobrepone al dolor que le produce la muerte de su hijo Manuel, que pereció en la lucha.

De Candiola se dice que lo fusilan.

La llegada de nuevos refuerzos invasores inflama el ánimo de los que aún sobreviven a la trágica epopeya, y este es el momento de resurgir el canto patriótico de la jota, esta vez en todo su desarrollo y brillantez.

Tal es, a grandes rasgos, el campo de acción en que se desarrolla la ópera *Zaragoza*.

Oportunamente daremos cuenta de su interpretación por la Compañía que actúa en el Principal y del efecto que produzca en el público.

(Luis Arnedo, *Diario de Avisos de Zaragoza*. 3-VI-1908)

22

EL ESTRENO DE *ZARAGOZA*

El músico. La partitura

El estreno de la ópera de *Zaragoza* pone término a una odisea por todo extremo interesante.

Ya la conté en *El País* cuando el maestro Lapuerta nos obsequió con una lectura al piano de su ópera: entonces oficié de profeta anunciando el éxito.

Inútil es encarecer cuánto celebro no haberme equivocado.

El caso de Lapuerta era para interesar el ánimo a su favor.

Un músico joven, fuerte y animoso, que desdeña los fáciles triunfos del género zarzuelero, cada vez más rebajado de *tamaño* y significación artística y se entra valientemente por el campo de la ópera nacional, demostrando en este su primer ensayo que *puede* hacerla, perseverando constante en una labor donde toda clase de contratiempos, sinsabores y pequeñas miserias tienen su asiento, constituye un hecho laudatorio digno de estímulo.

La corazonada del ilustre varón D. Benito Pérez Galdós, prestando la poderosa ayuda de su cooperación valiosa al joven maestro, hasta ayer oscuro y casi desconocido, da tinte novelesco a la gestación lenta y laboriosa de la nueva ópera.

Por fin cesaron las inquietudes y temores de insomnios y vigilias.

Llegó el momento tan esperado, deseado y temido al propio tiempo, del estreno; el éxito ha sobrepujado las esperanzas de los autores.

Zaragoza ha correspondido a su esfuerzo, premiando largamente con acogida entusiasta y cariñosa la delicada ofrenda artística de Galdós y Lapuerta.

Yo que animé a este último en días de espera, amargos y difíciles, quiero ser también el primero en felicitarle hoy que orea su frente la brisa acariciadora de la gloria.

La tendencia y significación de la nueva partitura *Zaragoza* esta bien expresada por su autor en las siguientes líneas: «Al escribir la música de *Zaragoza*— dice Lapuerta— he procurado inspirarme en los modernos cánones, corrientes y sancionados en el mundo artístico: he querido tomar puesto en las avanzadas del progreso musical, pensando en la alteza del asunto, digno de todos los esplendores de la moderna escuela.»

Esto, que podría parecer arrogancia a los que no conozcan la noble rudeza del carácter navarro, es la expresión de los propósitos que animaron al compositor: su credo artístico.

Cree y cree bien que a la ópera nacional se ha de llegar en automóvil, última expresión del adelanto moderno en materia de locomoción y se ha de entrar en su inexplorado recinto, por la puerta grande del más depurado progreso.

Lapuerta demuestra en su trabajo despreocupación grandísima

sobre todo lo que no sea arte, tal como él lo siente y lo señalan los modelos más dignos de ser imitados en el actual momento histórico del drama lírico.

No hay en *Zaragoza* romanzas, dúos, ni *cavaletas*, ni aún corales, a pesar de la casi continua intervención de la masa vocal, a la antigua usanza, con arreglo a procedimientos manidos, donde el aplauso se solicita de continuo a grito herido, vergonzantemente.

Con arreglo al ambiente del libro a las gloriosas hecatombes históricas que le sirven de fundamental desarrollo, domina continuamente la nota patética que da suave color y apacible tranquilidad a los principales fragmentos; francamente se destaca con perfiles nobles y fieros la figura musical de Montoria; su hijo Agustín representa el elemento pasional amoroso, que da interés y variedad a la fábula; Candiola se inicia siempre por sonoridades graves, *cupas*, estridentes, choque de intervalos y registros orquestales que parecen indicar la sórdida avaricia, las bajas pasiones de tan repulsivo personaje. El padre Aragón representa el elemento religioso, asociado a la grande epopeya: sus recitados y parlamentos le imprimen carácter místico y varonil al propio tiempo. Guedita, Manuel y el Capitán son musicalmente episódicos, aunque requieren cierta artística significación en sus intérpretes, sobre todos los dos últimos.

Con tales elementos algunos de cuyos *leid motive* se halla bien definido, ha construido el maestro Lapuerta su edificio musical.

Abundan los diálogos entrecortados constantemente, luchando bravamente con la fatiga y monótona sensación que la generalización de tan peligroso procedimiento pudiera acarrear: este ligero temor lo ahuyenta (y de ello ha tenido ocasión por adelantado de convencerse el inteligente músico) la tijera sabiamente manejada. Considerada en conjunto la partitura, resta señalar los momentos culminantes de ella. Tras corto preludio en que se barajan los elementos psicológicos de la obra, ya apuntados, da sensación exacta y preparada adecuadamente al ánimo del oyente la primera escena, donde se entremezclan las plegarias místicas del Pilar, con los alegres y marciales acentos de soldados y pueblo.

La salida de Montoria es teatral e interesante; sus frases vibrantes constituyen una de las inspiraciones de la ópera.

Manuela Sancho representa el elemento popular y por eso los diseños de la jota revolotean en la orquesta, dando carácter al típico personaje. Antes merece apuntarse el *raconto* de Agustín, en su escena con el Padre Aragón, bien sentida y trazada con acierto.

En el segundo cuadro se ha olvidado Lapuerta de hacer un preludio descriptivo que hubiera dado lugar a la mutación, exigencia escénica también atendible, donde tendrían su sitio la marcha de los pífanos y tambores y, si quería utilizar a los niños, siempre internamente, evitando su salida que a nada obedece: en el teatro pasa por axiomático, que lo que no hace falta o se halla justificado pesa.

El asalto de la casa de Candiola da lugar a una movida escena; dibújase ya en la salida del avaro su carácter musical, bien sostenido en el resto de la obra.

La escena amorosa del segundo acto será para el público lo mejor y más asequible de ella; frases pasionales, *caldas* forman el dúo *moderno* de los amantes María y Agustín (soprano y tenor); el autor aquí ha querido probar que con la jota se expresan todos los sentimientos imaginables en esta hermosa región y dejos de jota tiene el hermoso fragmento de referencia.

La violentísima acción que forma el nervio del tercer acto constituye un escollo para su perfecta ejecución escénica, necesitada de elementos extraordinarios; lucha ataque del enemigo invasor por azoteas y sótanos, precisa división de coro y ajuste matemático, difícil de lograr en el conjunto por virtud de la plantación teatral; refinamiento de plástica para que la posible aproximación a la realidad no malogre el efecto ideado por los autores.

La arenga que pudiéramos llamar, de Montoria, es valiente, aunque un poco *italiana;* hay concesiones que se imponen.

El *raconto* patético de Manuela Sancho es otro momento afortunado del autor; la frase grave de la contralto pinta bien el dolor sombrío, los horrores de la lucha...

El fragmento instrumental que sigue, evacuación del Hospital e incendio del mismo por Montoria, es un bello trecho de concierto, pequeño poema sinfónico de frase inspirada, concepción atrevida y trazo seguro.

Del cuarto acto, breve por su desarrollo y conciso en acción, ya suficientemente diluida en lógicas condiciones de proporcionalidad, merece anotarse el *raconto* en que Montoria llora la muerte de su hijo, trozo impregnado de ternura, y bien sentido.

Terminando la ópera con una escena que levanta el abatido ánimo de los heroicos defensores a los sones de jota vibrante, después de la tierna despedida de María y Agustín, infortunados amantes que sacrifican su amor «en el altar de la Patria».

Tal es, a grandes rasgos, el examen de la partitura de *Zaragoza*.

No hay por qué repetir lo ya dicho: el maestro Lapuerta merece plácemes por su ópera, que constituye un gallardo acto de presencia.

El que con tales alientos emprende el camino no puede dudarse que en la segunda etapa afirme su personalidad artística, aproveche atendibles enseñanzas de experiencias pasadas y proporcione pronto nuevas ocasiones de aplaudirle y festejarle como uno de los más animosos cultivadores del arte lírico nacional.

LA INTERPRETACIÓN

El público ha correspondido al esfuerzo de los autores, recibiendo la ofrenda de su obra con cariñoso entusiasmo.

De los intérpretes merece consignarse en primer término el maestro director, Arturo Baratta, por la escrupulosidad e inteligencia con que ha ensayado la obra y la pericia desplegada en su dirección.

No es tarea fácil, por la naturaleza de la composición. Abundando en ella los cambios de tiempo, la brusquedad en el *atacco*, necesarios de estudio y precisión matemáticos. El notable trabajo de Baratta ha de ser debidamente apreciado por los inteligentes y por los autores de la ópera. Sea el primer aplauso, nutrido y fuerte, para el maestro Baratta, cuya artística reputación se halla sólidamente cimentada.

De los artistas, bien penetrados de la *responsabilidad* que asumían, descuella la Vergeri, ya reputada en Zaragoza por sus aciertos en la presente temporada y sus facultades de mérito positivo. Llevó la mejor parte en el hermoso dúo pasional del segundo acto, calurosamente aplaudido.

La Sra. Julibert de Adrille es una artista de buena cepa; su voz pastosa, de volumen y buen timbre, dio realce al interesante papel de Manuela Sancho, sobresaliendo en el sentido *raconto* del tercer acto.

Costa dijo con buena entonación el *raconto* del primer acto, coadyuvando al dúo del segundo.

Montoria resulta el papel de mayor relieve por su continua

intervención en las principales escenas; Ignacio Tabuyo le prestó autoridad, ya que su ronquera inoportuna le impidió dar brillantez a la *particella*.

El avaro Candiola fue bien caracterizado plástica y musicalmente por el barítono Puiggener.

Antonio Vidal responde en *Zaragoza* a su abolengo artístico: el Padre Aragón, personaje de alta significación, necesita de un artista de talla. Los majestuosos, severos y reposados recitados adquieren singular relieve y Vidal realiza un trabajo depurado, digno de anotarse.

Orquesta y coro rivalizan en laudables esfuerzos de laboriosidad y buen deseo.

El público de las alturas volvió por lo suyo, haciendo repetir la frase de la jota final.

El éxito de *Zaragoza* garantiza, a nuestro juicio, la vida de la ópera en el moderno repertorio español.

> (Luis Arnedo, *Diario de Avisos de Zaragoza*, edición de la tarde, 5-6-1908.)

23

ESTRENO DE LA ÓPERA *ZARAGOZA*

EL TEATRO

Apremia el espacio y el tiempo; su tiranía sacrifica nuestro deseo de esmaltar estas columnas con los nombres de las bellísimas damas, radiantes de elegancia, que abrillantaban anoche la sala del teatro municipal. ¡Cómo ha de ser!

Resígnese el lector, como nosotros nos resignamos; sepa que cada palco era un *bouquet* de bellezas y el patio una exposición de hermosuras; que la elegancia había llegado a las localidades altas; que nuestras mujeres —gala de toda gran fiesta— daban una nota exquisita, de sugestivo atractivo al teatro y que pocas veces, ni en solemnidades, se ha visto aquel tan espléndido como anoche.

Los infantes presentáronse en el intermedio del primer acto.

Apareció primero la infanta y tras ella el infante; vestía la infanta traje rosa rameado, con triple collar y diadema de gruesos brillantes, y el infante uniforme de húsar.

El ama de la infanta, condesa de Mirasol, vestía traje azul y chal.

La infanta saludó con una profunda y delicadísima reverencia; el infante, militarmente.

Sonó la marcha real, y una nutrida salva de aplausos, prolongada largo rato, saludó a los infantes, que permanecieron en pie hasta que comenzó el acto y cesó la ovación, muy cariñosa y expresivamente agradecida por los ilustres huéspedes.

La infanta ocupó el sillón del centro; a la derecha, el infante, y a la izquierda, el infante D. Luis de Orleáns, que lleva una temporada en Zaragoza, de uniforme de Maestrante de Ronda.

La infanta mostrábase complacidísima, muy sonriente, interesada en conocer el público que le indicaba el de Orleans y hablando animadamente con su esposo.

El alcalde permaneció al lado de los infantes toda la representación.

El ministro, en el palco inmediato.

Aplaudieron mucho la obra y cooperaron a que se presentaran en escena los autores.

Los infantes recibieron iguales demostraciones de simpatía al abandonar el palco.

Todas las localidades ocupadas.

Todo Zaragoza irá a aplaudir *Zaragoza*.

LA OBRA LITERARIA

No necesita ser encomiada; trátase de uno de los *Episodios Nacionales*, llevado al teatro por el insigne maestro Galdós con todos los amores que el ilustre autor de *Marianela* siente por nuestra tierra.

Galdós al escribir para la escena su *Zaragoza* ha conseguido pintar de mano maestra los grandes rasgos que caracterizaron nuestra capital durante los Sitios, poniendo sobre el fondo patriótico, obligado en su concepción, las notas religiosa y dramática y la nota amorosa. Y logrando un conjunto admirablemente dispuesto para el objeto que se propusiera.

LA MÚSICA

No era empresa fácil la de escribir una partitura para *Zaragoza*. Necesitábase para salir airoso de tal empeño un profundo conocimiento de la moderna técnica musical, una extraordinaria flexibilidad de espíritu para que éste se adaptase a los diversos caracteres que necesariamente habían de imperar en la obra: el carácter guerrero de lucha épica, que sirve de fondo al asunto; el religioso, que sobresale en ciertos pasajes del libro; el trágico, hábilmente dispuesto por el maestro Galdós en los últimos actos, y, finalmente, el amoroso, que representa la trabazón, la forma, algo así como el elemento decorativo de la ópera. El maestro Lapuerta ha sabido vencer brillantemente todas estas positivas dificultades, mostrándose como compositor de grandes vuelos, como músico hecho, como artista cuyas grandes aptitudes le permiten acometer empresas de tanta magnitud como lo es la creación musical de *Zaragoza*.

Comienza la obra con un preludio breve, sobrio y vigoroso, dulcificado por algunos compases de jota, intercalados hábilmente. En el primer cuadro los acordes litúrgicos del órgano del Pilar añaden al conjunto un delicado ambiente místico, que se percibe a través del canto brioso y muy expresivo de la orquesta. Es muy característica la oración del fraile y *raconto* de Montoria hijo (tenor), que tienen frases verdaderamente inspiradas. Pero el pasaje sobresaliente del cuadro primero es el canto de Manuela Sancho (contralto), página musical escrita también a base de la jota, valiente, inspiradísima, de gran efecto. Sigue una escena de amor entre la hija de Candiola (primera tiple) y Montoria hijo, bello fragmento, tierno y apasionado. Y el acto termina con el cuadro segundo, en el que son dignos de mención los coros y el canto suplicante de Candiola.

El acto segundo es un gran dúo de amor: la jota vuelve a escucharse más que nunca apasionada y dulce. Este fragmento de *Zaragoza* está llamado a ser popular. Es oportuno, muy inspirado y es escrito de mano maestra. Le siguen varias páginas descriptivas, en las que resaltan el sonar de los tambores, el estallido de las bombas y las campanadas del vigía de la Torre Nueva. Todo el final del cuadro es un prodigio de instrumentación.

El acto tercero es, técnicamente considerado, el de más grande mérito. Las escenas del hospital de sangre son de lucha violenta y dramática, que la orquesta cuenta exactamente y con todo detalle. Emocionan la majestad del canto de los Montoria, la delicada tristeza de los coros y el final desordenado, de trágica desesperación.

En todo el cuadro, Lapuerta se revela como profundo conocedor de los recursos orquestales y como meritísimo contrapuntista.

En el acto último, la inspiración del maestro, sin dejar su carácter trágico, expresa el desaliento, la triste impotencia de los vencidos. Es muy sentida la romanza del barítono y muy expresivos todos los recitados del cuadro, que representa las ruinas del convento de San Agustín. La jota final, inspirada en el brioso resurgir de los ánimos por la llegada de refuerzos, es original, inspiradísima y ofrece un conjunto de grandeza, que muy justamente arrancó una tempestad de aplausos.

El maestro Lapuerta ha triunfado; y su triunfo es justo, merecido, indiscutible: la partitura de *Zaragoza* es de las que consolidan una reputación.

EL DECORADO

Es de gran efecto, particularmente el pintado para el acto segundo, patio con jardín de la casa de Candiola, al fondo del cual se ve la Torre Nueva.

Las decoraciones que representan la puerta del Pilar y una calle de Zaragoza son de una gran visualidad, muy bien entonadas y de exactitud irreprochable.

Lo mismo cabe decir de los dos telones de los actos últimos. Todos ellos justifican la fama que como escenógrafo tiene adquirida Muriel.

LA INTERPRETACIÓN

Fue en conjunto muy ajustada: por ella merece toda clase de elogios la compañía que actúa en nuestro primer teatro, la cual ha hecho verdaderos esfuerzos para coadyuvar al éxito de anoche.

La mayor parte de este corresponde al maestro Barratta y a la orquesta de su dirección. Entre los cantantes debe citarse a las Srtas. Vergeri y Julibert y a los señores Tabuyo, Puiggener y Costa. Todos ellos cumplieron como buenos, logrando que el público premiase con sinceros aplausos su estimable labor.

El gran Galdós y el maestro Lapuerta fueron llamados a escena en todos los finales de los actos, recibiendo a su presentación ante el público ovaciones indescriptibles.

Por todos conceptos el estreno de *Zaragoza* constituyó un acontecimiento, del cual guardará nuestro público grata y perdurable memoria.

(Heraldo de Aragón, 5-VI-1908)

24

UN TEXTO OLVIDADO DE GALDÓS

En el *Heraldo de Aragón* del 7 de junio de 1908 se incluyó —bajo la cabecera: «El Ayuntamiento y Galdós»— la nota siguiente:

El Ayuntamiento de Zaragoza obsequió ayer con un banquete en la Quinta Julieta al gran Galdós.

El Sr. Galdós ocupó la presidencia de la mesa, sentándose entre el alcalde, Sr. Fleta, y el primer teniente de alcalde, Sr. Arnárez.

El comedor estaba decorado con la bandera nacional y la dedicatoria del agasajo que era: «El Ayuntamiento de Zaragoza a Galdós.»

El alcalde ofreció al final del almuerzo el obsequio, al Sr. Galdós.

El Sr. Fleta, muy feliz de frase y muy oportuno en ideas, pronunció breve y elocuente discurso, agradeciendo al eximio novelista su deferencia a Zaragoza.

Galdós correspondió con las siguientes cuartillas, que leyó él mismo:

«Tengo que contradecir al digno alcalde de Zaragoza, sosteniendo que esta ciudad, cien veces augusta, cien veces grande y generosa, no me debe la menor gratitud. Soy yo el agradecido, soy yo el que debe a la capital de Aragón acendrado reconocimiento.

A Zaragoza he venido en diferentes ocasiones del 68 acá. En todas estas visitas busqué y encontré siempre aquí el país de la verdad. Hastiado de ficciones y convencionalismos, aquí hallé el sentido recto de las cosas y la energía y perseverancia, virtudes sin las cuales ningún español puede acometer empresa alguna de mediano aliento.

Soy yo el agradecido, porque cuando mi destino me ha lanzado a difíciles y trabajosas campañas del orden literario y artístico, he tenido que sentirme un poco aragonés o figurarme que lo era, para poder acometerlas y consumarlas. Los ejemplos que he sacado de esta ciudad, de su suelo y cielo y ambiente y de la pujante raza que forma su vecindario, han sido mis estímulos. ¿No es esto el más estrecho lazo de gratitud que cabe imaginar?

Y ahora, por dicha mía, me encuentro en la más propicia ocasión para proclamar mis sentimientos ante este pueblo tan admirado y querido. Frente a mí veo la propia Zaragoza, viva, representada por su municipio, y éste presidido por su primer alcalde.

A tan ilustre representación y al delicado agasajo que acabo de recibir, respondo con toda la efusión de mi alma: Señores y amigos: Decid a vuestra madre inmortal que este forastero la adora en su pasado épico y aún más la gloría y enaltece en la visión de paz de su fecundo porvenir.»

Al ausentarse de la finca —que recorrió acompañado del Sr. Sagols y de los concejales— fue vitoreado el Sr. Galdós.

25

RESEÑA DEL ESTRENO DE *ZARAGOZA*

Considerado como un acontecimiento teatral de primer orden el estreno en esta capital de la ópera *Zaragoza*, libro del insigne Galdós, música del joven compositor Sr. Lapuerta, preciso es consignar, haciendo a la verdad el honor debido, que el resultado no ha respondido a la expectación que despertara el anuncio de este suceso.

El libro, como obra del gran novelista, está primorosamente hecho, y es, literariamente considerado, admirable; pero desde el punto de vista teatral no ofrece todas las condiciones indispensables. Existen, sin duda, algunas situaciones dramáticas de verdadera intensidad, pero en conjunto resulta lánguida la obra, acaso porque el libretista ha hecho el sacrificio de su personalidad en beneficio de la del músico.

Los personajes que en la obra figuran están dibujados con la firmeza y el arte propios de tan ilustre literato, y el argumento es el mismo del hermoso episodio que forma parte de ese grandioso monumento elevado por el insigne Galdós al arte, a la historia y a la cultura nacional.

Lapuerta, el modesto maestro y autor de la música, ha hecho una partitura de brillante orquestación y de factura irreprochable, dentro de las tendencias modernas, advirtiéndose, no obstante, la carencia de una sublime inspiración, de ese algo inmaterial con el que los grandes maestros cautivan a los públicos, haciéndoles partícipes de sensaciones superiores, comunicadas por vibraciones del espiritualismo, muy ajeno a la técnica musical, a la que, por lo visto, se supedita el espíritu culto de Lapuerta.

Esto no quiere decir que Lapuerta carezca en absoluto de inspiración, pues en algunos pasajes hay destellos muy dignos de tenerse en cuenta, como acontece en el dúo amoroso del segundo acto, donde se ha mostrado más poeta que *constructor* musical, así como en el acto tercero se ha encariñado más con los efectos de la orquestación y coro. Lapuerta ha servido muy bien el libro, reflejando en su composición cada uno de los caracteres de los personajes, ya describiendo con maestría la condición pasional de María Candiola (Srta. Vergeri) y de Agustín (Sr. Costa), hijo del noble y fiero Montoria (Sr. Tabuyo), ya la pasión sórdida del avaro Candiola (Sr. Puiggener), que almacenaba en su casa elementos de vida, mientras el pueblo heroico se moría de hambre.

De los números musicales son dignos de citarse la salida de Montoria y el *racconto* de Agustín con el Padre Aragón (Sr. Vidal) en el primer acto. La salida de Candiola, en el segundo cuadro del acto primero, cuando el pueblo, al frente del que va Montoria, asalta su casa en busca de trigo; el dúo de María y Agustín del acto tercero, del que ya hemos hablado anteriormente; el *racconto* de Manuela Sancho, muy sentido y afortunado, y la escena final del acto cuarto y de la obra, que es una jota valiente y levantada, que fue aplaudida con entusiasmo, mereciendo los honores de la repetición. Los autores fueron llamados a escena al final de cada uno de los actos y de la obra, en unión del maestro Baratta e intérpretes.

Desde el estreno de *Zaragoza*, Lapuerta tiene ya personalidad propia y no dudamos que en lo sucesivo nos demostrará lo mucho que vale.

*

La interpretación fue aceptable en su conjunto, distinguiéndose la Srta. Vergeri y la Sra. Julibert de Adrilli, así como el Sr. Tabuyo, que, a pesar de su afonía, se defendió con arte, y los Sres. Puiggener, Costa y Vidal.

Los coros, semientonados. La orquesta, bien.

Merece párrafo aparte el maestro Baretta, no tan sólo por el mucho trabajo que sobre él ha pesado estos días, sino por la inteligencia con que llevó la obra, cosa no tan fácil como parece si se tiene en cuenta lo difícil de la música por los cambios bruscos de tiempo. Del decorado de Muriel merecen citarse el telón del segundo cuadro del acto primero y las decoraciones de los actos segundo y tercero.

(R. de San Juan, *El Arte del Teatro*, III, n. 54, 15 de junio de 1908, p. 16.)

26

Marceliana Isábal
ABOGADO
Coso, 82, principal
ZARAGOZA

Estimado amigo y correligionario: mi amistad con el Sr. Galdós, la admiración que merece su talento y la gratitud debida a su devoción a nuestra causa y a su entusiasmo por las glorias de Zaragoza, me mueven a rogar a V. encarecidamente se sirva contribuir, en cuanto le sea posible, a que se vea concurrida la representación de mañana en el Teatro Principal, dedicada como está a nuestro ilustre correligionario.

Muy de V. afmo. amigo, q. b. s. m.

Junio, 6 [1908].

Tras lo anterior, escrito a máquina, aparecen las siguientes líneas autógrafas:

«Mi amigo Sr. D. Benito: Eso es lo que digo a los concejales, según las indicaciones que se me han hecho. Mucho celebraré que entre unas cosas y otras podamos conseguir se llene el teatro, ya que tanto lo desea V. en bien de los artistas.

Su admirador y amigo.— Marceliano Isábal.»

27

Querido D. Benito:

Verdadera sorpresa me causó la lectura de su carta, de que este Consejo no aprobara la adquisición de *Zaragoza* después de lo ofrecido. Esto sólo lo puede suponer un Gasca. *¡Miá* que quedar mal el Ayuntamiento de Zaragoza con la *Zaragoza* de Don Benito Pérez Galdós!

Faltaba para el cumplimiento de lo ofrecido el informe del arquitecto municipal, y hoy han quedado cumplimentados favorablemente nuestros deseos por parte de nuestro querido amigo don Ricardo Magdalena.

Con este requisito, que exigían los munícipes *altos* y *bajos*, sólo falta que entreguen esas *dos mil y pico de pesetas enfermas*. Porque no en pesetas, sino en sendas peluconas debían entregar a Don Benito y a gran honor, esa miseria, en comparación con la que

Zaragoza debe a V. Y no digo más, sino que le sobre la salud y
con un fuerte abrazo queda suyo

Mariano Gracia

Zaragoza, 1 de julio de 1908.

Recibí el libro de las Escuelas. Gracias. Recuerdos a esa familia.

Evocación de Miguel Ángel Asturias
Málaga, 1972

I

Hace más de un cuarto de siglo, Miguel Ángel Asturias escribió

> Qué día, no lo sé, al callar yo, velero,
> al callar para siempre, tus velas
> quedarán vacías y sin música,
> apagadas las luces en la proa,
> en la popa, los puentes y los mástiles...
> Qué día, no lo sé, al callar yo, velero...[1]

El enigma —roto ya— se ha aclarado. Fue en Madrid. Un domingo, cuando la primavera, incierta siempre, camina hacia su verano. El 9 de junio, Miguel Ángel Asturias terminaba su creación. No hubo alisios marineros que hincharan sus velas hacia las orillas de Guatemala. Como en otro mito, el barcaje se pagaba sin viento y sin fanales. No mástiles levantados, sino agoniosas remadas hasta la vera de los silencios. Miguel Ángel Asturias había terminado su desasosiego y estaba en la paz. Como si se tratara del principio, de nuevo; como si el acabar fuera estar —materia virgen— en la Gran Sombra que espera ver surgir a las criaturas. Miguel Ángel Asturias había vuelto a su reino e iba a crear —de nuevo— los prodigios a que sus manos pudieran tentar y su aliento dar vida.

Al empezar el *Popol Vuh*, el libro de las antiguas historias de los indios quichés, se dice

> Antes de la creación no había hombres, ni animales, pájaros, peces, cangrejos, árboles, piedras, hoyos, barrancos, paja ni plantas trepadoras y no se manifestaba la faz de la tierra; el mar estaba suspenso y en el cielo no había cosa alguna que hiciera ruido. No había cosa en orden, cosa que tuviese ser, si no es el mar y el

---

[1] *Sien de alondra*, apud *Obras Completas*, I (1969), pág. 882.

agua que estaba en calma y así todo estaba en silencio y oscuridad como noche.

Solamente estaba el Señor y Creador, Gucumatz, Madre y Padre de todo lo que hay en el agua, llamado también Corazón del Cielo porque está en él y en él reside. Vino su palabra acompañada de los Señores Tepeu y Gucumatz. Y, confiriendo, consultando y teniendo consejo entre sí en medio de aquella obscuridad, se crearon todas las criaturas[2].

Me imagino al artista como en uno de los dibujos del *Códice dresdense:* acuclillado ante Gucumatz, sintiendo latir en sí mismo al Corazón del Cielo, escuchando palabras de sabiduría, mientras la noche envuelve al Caos. Y en la palabra del Creador está toda la Claridad para que se mantenga la hermosura de todo lo que va naciendo: el tímido rosicler del cielo, el negro intenso de los bosques en la tierra, el retemblor brillante de las lagunas y la quietud impasible del mar. El poeta entorna los ojos, abre los oídos y araña el suelo para que nada caiga en el olvido. Del mundo de la sombra ha de retornar al mundo de lo creado. Miguel Angel Asturias ha vuelto a seguir escuchando, a aprender las lecciones que se llamarán *Leyendas de Guatemala.* Necesita volver a las mansiones de Gucumatz y ha ido a escuchar la segunda llamada.

II

El avión había salido de Guatemala. Era un infierno de máquinas el aeropuerto. El aburrimiento disimulado en ruletas —ciruelas, uvas, limones, naranjas, que nunca casaban—. Ruidos estridentes que no podían hacer olvidar el misterio del Cristo de las Estípulas o los indios arrastrándose hacia la iglesia de Chichicastenango. Era el prodigio del hombre contra el horror de la máquina. Hombres con sus capotes de colores y su trenza, mujeres con los tejidos abigarrados. La fe que se deseaba para no creer en las máquinas. Y ya, abajo, el génesis de las leyendas mayas. Los conos volcánicos remataban en ojos de agua. Como si un Argos asustado nos mirara sorprendido al vernos —tan nada— allá en lo alto. Era un mundo virginal: bosques que afelpaban la desnudez del cráter, negrura amistosa que se vertía en mil verdes espesos. Y una augusta soledad. (La azafata se movía con la infamia agre-

---

[2] Cito por la edición de Albertina Saravia, México, 1965, pág. 3.

siva de las compañías aéreas: era un gran invento. Zapatos, medias, bragas, corpiño, todo de plástico en rombos arlequinados. Era un gran invento.) Abajo, la selva y los volcanes y las lagunas. Arriba, las nubes retorciéndose como culebras angustiadas, mientras el último sol ribeteaba de fuego y de oro los perfiles que se dibujaban. La noche se iba acercando. Gucumatz volvía a sentarse y el mundo volvía a estar no creado. El poeta ha llegado al gran Corazón del Cielo para oír las nuevas leyendas, para contar al Señor y Creador todas las leyendas que en el mundo existen, para que su Sabiduría las grabe en su memoria eterna, si algo aprovechan. O las olvide para siempre.

III

Miguel Ángel Asturias llegaba en su vuelo. Con su color de tierra fértil y sus arrugas de surco en sementera. Caminaba como si desembarcara de una larga travesía. «Lo que usted quiera.» «Cuando usted quiera.» «Sólo quiero ver a don Camilo José Cela.» «Estaré con usted todo el tiempo.» «No, no me canso nunca.» Miguel Angel Asturias habló. Sí, quien crea habla siempre como creador. Sea poeta, o filósofo, o médico, o sochantre. Eran dos lecciones universitarias, aunque el novelista no quería llamarlas conferencias. Justas, exactas, claras. Con su planteamiento, su nudo, su desenlace. Lecciones de tesis universitarias. *El realismo mágico:* sin escándalo, sin ataques, sin reservas. Así es, así lo veo, así lo hago. Era la lección de un gran profesor universitario. (Cuando tanto profesor pequeñito anda suelto, incapaz de balbucir sin injuriar o denigrar. Incapaz, sí, claro, de escribir una línea propia o de no repetir otra palabra que la voz de su amo.) Fue la lección del maestro.

Nuestro curso acababa. Dos lecciones. Una de Cela y otra de Asturias. Sí, sí, en Málaga, en agosto. («Alvar, los honores para Asturias.» Y Cela dio una espléndida lección de investigador. Las cosas en su punto y los puntos en las íes. Cela era el maestro que ha hecho el hallazgo y lo comunica. Deshilvanándolo. Aclarándolo. Ilustrándolo. ¡Qué gran ejemplo!). Y Miguel Ángel Asturias terminaba. Era otra lección universitaria: *El aporte de la novela a la sociología*[3] y el docente hablaba —suasorio— a los discípulos:

---

[3] *Novela y novelistas. Reunión de Málaga 1972*, Málaga, 1973, págs. 139-151.

Lo que acontece en la novela no es la realidad, sino una interpretación de la realidad. Aristóteles empleó la palabra *mimesis*...

Y así, esa ficción, que es la realidad de la novela, puede ser interpretación de la realidad física, lo que constituiría la pintura del ambiente...

¿Podría entenderse la realidad política de nuestra tierra en el constante choque de sus hombres, sin la lectura cuidadosa de *Facundo*?

Pero estamos corriendo el riesgo, y hay que adelantarse a lo de que la novela hispanoamericana no sea tomada como obra de arte. Y esto es lo que se trata de evitar...

El tema es amplísimo. Nosotros no hacemos sino iniciarlo, invitar a todos los estudiosos a que estudien en ellas todo aquello que queda de nuestros hombres, todo lo que queda de nuestros pueblos, pues así y sólo así se aprenderá a conocerlos mejor.

Estas fueron sus últimas palabras. Palabras de paz y de esperanza. Las palabras —paz y esperanza— que nunca caen de los labios de los grandes maestros. Palabras para volver —feliz, sereno— a la casa, Claridad eterna, del Señor y Creador Gucumatz.

IV

Después hablamos de muchas cosas. La propia experiencia, las peregrinaciones y los viajes. Al día siguiente marchaba yo a Colombia. Al regresar estaban las *Obras Completas*, y en la primera página —letra grande, tinta azul brillante— esto: «Manuel Alvar, amigo querido, maestro de juventudes y espíritu abierto a los problemas de Nuestra América. Miguel Ángel Asturias. Málaga, agosto 1972.» Fueron y vinieron cartas. La última traía una estampa de Braekeleer (1840-1880), *Le cartographe:* el viejo se deja los ojos coloreando un mapa. Es el norte de Alemania. La estampa resulta toda una evocación arqueológica. Rutas inciertas, países remotos, primor en los matices. Y como un fondo de fatiga en el trabajo fervorosamente cumplido. Y unas líneas del novelista: «Puede usted transcribir lo que se grabó, pues resultará mejor.»

Miguel Ángel Asturias vio el libro. No el suyo, que le espera en 27, rue St. Ferdinand, sino el de nuestros amigos canarios. Alzola, Rodríguez Doreste se lo enseñaron. Me escribían con sus impresiones. «Confía ver la obra en París.» Sin embargo, Gucumatz quería oír nuevas leyendas y repetirle otras viejas. Llegaban noticias contradictorias. Hasta la última. Sí, sobre los cráteres y las lagunas, sobre la selva, Miguel Ángel Asturias buscaba la postrera, la suprema Claridad.

Índices

Abreviaturas bibliográficas

CCMU. = *Cuadernos de la Cátedra Miguel de Unamuno*. Salamanca, desde 1948.

EUM. = Unamuno-Maragall, *Epistolario y escritos complementarios*. Madrid, 1971.

MUP. = Manuel García Blanco, *Don Miguel de Unamuno y sus poesías. Estudio y antología de textos poéticos no incluidos en sus libros*. Salamanca, 1954.

O. C. = Obras Completas.

UI. = Hernán Benítez, *El drama religioso de Unamuno*. [La segunda parte del libro es el epistolario Unamuno-Jiménez-Ilundáin.] Buenos Aires, 1949.

Índice onomástico*

A

Agustí, Ignacio, 198-200
Agustini, Delmira, 145, 147-149 y n.,
    153, 155, 157, 160-164
Albareda, Ginés de, 124 n.
Albérès, R. M., 26
Alberti, Ignacio, 29
Alberti, Rafael, 95, 131
Alborg, José Luis, 214 n.
Albornoz, Aurora de, 121 n., 135 n.
Alegría, Ciro, 204
Aleixandre, Vicente, 117
Alfonso el Sabio, 33
Almirall, Valentín, 21
Alonso, Amado, 131 n.
Alonso, Dámaso, 28, 84 n., 97, 101 n.,
    105 n., 133 n., 134 n., 223
Álvarez, Pedro, 180
Álvarez Molina, Rodrigo, 139 n.
Álvarez Quintero, 232 n.
Alzola, José Miguel, 284
Amorós, Andrés, 59
Antón, Francisco, 79 n.
Aranda, A., 101 n.
Aranguren, José Luis, 90 n., 113 n.
Arbó, Sebastián Juan, 180, 198, 199,
    205 n., 219
Ardazun, Juan, 79
Aristóteles, 286

Arland, Marcel, 83
Armas Ayala, Alfonso, 124 n.
Arnárez, 273
Arnedo, Luis, 234, 257, 261, 264, 269
Arniches, Carlos, 259
Asturias, Miguel Ángel, 281-286
Azaola, José Miguel de, 65 n.
Azorín, 21, 22, 24, 25, 28-30, 33-37, 40,
    43-49, 52, 54, 71, 123, 142 n., 203

B

Bacarisse, Mauricio, 171
Baccario, 257
Bacon, Francis, 71
Bainville, Jacques, 202, 203
Balzac, Honorato de, 196
Baratta, Arturo, 261, 268, 272, 275
Barbieri, Francisco Asenjo, 130
Bargiela, 29
Baroja, Pío, 21, 25, 28-30, 34-37, 41,
    43, 45, 46, 48-54, 71, 179, 181 n.,
    182, 186-188, 190, 191, 193, 195 n.,
    196, 197, 199, 200-203, 205, 225
Baroja, Ricardo, 52
Bartra, 214 n.
Bartrina, Federico, 76
Baudelaire, Charles, 83 n.
Beceiro, Carlos, 122 n.

* Estos índices han sido redactados por un grupo de ayudantes a cuyo frente figura María Angustias Luzón. Para todos, mi gratitud.

293

Granjel, Luis, 66 n.
Grant, H. F., 122 n.
Greco, El, 192, 193
Greene, Graham, 176, 177 n., 195 n.,
212 n.
Green, Henry, 216 n.
Gual, Adriá, 259
Guerra Junqueiro, Abilio M. da, 21, 70
Guglielmi, Guido, 209
Guillén, Jorge, 40, 86 n., 117
Guimerá, Ángel, 259
Guiomar, 142 n., 137, 138
Guiraud, Pierre, 28, 83 n.
Gullón, Ricardo, 83 n., 98 n., 99 n.

H

Hegel, 25
Heidegger, Martín, 39
Heine, Heinrich, 31
Hemingway, Ernest, 211, 214, 218
Hernández, Andrés, 160
Henríquez Ureña, 131
Hitchcock, 195 n.
Hjemslev, Louis, 81
Hoffman, F. J., 201, 204 n., 214 n.,
218 n., 220 n
Homero, 81, 103, 239
Howels, W. D., 204 n.
Hoz, Agustín de la, 157, 159
Hurtado de Mendoza, José H., 244 n.,
252 n.

I

Iordan, Iorgu, 88 n.
Iribarren, Manuel, 173 n.
Isábal, Marcelino, 237, 276
Isern, Damián, 21
Izquierdo Cuevas, Leonor, 111, 120,
124, 125, 132 n., 137, 138, 142

J

James, Henry, 204 n.
Jarnés, Benjamín, 171
Jeschke, Hans, 29, 98 n.
Jiménez, Juan Ramón, 28, 29, 113 n.,
142 n.
Jiménez Ilundáin, Pedro, 57, 63 n., 64 n.,
71 n., 78 n., 87 n.
Jovellanos, Gaspar Melchor de, 21
Julibert de Adrille, 268, 272, 275
Jurado de la Parra, 259

K

Kant, Emmanuel, 25, 46
Kock, Josse de, 80 n., 89 n.
Krause, 24, 110 n.

L

Laforet, Carmen, 172 n., 180
Laín Entralgo, Pedro, 123
Laín, Milagros, 89 n.
Landínez, Luis, 180
Lapesa, Rafael, 99 n.
Lapuerta, Arturo, 231-239, 243, 244,
246, 248-258, 260, 261, 264-268, 271,
272, 274, 275
Larra, Mariano José de, 21, 29, 30
Larsson, 39
Laserna, Blas de, 259
Lazarillo de Tormes, 52
Le Guern, Michel, 84 n., 116 n.
León, Fray Luis de, 47, 71
León y Castillo, Fernando, 159 n.
Leopardi, Giacomo, 57, 80
Lera, Ángel M. de, 214 n.
Lerroux, Alejandro, 198
London, Jack, 189 n.
López Morillas, J., 24, 111 n., 113
López Van-Baumberghen, F., 19

O

Olimpo, 181
Olivar, Guillermo, 191
Orléans, Luis de, 270
Ortega y Gasset, José, 23, 28, 37, 43, 44, 47, 48, 51, 134, 170, 179, 181, 220, 224, 236
Ozores, Tomás, 221

P

Paci, Enzo, 210
Palacio, Manuel del, 19
Palacios, Miguel de, 246 n.
Palomo, Pilar, 113 n.
Papini, Giovanni, 26
París, Carlos, 88, 89 n.
Péguy, Charles, 26, 76
Pereda, José M.ª de, 42
Pereyra, Miguel, 160 n.
Pérez, Augusto, 178
Pérez de Ayala, Ramón, 28
Pérez Ferrero, Miguel, 112 n., 142 n.
Pérez Galdós, Benito, 28, 31, 53, 159 n., 160 n., 170, 188, 196-198, 217, 232-241, 244-246, 248, 250-261, 265, 270-274, 279
Pérez Vidal, José, 237 n.
Pérez Zúñiga, 246 n.
Perrin, Guillermo, 246, 246 n.
Pessoa, Fernando, 135, 136
Phillips, Allen W., 122 n.
Picavea, Macías, 21, 22
Pinillos, 257
Pirala, Antonio, 243 n.
Pirene, 86 n.
Pisador, Diego, 134
Plá, José, 172 n.
Poe, Edgard A., 4
Pombo Angulo, Manuel, 169, 215
Ponce de León, José Luis, 211 n.
Pouillon, Jean, 183
Prado Coello, Jacinto de, 136 n.

Prat de la Riva, 198
Priestley, 186
Pritchett, V. S., 195 n.
Proust, Marcel, 135
Puiggener, 269, 272, 275

Q

Quevedo, Francisco de, 20

R

Regoyos, Darío de, 31
Reina, Manuel, 97
Reyles, Carlos María, 82 n.
Ribbans, Geoffrey, 100 n.
Richet, Charles Robert, 53
Ridruejo, Dionisio, 116
Ríus, Joaquín, 200 n.
Rivera de Ventosa, E., 58 n.
Roberts, M., 190
Robin, G., 135 n.
Rodríguez, Marta, 99 n., 101 n., 105 n.
Rodríguez Doreste, Juan, 159 n., 284
Romero, Luis, 185
Ronsard, Pierre de, 98
Roscher, W. H., 127, 128
Rostand, Edmond, 162
Rouault, Georges, 194
Rueda, Salvador, 98
Ruiz, Ana, 142 n.
Ruiz de Conde, Justina, 138 n.
Ruiz Contreras, Luis, 57
Rusiñol, Santiago, 259

S

Saavedra Fajardo, Diego de, 21
Sainte Beuve, 135
Salcedo, Emilio, 58, 66 n., 75, 77 n.
Salinas, Francisco, 134
Salinas, Pedro, 27, 100 n.
Salmerón, Nicolás, 24, 110
Salvador, Gregorio, 114 n., 115 n.

Índice general

ESTE LIBRO SE TERMINO DE
IMPRIMIR EL 24 DE NOVIEMBRE
DE 1976, DIA DE SAN JUAN
DE LA CRUZ, ALTISIMO POETA.

ESTE LIBRO SE TERMINO DE
IMPRIMIR EL 24 DE NOVIEMBRE
DE 1976, DIA DE SAN JUAN
DE LA CRUZ, ALTISIMO POETA.